FELIZ PORQUE SÍ

Marci Shimoff
con Carol Kline

Feliz porque sí

Siete pasos para alcanzar
la felicidad desde el interior

URANO

Argentina - Chile - Colombia - España
Estados Unidos - México - Uruguay - Venezuela

Título original: *Happy for No Reason. 7 Steps to Being Happy from the Inside Out*
Editor original: Free Press, a Division of Simon & Schuster, Inc.
Traducción: Griselda Cuervo y Marta Milian

© 2008 by Marci Shimoff
Published by arrangement with the original publisher,
Free Press, a Division of Simon & Schuster, Inc.
All Rights Reserved
© 2008 de la traducción *by* Griselda Cuervo y Marta Milian
© 2008 *by* Ediciones Urano, S.A.
Aribau, 142, pral. – 08036 Barcelona
www.mundourano.com
www.edicionesurano.com

Edición: Aibana Productora Editorial, S.L.
Villarroel, 220-222 Entlo. D – 08036 Barcelona
www.aibanaedit.com

ISBN: 978-84-7953-677-0
Depósito legal: B. 25.676- 2008

Impreso por Romanyà-Valls – Verdaguer, 1 – 08786 Capellades (Barcelona)

Impreso en España - *Printed in Spain*

*Dedico este libro a todos aquellos que alguna vez
hayan deseado ser felices.
Ya no son castillos en el aire.*

*También se lo dedico a papá,
mi primer modelo de persona Feliz porque sí.
Llevo tu gozo en mi corazón.*

Índice

Prólogo

de Jack Canfield

El dinero sí que puede comprar la felicidad: ¡eso es lo que acabas de hacer tú al comprar este libro!

O por lo menos has dado el primer —y más importante— paso para llegar a ser lo que mi colega y querida amiga, Marci Shimoff, llama «Feliz porque sí».

Éste es el momento idóneo para un libro de estas características: ahora que la mayoría de nosotros tiene cubiertas las necesidades básicas de subsistencia y disfruta de un cierto nivel de comodidad material, comenzamos la búsqueda de algo más en la vida. Tanto si estamos a punto de comprarnos un cochazo, disfrutar de esas vacaciones soñadas, recibir un aumento de sueldo o entrenar al fútbol a chavales como siempre habíamos querido, lo que esperamos conseguir con todo eso es una experiencia más profunda de la felicidad. Pero nos quedamos cortos. No se me ocurre una necesidad más universal y extendida de hoy en día que la de la verdadera felicidad.

En *Feliz porque sí*, Marci ofrece un enfoque rompedor sobre la cuestión de cómo ser feliz: la mayoría de los libros sobre este tema se centran en conseguir la felicidad desde fuera, pero *Feliz porque sí* en cambio propone crear la felicidad desde dentro, donde verdaderamente cuenta. En estas páginas encontrarás pasos sencillos y prácticos para experimentar un estado de felicidad más profundo y permanente, con independencia de cuáles sean tus circunstancias externas.

Si has visto la película *El Secreto* ya sabrás que Marci y yo mismo creemos firmemente en la Ley de la Atracción, la idea de que cada uno tenemos poder para atraer a nuestras vidas aquello que más profundamente deseamos. Con este libro, Marci sienta la base fundamental para practicar esa ley con la máxima eficiencia: mantener un vibrante estado de gozo y felicidad en nuestro fuero interno.

Cuando conocí a Marci hace casi veinte años durante una sesión de formación sobre autoestima que yo impartía, su energía y su deseo de aprenderlo todo —¡ahora mismo!— me impresionaron de inmediato. Con los años, ella acabó colaborando en mis programas y desarrollando sus propios seminarios sobre éxito y autoestima que han cambiado muchas vidas. Y entonces, un buen día, esta pila de alto voltaje me llamó para contarme que había tenido una idea genial para un libro: *Sopa de pollo para el alma de la mujer* (por aquel entonces sólo se había publicado el primer título de la serie *Sopa de pollo para el alma*). «Me parece una idea fantástica —le dije— pero ¿por qué tienes que ser tú la que lo escriba?»

Marci y su socia, Jennifer Hawthorne, no se lo pensaron dos veces antes de contestar:

—Porque ambas somos escritoras, las dos damos conferencias para un público eminentemente femenino y además somos mujeres —me dijeron.

—Bueno, eso último desde luego no os lo voy a discutir —no tuve más remedio que reconocer.

Fue una extraordinaria experiencia de trabajo conjunto y Marci y yo hemos colaborado estrechamente desde entonces, y cuando decidí crear el Transformational Leadership Council, una organización que reúne a los 100 líderes transformacionales más importantes del mundo, la invité a participar como fundadora y miembro del comité ejecutivo.

Marci es la persona perfecta para escribir este libro: lleva trabajando en el campo del crecimiento espiritual y los valores más profundos de la felicidad desde que la conozco, y la veo como una exploradora que se adelanta al resto del grupo para reconocer el terreno, como la vigía que otea el horizonte y luego vuelve con una hoja de ruta sobre qué es lo verdaderamente útil. Siempre que Marci me sugiere que eche un vistazo a algo, sé con total certeza que será algo bueno.

Marci siempre ha tenido un talento único para hacer inmediatamente accesibles conceptos espirituales profundos y con *Feliz porque sí* ha dado en el clavo: este libro presenta un enfoque definitivo y amplio de la cuestión de cómo conseguir ser realmente feliz que combina una gran profundidad espiritual con investigaciones de muy alto nivel y psicología práctica. Y además, leerlo es todo un placer. A raíz de nuestra experiencia con la serie *Sopa de pollo*, aprendimos que para que un libro funcione verdaderamente tiene que incluir historias que graban su mensaje en nuestra memoria a fuego; desde los tiempos en que los humanos nos sentábamos alrededor del fuego en las cavernas, nuestro cerebro está programado para las historias, así es como damos sentido al mundo. En *Feliz porque sí*, las autoras —Marci y su colaboradora Carol Kline— han sabido incluir conmovedores y fascinantes relatos de personas de carne y hueso que han aplicado los principios que se mencionan a sus vidas para alcanzar un estado de felicidad profunda y duradera.

Yo llamo a Marci mi hermana en la búsqueda de los secretos de una vida de realización personal, de «la mágica manifestación definitiva», y estoy seguro de que si practicas los ejercicios de este increíble nuevo libro suyo vivirás feliz durante el resto de tu vida.

PRIMERA PARTE
FELICIDAD PERDURABLE

Este gozo que siento, no me lo ha dado el mundo,
y por tanto el mundo no puede arrebatármelo.

SHRILEY CAESAR, cantante de góspel.

Introducción

¡Bienvenido a una vida más feliz!

Estaba apretujada en la parte trasera de una camioneta *pick-up* con otros treinta occidentales, dando tumbos por una carretera sin asfaltar llena de piedras en dirección a la falda de la cordillera del Himalaya. Todos llevábamos la boca y la nariz tapadas con un pañuelo para evitar ahogarnos con la polvareda que nos rodeaba. Íbamos camino de una remota aldea donde nos disponíamos a prestar ayuda médica, de educación y vivienda. Yo estaba cansada, de mal humor y con todo el cuerpo dolorido. Al cabo de seis horas, el conductor se detuvo, salió del vehículo y, sin más contemplaciones, nos hizo bajar a todos junto con nuestro equipaje.

«A partir de aquí tenéis que caminar —dijo—, queda un kilómetro y medio más o menos, pero desde este punto la carretera es demasiado estrecha y empinada para la camioneta». Mientras la *pick-up* se alejaba traqueteando, clavé la mirada en mi maleta de cuarenta y tantos kilos con la desesperación pintada en el rostro: ¿quién me mandaría haber traído todas esas cosas completamente innecesarias? Era ridículo... Intenté arrastrar la maleta durante unos cuantos cientos de metros pero no había manera: no tenía fuerza suficiente. Estaba anocheciendo. ¿Qué podía hacer? Todos los demás iban subiendo la colina y al poco rato casi los había perdido de vista: me senté y luché contra el pánico incipiente durante un par de minutos. ¿Habría tigres por aquella zona?

Entonces, una mujer diminuta con los pies descalzos y la cara surcada de arrugas emergió del bosque y empezó a subir por la carretera hacia donde yo estaba; se me acercó con una sonrisa, levantó mi maleta del suelo, sorprendentemente se la colocó en lo alto de la cabeza como si no pesara mucho más que una cesta de fruta y luego por fin empezó a subir la colina al tiempo que me hacía un gesto con la mano para que la siguiera.

Mientras ascendíamos juntas por el sendero, y pese a que no nos entendíamos con palabras, me impresionó el brillo de sus ojos y la felicidad sin complicaciones que rezumaba aquella mujer, y cuando por fin llegamos a la cima me encontré con un recibimiento de caras sonrientes y saludos entusiastas por parte de los otros habitantes de la aldea.

Pasé las siguientes dos semanas trabajando codo con codo con aquella gente, cuidando a sus hijos, preparando las comidas y ayudando con la atención médica. Igual que ellos, dormía en el suelo, me lavaba en el río y bebía leche recién ordeñada y, para mi sorpresa, me encontré con que aquel estilo de vida espartano me sentaba bien: me sentía despejada, en paz y llena de energía.

Durante mi estancia en la aldea, también pasé mucho tiempo observando a nuestros anfitriones. Aquella gente no tenía electricidad ni agua corriente, vivían con lo puesto, sin lujos de ningún tipo, y, sin embargo, había en ellos una ligereza de espíritu, un sentido del humor, una amabilidad fácil que eran extraordinarios. Simplemente eran felices de dentro a fuera.

Por supuesto, me di cuenta de que su felicidad no era producto de su pobreza: he visto muchos hombres, mujeres y niños extremadamente pobres en los cuatro puntos cardinales que eran terriblemente desgraciados. Por otra parte, también he conocido personas que poseían todos los caprichos y artilugios resplandecientes que el dinero puede comprar y que estaban encantados con su buena estrella, y otra gente increíblemente rica que, sin embargo, era un ejemplo viviente de que «el dinero no da la felicidad».

Así pues, la experiencia reforzó mi convicción de que la felicidad no tiene nada que ver con tener todo aquello que se ha soñado con poseer y tampoco consiste en simplemente negar la necesidad de las comodidades materiales en esta vida. Lo que en realidad buscamos todos es la felicidad que sale de dentro y no depende de las circunstancias externas, la del tipo que yo llamo Felicidad porque sí.

El tiempo que pasé con los habitantes de la aldea del Himalaya hizo que mi meta cristalizara: sin abandonar mi vida normal, quería encontrar la manera de disfrutar ese tipo de felicidad, independientemente de dónde estuviera y de qué estuviese haciendo.

Lo más probable es que hayas elegido este libro precisamente por la misma razón. Si eres humano, vienes con ello de fábrica: todo el mundo, en todas partes, quiere ser feliz. Puede que ya seas bastante feliz y tan sólo quieras subir el volumen uno o dos niveles. O puede que seas francamente infeliz y te estés preguntando cómo se las ingenia la gente que te rodea para deleitarse en su vida diaria de ese modo. Tal vez has conseguido hacer realidad el cuento de hadas hasta cierto punto, pero, aun así, sientes un vacío en tu interior que nada de lo que hay fuera parece capaz de llenar.

La buena noticia es que no importa cuál sea tu punto de partida: estés donde estés en estos momentos, este libro te enseñará cómo puedes ser más feliz. No tienes que tener el gen de la felicidad, no hace falta que te toque la lotería ni que te conviertas en un santo; para cuando hayas acabado de leer estas páginas, sabrás cómo experimentar una felicidad auténtica y sostenida durante el resto de tu vida.

Lo que anhela mi corazón

Este libro surgió de mi propio anhelo profundo de ser feliz; feliz de una manera sólida, auténtica y firmemente anclada en mi ser para que, fueran cuales fueran las circunstancias externas que me rodearan, el sentimiento de plenitud inquebrantable, la dicha y la paz interior permanecieran. Sabía que era posible porque había otra gente que vivía así, pero durante tantos años, hiciera lo que hiciera, la felicidad parecía haberme rehuido.

Como leerás cuando cuente mi historia en el Capítulo 1, yo era infeliz desde el principio: siendo aún adolescente, emprendí una búsqueda personal —que luego se hizo también profesional— que duró más de treinta y cinco años y al final me condujo a los increíbles hallazgos que contiene este libro. Durante todo ese tiempo, asistí a todos los cursos transformacionales sobre la faz de la Tierra, me pasé años estudiando y enseñando los principios del éxito, los puse en práctica en mi propia vida y conseguí tener bastante éxito, tenía *razones* de sobra para ser feliz: era autora de varios éxitos de ventas de la lista del *New York Times*, disfrutaba de gran reconocimiento como oradora inspiracional y había impactado la vida de millones de personas. Sabía bien lo que significaba «ser feliz porque...». El problema era que nada de todo eso me daba la felicidad que quería.

Miré a mi alrededor y me di cuenta de que la gente más feliz que conocía no eran las personas más famosas ni las que habían tenido más éxito: algunas estaban casadas y otras eran solteras, algunas tenían mucho dinero y otras ni un céntimo, algunas hasta tenían problemas graves de salud. Tal y como yo lo veía, no había manera de encontrarle ni pies ni cabeza a la cuestión de qué es lo que hace a la gente feliz, así que la pregunta obvia que acabó surgiendo fue: *¿Acaso era posible que una persona fuera feliz porque sí?*

Tenía que averiguarlo.

El estudio de la felicidad

Así que me entregué en cuerpo y alma al estudio de la felicidad, entrevisté a decenas de expertos y profundicé en la investigación que surgía del floreciente campo de la psicología positiva, el estudio científico de los rasgos positivos que permiten a la gente disfrutar vidas con sentido, plenas y felices. Absorbí todo lo que iba aprendiendo como una esponja y di con toda una serie de perlas de sabiduría e información fascinante, sorprendente y útil que me ha cambiado la vida y cambiará la tuya también.

Mi primer gran descubrimiento fue que los científicos habían llegado a la conclusión de que todos tenemos un «nivel básico de felicidad», una tendencia genética y adquirida a permanecer en un cierto nivel de felicidad, algo similar al termostato de una caldera. Por suerte para aquellos de nosotros que no hemos nacido con estrella, también se ha demostrado que podemos cambiar nuestro nivel básico de felicidad. Hablaré más de esto en el próximo capítulo y sugeriré algunos ejercicios específicos a lo largo de todo el libro que te ayudarán a elevar tu nivel básico de felicidad.

También aprendí que dos de las barreras más importantes que se interponen entre nosotros y la felicidad, el miedo y la ansiedad, han estado programadas en nosotros durante milenios para garantizar nuestra supervivencia como especie. Sin embargo, en el mundo en que vivimos hoy, ese antiguo cableado se ha convertido en algo más perjudicial que beneficioso. En los próximos capítulos descubrirás formas de desconectar ese sistema de alarma interno para que puedas llevar una vida más feliz.

Me entusiasmé con hallazgos como éstos, pero aún quería más. Durante los años que había pasado estudiando el éxito había descubierto una cosa: *el éxito deja pistas*, puede analizarse la vida de personas con mucho éxito y aprender de ellas cómo conseguir el éxito nosotros también, así que me imaginé que con la felicidad debía de ser parecido y me propuse entrevistar a cien personas verdaderamente felices.

Los 100 Felices

Resultó que no era tan fácil encontrar a cien personas, ¡ni siquiera en un país de 280 millones! Había leído sobre la epidemia de infelicidad que asolaba la nación —una de cada cinco estadounidenses toma antidepresivos y 6 millones de hombres comienzan a tomarlos cada año—, pero me sorprendió oírlo de primera mano. Preguntaba a todas las personas que conocía: «¿Quién es la persona más feliz que conoces?» y la gente realmente se tenía que parar a pensarlo y luego, invariablemente, la primera persona que mencionaban era alguien con mucho éxito. «Aunque… bien pensado —decían luego—, (él o ella) no es feliz de verdad.» A mucha gente no se le ocurría nadie que consideraran verdaderamente feliz. Aun así, persistí en mi empeño y al final encontré cien personas profundamente felices a las que entrevistar. Yo los llamo Los 100 Felices: hombres y mujeres de todas las edades y procedencias y con los más variados estilos de vida. Sus historias fascinantes y reveladoras me han abierto los ojos a toda una nueva forma de ver la vida.

Además de las entrevistas, colgué en mi página web una encuesta muy sencilla, de una sola pregunta: «De todo lo que hace falta para llegar a ser Feliz porque sí, ¿qué crees que es lo más importante?». Las respuestas fueron de lo más reveladoras.

Yo llevaba razón: al igual que el éxito, la felicidad deja pistas. Las entrevistas y la encuesta me proporcionaron pruebas de que la gente feliz vive su vida de forma distinta a como lo hacen los que son infelices. Descubrí 21 hábitos que comparte la gente feliz —yo los llamo los Hábitos de Felicidad— y que cualquiera puede poner en práctica para sustentar, de manera sencilla y efectiva, la experiencia de una felicidad profunda y duradera.

Y entonces hice mi descubrimiento más importante, el que diferencia a este libro del resto: el concepto de ser Feliz porque sí. Otros expertos en el tema de la felicidad te animan a encontrar qué es lo que te hace feliz y poner más de esas cosas en tu vida. Eso no tiene nada de malo, pero no te proporcionará una felicidad auténtica y duradera. *Feliz porque sí* adopta un enfoque diametralmente opuesto y te ofrece métodos rompedores para experimentar de manera consistente la profunda felicidad interior que llevas dentro, una felicidad que va más allá de la razón y que perdura.

Mis investigaciones sobre la felicidad y mi propia experiencia me han convencido de que llegar a ser Feliz porque sí es totalmente factible. Hemos avanzado mucho en nuestro conocimiento de todo cuanto existe en el mundo: hemos utilizado la tecnología para explorar muchos aspectos de la vida —desde nuestro propio cuerpo hasta la composición de la galaxia— y por fin estamos empezando a usar la tecnología para estudiar la cuestión de la felicidad. En las dos últimas décadas, los científicos que trabajan en el campo de la psicología positiva han realizado avances extraordinarios y han logrado identificar el nivel básico de felicidad, los neurotransmisores de la felicidad e incluso dónde se localiza la felicidad en el cerebro. Por primera vez en la Historia, sabemos que la felicidad no es una emoción abstracta sino un estado fisiológico que puede medirse y experimentarse más a menudo en nuestra vida diaria.

Mis descubrimientos me impactaron de tal manera que quería compartirlos con tanta gente como fuera posible, así que decidí escribir este libro. Llamé a mi querida amiga desde hace más de veinticinco años, Carol Kline, una escritora que compartía mi entusiasmo por el tema, y le pedí que se uniera a mí. Carol había sido testigo de toda mi trayectoria y, por tanto, era la persona idónea para emprender este viaje conmigo. Para las dos, los miles de horas que hemos pasado investigando, hablando con expertos y escuchando las historias de gente feliz han sido una bendición. El resultado, *Feliz porque sí*, es una combinación de los conocimientos más avanzados y las investigaciones más actuales sobre el tema de la felicidad, los métodos prácticos resultantes de las entrevistas y la inspiración que provocan las historias de sus vidas.

Lo que encontrarás en este libro

Feliz porque sí está dividido en tres secciones. En la primera parte, continuaremos explorando el paradigma de verdadera felicidad que yo llamo Feliz porque sí. El mero hecho de profundizar en la compresión de este concepto puede por sí solo cambiar la manera en que experimentas la felicidad en tu vida. En esta sección encontrarás un cuestionario de felicidad porque sí que te permitirá establecer tu propio nivel de felicidad, también aprenderás cuáles son los tres principios inspiradores que te ayudarán a superar los obstáculos más frecuentes a la felicidad en tu vida, permitiéndote progresar más rápido, y, para finalizar, compartiré contigo la forma en que he aplicado la Ley de la Atracción al problema de ser más feliz. He tenido el honor de participar en el fenómeno de alcance mundial en que se ha convertido la película *El Secreto*, que se centra en esta ley, y he visto la manera tan poderosa en que puede cambiar vidas.

La segunda parte es la sección sobre «cómo se hace» en la que te mostraré paso a paso cómo elevar tu nivel de felicidad. A través de mis investigaciones he descubierto que hay que dar siete pasos específicos para llegar a ser Feliz porque sí. Quería que esos siete pasos fueran fáciles de recordar y, teniendo en cuenta la frecuencia con que se utiliza la metáfora de una casa para referirse a la vida de una persona, decidí que los presentaría con una analogía sencilla y fácil de recordar: la construcción de tu Casa de la Felicidad. Los siete pasos para construir tu Casa de la Felicidad se corresponden con las siete áreas principales de tu vida: poder personal, mente, corazón, cuerpo, alma, propósito y relaciones con los demás.

Este enfoque holístico es fundamental. Muchos libros sobre la felicidad se centran exclusivamente en la mente, pero si no tratas también la cuestión de los hábitos de comportamiento en las otras áreas de tu vida, no alcanzarás la verdadera felicidad. A grandes rasgos, estos son los siete pasos (uno por capítulo):

1. Los Cimientos: sé el dueño de tu felicidad
2. El Pilar de la Mente: no te creas todo lo que piensas
3. El Pilar del Corazón: déjate llevar por el amor
4. El Pilar del Cuerpo: haz felices a tus células
5. El Pilar del Alma: conéctate al espíritu
6. El Tejado: vive con propósito
7. El Jardín: cultiva las relaciones nutritivas

Cada uno de los pasos incluye tres Hábitos de Felicidad con sus correspondientes ejercicios basados en las investigaciones más actuales y los últimos descubrimientos sobre cómo elevar tu nivel básico de felicidad, además de historias que constituyen una verdadera fuente de inspiración.

Como coautora de *Sopa de pollo para el alma*, me ha conmovido profundamente leer las más de 20.000 historias que me han enviado para que pudiéramos incluirlas en mis libros de esa serie. Cuando éstos se publicaron, la abrumadora respuesta de millones de lectores me confirmó que las historias abren los corazones de la gente y la afectan de manera profunda. Ése es el motivo por el que decidí incluir algunas de las historias de transformación personal de Los 100 Felices en este libro. De las cien entrevistas que mantuve con estas personas incondicionalmente felices, he seleccionado veinte que definen claramente lo que significa ser Feliz porque sí.

Leerás relatos estupendos sobre una amplia gama de personas, incluido un antiguo traficante de drogas convertido en pastor de una iglesia, un cineasta de éxito y una famosa actriz que consiguió escapar de una «maldición familiar», así como historias de médicos, madres, profesores y ejecutivos. Conocerás a Zainab, que vivió bajo el régimen de Saddam Hussein y cerró bajo siete llaves sus recuerdos —y su felicidad— en lo más profundo de su interior. Y a Janet, que vivía una vida tediosa y tenía un trabajo sin salidas hasta que descubrió una manera simple, pero profunda al mismo tiempo, de ser auténticamente feliz cada día. Conocerás la historia de Gay y cómo perdió cincuenta kilos y recuperó la vida con que había soñado tras encontrar la manera de alimentarse de verdad. Estas historias ilustran maravillosamente el hecho de que hay muchos caminos para llegar a ser Feliz porque sí y de cómo todos somos capaces de llegar hasta ese destino, sea cual sea nuestro punto de partida.

La tercera parte habla de ser Feliz porque sí de manera permanente. Se acabó el esperar a ver por dónde aparece el roto, el preguntarse cuánto puede durar la felicidad. En esta sección encontrarás pautas claras sobre cómo poner en práctica los Hábitos de Felicidad todos los días y encontrarás recursos que te ayudarán a mantenerte Feliz porque sí durante el resto de tu vida.

Podría ser que no empieces a ser Feliz porque sí de la noche a la mañana, ¡aunque conozco casos en que así ha sido! En cualquier caso, tener la visión de que esa Felicidad porque sí existe y conocer los pasos necesarios para alcanzarla te encarrilará para conseguir transformar tu vida por completo. Lo sé porque a mí y a miles de personas nos ha pasado. Yo he utilizado las herramientas y técnicas que presento en este libro conmigo misma y con mis clientes, y pese a que durante muchos años no fui feliz, he conseguido pasar del suspenso al sobresaliente en la asignatura de la felicidad: ahora, cuando las olas de la vida hacen zozobrar mi barca, soy capaz de conseguir que la quilla vuelva a su sitio con más facilidad; ya no vuelco. Eso no quiere decir que no siga embarcada en esta aventura, que no siga aprendiendo y siendo alumna al igual que profesora, pero soy un ejemplo viviente de que estos pasos pueden impulsarte en la dirección correcta de inmediato, con independencia de cuál sea tu punto de partida. Créeme: si yo puedo, tú también.

Mi más profundo deseo, mi oración sincera es que este libro te sirva de guía para construir en tu interior una casa de la felicidad a prueba de terremotos y que, desde ese lugar de paz y cimientos sólidos, traigas más felicidad al mundo.

Feliz porque sí... ¿de verdad?

Es evidente, en suma, que la felicidad es algo perfecto
y autosuficiente, y que es el fin de todo cuanto hacemos.

ARISTÓTELES, Ética a Nicómaco.

Hace años, impartí un seminario sobre el éxito en el que pedía a los participantes que cada uno tomara una inmensa hoja de papel grueso y escribiera en la parte superior «100 COSAS QUE TE GUSTARÍA SER, HACER, TENER», y luego hiciera tres columnas en las que confeccionar una lista de sus sueños, tanto grandes como pequeños. Cuando después los asistentes compartieron sus listas con todo el grupo, invariablemente lo hicieron con entusiasmo: había gente que quería bucear en la Gran Barrera de Coral, tener un Mercedes SL600 Roadster (blanco con llantas de aleación plateadas), bailar en la Casa Blanca, pilotar una avioneta y dar la vuelta al mundo en ella..., personas que querían ser los mejores en su campo, acabar con el hambre en el mundo, conseguir la paz mundial, salir en la portada de la revista *Time*...

En algún lugar de la columna de lo que les gustaría SER, unos cuantos habían escrito «ser feliz», pero me sorprendió la cantidad de personas que pasaban esa cuestión por alto: en realidad toda la hoja se refería a eso, ¿no? ¿Acaso no era ser, hacer y tener todas esas cosas en lo que consistía ser feliz?

Con el tiempo, he acabado por ver esas listas como un excelente ejemplo de lo que sería «llegar dando un rodeo» pues, por muy extraordinarias y maravillosas que sean todas esas cosas, no son lo que todos queremos en definitiva. Si vamos directamente al grano, lo que queremos todos en realidad es ser felices.

La verdad es que la felicidad es tan atractiva, tan irresistible, que todo lo que hacemos —tanto si nos damos cuenta como si no— va encaminado a conseguir ser felices. Hay quien se ha referido a la felicidad como el santo grial de la existencia humana, la panacea universal. Aristóteles concebía la felicidad como la meta de todas las metas.

Estudios realizados por todo el planeta indican que cuando se pide a la gente que haga una lista poniendo por orden de importancia lo que desea en la vida, la felicidad es lo que ocupa el primer puesto, por encima de la riqueza, el estatus, un buen trabajo, la fama y el sexo. Esto vale para gente de distintas culturas, razas, religiones, edades y estilos de vida. Los estudios también indican la importancia vital que tiene la felicidad: la gente feliz vive más tiempo, está más sana y sus relaciones con los demás son mejores. De hecho, la felicidad llama al éxito en todos y cada uno de los ámbitos de nuestras vidas.

Por desgracia, mucha gente no experimenta mucha felicidad de manera auténtica y sostenida. Examinemos las estadísticas:

- Menos del 30 % de la gente se declara profundamente feliz.
- El 25 % de los estadounidenses y el 27 % de los europeos declaran estar profundamente deprimidos.
- La Organización Mundial de la Salud predice que en 2020 la depresión será la segunda enfermedad en importancia a nivel mundial, únicamente superada por las dolencias cardiacas.

Pese a que nuestro nivel de vida es mejor ahora de lo que nunca lo ha sido en la historia, parece que cuantos más aparatos y cosas acumulamos, peor nos sentimos.

En este libro no voy a enseñarte directamente cómo ganar más dinero ni como tener más éxito o mejor relación con los demás —eso se lo dejo a mis amigos y colegas que trabajan en el campo transformacional y sin duda lo hacen muy bien—; lo que sí voy a hacer es contarte lo que a mí más me interesaría averiguar. Este libro da respuestas a la pregunta que llevo treinta y cinco años investigando y estudiando, la que a mí me parece más importante y creo que también es la fundamental para ti: **¿cómo puedo ser realmente feliz?**

A pesar de que esta pregunta ha concentrado casi toda mi atención durante prácticamente toda mi vida, pasé años sin llegar demasiado lejos en mi búsqueda de una respuesta; de hecho durante la mayor parte de todo ese tiempo estuve llamando a la puerta equivocada.

Una desgraciada concursante

Me lo había imaginado todo perfectamente de niña: me haría mayor, viviría en una casa preciosa, tendría un marido maravilloso y una carrera llena de éxitos, un cuerpo perfecto y una vida social apasionante y muy activa. ¡Sería FELIZ!

Para conseguir esa vida de ensueño, sabía que debería trabajar mucho para tenerlo todo atado y bien atado y, pese a que sabía perfectamente lo que quería, no estaba tan segura de cómo iba a conseguirlo. Lo único que veía claro era que no era feliz: nací inmersa en la angustia existencial, a los cinco años ya era una niña meditabunda que andaba preocupada por el estado en que se encontraba el mundo mientras los demás veían *Barrio Sésamo*. Para cuando cumplí los siete, acribillaba a mis pobres padres con preguntas sobre Dios y la espiritualidad y me frustraba que no tuvieran todas las respuestas. Cuando miro los álbumes de fotos ahora, me doy cuenta de que mi hermano y mi hermana siempre salen sonriéndole a la cámara y yo, en cambio, en todas tengo cara de que se me ha muerto el gato.

Pese a no ser una persona feliz por naturaleza, sin embargo algo en mi interior me decía que no tenía que aceptarlo sin más, era como si tuviera una especie de antena conectada con aquello que más necesitaba saber. Cuando tenía once años, un día me embadurné de bronceador y me colé en la habitación de mi hermana en busca de un libro para leer mientras tomaba el sol; escogí el más delgado de todos porque no era muy rápida leyendo, y salí al jardín: para cuando había llegado a la mitad del libro —*Siddhartha* de Hermann Hesse, la historia de un joven indio de hacía miles de años que buscaba respuestas—, tenía los ojos llenos de lágrimas. Me di cuenta de que no estaba sola, de que alguien más en el planeta entendía lo que buscaba y compartía mi anhelo por alcanzar la dicha y una conexión profunda. Aquel libro abrió ante mí el camino de la búsqueda.

Mientras las otras chicas ensayaban saltos y acrobacias para presentarse a las pruebas de animadora, yo asistía a seminarios de desarrollo personal. Tenía trece años cuando escuché por primera vez a un orador motivacional, Zig Ziglar, y mientras observaba cómo se movía por el escenario y lo escuchaba desvelar los secretos del éxito y contar historias que me ponían la carne de gallina, tuve una revelación: me di cuenta de que quería ser oradora profesional; aquella no era una aspiración profesional muy corriente entre las adolescentes de la época —principios de los setenta—, pero aun así yo me veía a mí misma hablando ante grandes audiencias por todo el mundo, inspirando a la gente para que cambiaran sus vidas a mejor. Mis padres me apoyaron mucho, aunque mi padre era dentista y lo que a él le hubiera gustado realmente es que me hiciera odontóloga. En cuanto a mi madre, lo que me dijo fue: «Desde luego hablar ya hablas un rato largo, si además te pagan, mejor que mejor».

Así que aparqué en un rincón mi colección de novelas de detectives e hice sitio hasta al último libro de psicología humanista que cayó en mis manos: los devoraba; a los dieciséis años empecé a meditar a diario y para cuando cumplí los veinte ya era profesora de meditación pero, pese a que la meditación tuvo un impacto innegable en mi vida, todavía seguía buscando.

A medida que pasaba el tiempo, nunca perdí de vista que mi objetivo era convertirme en conferenciante profesional; me empapé de los principios del éxito y me esforcé cuanto pude para ponerlos en práctica; pagaba el diezmo de mis ingresos y visualizaba mis objetivos; me hice carteles con imágenes que representaban mi visión y mis metas y descubrí que tenía talento para expresar mis deseos: por ejemplo, cuando acabé el máster, conseguí hacerme con un puesto maravilloso con muchas de las cualidades que siempre había deseado en un trabajo: como vicepresidenta de una empresa que vendía cristal austriaco, era responsable de la formación y motivación de los empleados. ¡Y me encantaba! Les enseñé cuanto sabía y había estudiado a lo largo de mi vida, los principios de la Ley de la Atracción, la necesidad de ser claro respecto a lo que uno quiere y saber cómo canalizar nuestra propia intuición, cómo superar los obstáculos y alcanzar nuestras metas.

De ahí pasé a impartir cursos sobre esos mismos principios del éxito como formadora para empresas de la lista Fortune 500 y luego para una empresa de formación de ámbito nacional, y hablaba para un numeroso público femenino por todo el país. Con cada nuevo puesto mi carrera continuaba su trayectoria ascendente y el sueldo y el prestigio también aumentaban, pero seguía sin ser exactamente feliz, sabía que aún me faltaba algo y no era capaz de decir qué era.

Decidí que tal vez el problema estaba en el tema que había elegido, así que, en vez de impartir seminarios sobre el éxito, comencé a enseñar a mujeres sobre autoestima. Jack Canfield, el experto número uno del país en el campo de la autoestima se convirtió en mi maravilloso mentor —muchos años antes de que creara *Sopa de pollo para el alma*— y al cabo de poco tiempo yo estaba dando conferencias sobre autoestima a grupos de doscientas o trescientas mujeres a diario. Encaramada en mis zapatos de tacón, enseñaba desde las siete de la mañana hasta bien entrada la tarde, luego subía al coche y hacía un viaje de tres horas hasta la siguiente ciudad; así un día detrás de otro. Era agotador pero fantástico también, me encantaba estar allí de pie frente al público y ver cómo se iluminaban sus caras. Pero, aun con todo, seguía teniendo la sensación de que no era suficiente: quería llegar a más personas.

Y entonces se produjo el gran punto de inflexión. Todo comenzó al decidir cuidarme un poco: tanto viaje me había dejado exhausta y opté por apuntarme a un retiro en silencio, un verdadero reto para una cotorra como yo. En el cuarto día del retiro, en medio de una sesión de meditación, tuve un proverbial momento de esos en que «se hace la luz», un título me vino a la mente: *Sopa de pollo para el alma de la mujer*. Por aquel entonces sólo se había publicado el libro original de la serie *Sopa de pollo* pero yo sabía que era una idea con un potencial tremendo. ¡Estaba tan emocionada! Acababa de tener la revelación más importante de mi carrera. ¡El único problema era que tenía que seguir en silencio tres días más! En cuanto acabó el retiro fui corriendo a la cabina de teléfono más cercana y llamé a Jack. Un año y medio más tarde, *Sopa de pollo para el alma de la mujer* se había convertido en un número uno de la lista de ventas del *New York Times,* y después de aquél he escrito cinco libros más de la serie *Sopa de pollo para el alma,* de los que se han vendido más de 13 millones de ejemplares.

¡Ahí estaba yo! Me hacían entrevistas en la radio y la televisión, daba conferencias a audiencias inmensas, me trataban como una reina allá donde iba y estaba en la cresta de la ola. Incluso hubo una conferencia que pronuncié ante 8.000 personas para la que vinieron a recogerme en una larga limusina blanca; durante los tres días que duró el evento, miles de mujeres esperaron en una interminable cola que casi daba la vuelta al centro de convenciones para que les firmara sus libros; una masajista profesional me frotaba las manos cada hora mientras firmaba ejemplares, uno tras otro, tantos que tuvieron que traer más en avión desde varios puntos del país para hacer frente a la demanda. Muchas de las mujeres de esa cola me dijeron que mis libros les habían cambiado —incluso salvado— la vida, me conmovían profundamente sus historias y me sentía muy bien conmigo misma por haber hecho algo que había marcado la diferencia, pero cuando volvía a la habitación del hotel cada noche, me dejaba caer en la cama, sintiéndome totalmente agotada y sorprendentemente desinflada.

Lo normal hubiese sido que me sintiera capaz de comerme el mundo, pero no era así. Por supuesto que mi ego había recibido un buen levantón, pero seguía teniendo las mismas preocupaciones, tensiones, quejas y días de perros que cualquier otra persona. A cada paso que daba, me emocionaban los éxitos que cosechaba pero me daba cuenta también de que la euforia nunca duraba mucho: había cosas en mi vida que me hacían feliz, pero no era realmente *feliz*.

Sí, ya sé cómo debe sonar todo esto, estarás pensando que «Dios da pañuelo a quien no tiene narices». Bueno, yo también había visto en la tele más de un programa de esos sobre «la otra cara de Hollywood» y había puesto los ojos en blanco al oír la triste historia de la estrella de turno a quien la fama no le había traído más que problemas: «¡Por Dios! —me decía a mí misma—, si estuviera en su lugar, sería tan feliz que me tendrían que atar a algo para que no saliera volando hasta el séptimo cielo»; pero ahora yo también estaba viviendo esa vida y seguía sin ver colmado el deseo de felicidad profunda que sentía, y muchos de los famosos que iba conociendo tampoco parecían muy felices...

Quizá el problema no era mi carrera sino mi vida sentimental: si conseguía encontrar al compañero adecuado —me dije— *entonces* sería feliz. Hice frente al reto con la misma determinación con que había perseguido el éxito y me dediqué con entusiasmo a las citas, tuve unas cuantas relaciones que se acercaban pero no eran lo que buscaba y, entonces, fui a un seminario de fin de semana que se celebraba en una gran casa de retiros en el estado de Nueva York: nos presentaron unos amigos comunes en medio del aparcamiento de gravilla y, antes incluso de que se hicieran las presentaciones, él me tomó en sus brazos para dar unos pasos de vals y me conquistó inmediatamente con su encanto europeo. Sergio, mi príncipe azul italiano, había llegado a mi vida. Como la mayoría de los romances, el nuestro tuvo sus altos y sus bajos, pero al final formalizamos nuestra relación, compramos una casa preciosa y nos fuimos a vivir juntos.

Por fin tenía la vida que había imaginado: la casa, el hombre, la carrera y una vida social fantástica —está bien, no tenía el cuerpo de Halle Berry, pero cuatro de cinco no estaba nada mal— y, aun así, no podía ahuyentar de mí aquel sentimiento de insatisfacción que se empeñaba en teñir mis pensamientos ni el sutil dolor sordo que notaba en el corazón.

Me di cuenta de que tenía un serio problema. No podía seguir adquiriendo ni consiguiendo cosas y pensar que eso me haría feliz: mi vida, hasta ese punto, había probado lo fútil que había resultado mi estrategia: había llegado a un callejón sin salida. Algo tenía que cambiar.

Pese a que en retrospectiva parece obvio, llevaba tanto tiempo creyendo que la felicidad me la daría lo que poseyese, lo que consiguiera o experimentara, que me llevó un tiempo caerme del guindo: tal vez las razones de la felicidad no eran las que yo había pensado, tal vez no había razones para la felicidad.

Entonces fue cuando cambié de enfoque, me centré en la idea de la Felicidad porque sí y comencé a aplicar los principios que había descubierto a través de mis investigaciones y entrevistas. El resultado fue que el nivel de mi propia felicidad dio un paso de gigante: experimentaba una paz y un bienestar mucho más profundos que salían de dentro, me sorprendía a mí misma tarareando una canción sin darme cuenta y valorando más a la gente que me rodeaba. Supe que había avanzado de verdad cuando, hará unos cinco años, mis amigos empezaron a llamarme «la feliciana». Me hizo más ilusión que si me hubieran dado un Nobel.

De entre todos mis descubrimientos, uno sobresalía por encima de los demás, uno que transformó completamente mi manera de concebir la felicidad y me dio la explicación de por qué, durante tantos años, la verdadera felicidad siempre había estado fuera de mi alcance.

Por qué algunas personas son más felices que otras

Si estuviéramos en una terraza tomándonos un café y yo te preguntara: «¿Eres feliz?», ¿qué me dirías?

Unas cuantas personas me contestarían: «¡Desde luego!, soy tan feliz que casi duele». (Ya, ya lo sé: ése sería el caso de unos pocos.)

Seguramente muchos me dirían: «A ratos».

Y apuesto uno a diez a que por lo menos la mitad de la gente a la que le hiciera esa pregunta me diría: «No, la verdad es que no».

Hay gente que disfruta de la vida, pase lo que pase, y otros que son incapaces de encontrar la felicidad por mucho que lo intenten, y luego la mayoría caemos en algún lugar de la escala entre esos dos extremos.

La razón para estas sorprendentes disparidades es el nivel básico de felicidad. Ya lo mencioné en la Introducción: los investigadores han descubierto que, *independientemente de lo que le pase a la gente en la vida*, las personas tienden a volver a un nivel fijo de felicidad. Al igual que ocurre con el peso —la báscula siempre acaba en torno al mismo número—, el nivel básico de felicidad se mantendrá invariable **a no ser que hagas un esfuerzo consciente por cambiarlo.**

De hecho, se ha realizado un conocido estudio en el que se hacía un seguimiento de gente a la que le había tocado la lotería —lo que a muchos les parece la llave mágica que abre la puerta de la felicidad—, según el cual, al cabo de un año, esos afortunados ganadores volvían aproximadamente al mismo nivel de felicidad anterior a tener aquel golpe de suerte; y lo mismo podía decirse de personas que se habían quedado parapléjicas: aproximadamente al cabo de un año de haber sobrevenido la invalidez, ellos también volvían a su nivel original de felicidad.

Sea cual sea la experiencia —positiva o negativa—, la gente vuelve a su nivel básico de felicidad. Otros estudios muestran que sólo hay tres excepciones a este fenómeno: la pérdida de la pareja —circunstancia de la que la gente puede tardar más en recuperarse—, el desempleo crónico y la pobreza extrema.

Puede que estés pensando: «Sí, muy bien, pero entonces, si mi nivel básico de felicidad está fijado, ¿cómo se situó en ese punto para empezar?». El doctor David Lykken, un científico de la Universidad de Minnesota, se hizo la misma pregunta. Para establecer qué proporción de la felicidad de una persona es algo innato y qué parte es adquirida, a principios de los ochenta, Lykken y su equipo comenzaron a estudiar miles de parejas de gemelos, incluidos un buen número de gemelos idénticos que se habían criado separados. Tras realizar pruebas exhaustivas, llegaron a la conclusión de que aproximadamente el 50 % de nuestro nivel básico de felicidad se debe a causas genéticas y el otro 50 % es adquirido: la razón por la que generalmente vas por la vida de buen humor o indefectiblemente deprimido es —en un 50 %— que naciste así, y en otro 50 % se debe a los pensamientos, sentimientos y creencias que te has formado en respuesta a tus experiencias vitales.

En una revisión reciente de la literatura y estudios existentes sobre la felicidad, los investigadores en el campo de la psicología positiva Sonja Lyubomirsky, Kennon Sheldon y David Schaade confirmaron los hallazgos previos de Lykken sobre cómo la mitad de nuestra felicidad se debe a la genética. No obstante, lo más emocionante no fue eso, sino la nueva información que descubrieron sobre el otro 50 %: parece ser que sólo el 10 % de nuestro nivel básico de felicidad viene determinado por las circunstancias tales como el nivel de riqueza que disfrutamos, el estado civil o nuestro trabajo. El otro 40 % depende de nuestros hábitos en cuanto a pensamientos, sentimientos, palabras y acciones. Ésa es la razón por la que es posible elevar nuestro nivel básico de felicidad: del mismo modo que le darías una buena subida al termostato de la calefacción en un día de mucho frío, de hecho está en tus manos reprogramar tu nivel básico de felicidad y fijarlo en un punto más alto de paz y bienestar.

El descubrimiento del nivel básico de felicidad y nuestra capacidad de cambiarlo da un vuelco al orden de nuestras creencias sobre la felicidad hasta le fecha: nos pasamos la vida entera buscando la felicidad, anhelando conseguirla, tratando de hacernos con las cosas que estamos seguros de que nos harán felices: riqueza, belleza, relaciones, éxito profesional, etc., pero la verdad es que, para ser verdaderamente feliz, lo único que hay que hacer es elevar el nivel básico de felicidad.

Yo desde luego desearía haber sabido que era una de esas personas que tienen un nivel básico de felicidad bajo antes de haber invertido ingentes cantidades de tiempo y energía persiguiendo razones para ser feliz. Gracias a las entrevistas con Los 100 Felices me he dado cuenta de que la gente genuinamente feliz es Feliz porque sí.

Analicemos este fenómeno.

El continuo de la felicidad

La felicidad por la razón que sea, no es más que otra forma de sufrimiento
Los Upanishads

El día que me senté a hacer un resumen de mis descubrimientos, todas las piezas del puzzle encajaron de repente y tuve uno de esos momentos de revelación: «¡Ajá! Hay un continuo de la felicidad», me dije.

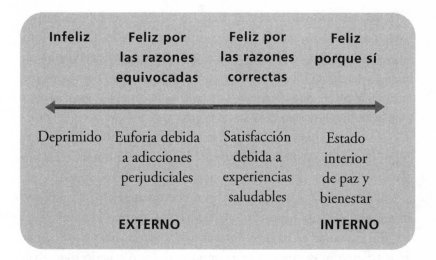

Infeliz. Todos sabemos lo que significa: la vida es un asco. Algunos de los síntomas son ansiedad, fatiga, abatimiento..., el catálogo completo de manifestaciones varias de la infelicidad. No se trata de una depresión clínica, que se caracteriza por una profunda falta de esperanza y una desesperación que interfieren de modo dramático con la capacidad de la persona para llevar una vida normal, y para la que es absolutamente necesaria la ayuda de un profesional .

Feliz por las razones equivocadas. Cuando la gente es infeliz, a menudo tratan de sentirse mejor abandonándose a adicciones o comportamientos que pueden provocar sensaciones gratas en el momento pero que en última instancia son perjudiciales. Lo que buscan son los repuntes de euforia que les proporcionan el alcohol, las drogas, el sexo excesivo, la «terapia de ir de compras», el juego compulsivo, comer en exceso o ver demasiadas horas la televisión, por mencionar unas cuantas adicciones. Este tipo de felicidad no es tal en absoluto, tan sólo se trata de una forma de anestesia temporal, una vía de escape para huir de nuestra infelicidad a través de experiencias pasajeras de placer.

Feliz por las razones correctas. A esto suele referirse la gente cuando habla de felicidad: tener buenas relaciones con nuestra familia y amigos, el éxito profesional, la seguridad económica, una casa bonita, un buen coche, hacer buen uso de nuestras habilidades y talentos; en una palabra, el placer que obtenemos de las cosas saludables que deseamos y de hecho tenemos en la vida.

No me malinterpretes: no tengo nada en contra de todo eso, pero es que ésa es solamente la mitad de la historia. Ser feliz por las razones correctas depende de las circunstancias externas de nuestra vida: por lo general, si las circunstancias cambian o desaparecen, eso impacta en nuestra felicidad hasta el punto de hacerla desaparecer incluso.

Sin embargo, en tu fuero interno sabes que la vida no es cuestión de ir tirando ni de anestesiarte contra el dolor o tenerlo todo «bajo control». La verdadera felicidad no proviene de la mera acumulación de una serie de experiencias felices. En lo más profundo de tu ser, sabes que hay algo más.

Llevas razón; hay otro nivel más en el continuo de la felicidad: Feliz porque sí.

Feliz porque sí. Ésta es la verdadera felicidad, un estado neurofisiológico de paz y bienestar que no depende de las circunstancias externas.

Ser Feliz porque sí no significa entrar en un estado de euforia, no es un júbilo desenfrenado, como tampoco se trata de cotas efímeras de buen humor o experiencias positivas excepcionales que no duran. No estoy hablando de ir por ahí con una sonrisa perenne en los labios las veinticuatro horas del día ni de experimentar una especie de colocón superficial. Ser Feliz porque sí no es sentir una emoción; de hecho, cuando se es Feliz porque sí se puede sentir *cualquier* emoción —incluidas la tristeza, el miedo, la ira, el dolor— pero aun así encontrarse en un estado subyacente de paz y bienestar.

Cuando eres Feliz porque sí, aportas felicidad a tus experiencias externas en vez de tratar de *extraer* felicidad de las mismas; no necesitas manipular el mundo que te rodea tratando de ser feliz: vives de la felicidad, no para la felicidad.

Éste es un concepto revolucionario. La mayoría de nosotros hacemos hincapié en ser felices por las razones correctas, como si, con el objetivo de crearnos una vida feliz, nos estuviéramos haciendo un collar cuyas cuentas son tantas experiencias positivas como podamos acumular. Gastamos mucho tiempo y energía tratando de encontrar las cuentas adecuadas para hacernos ese «collar de la felicidad».

Ser Feliz porque sí, en cambio, significa, para seguir con la analogía del collar, que lo que tenemos es un hilo de felicidad y, unamos las cuentas que unamos con él —vivencias buenas, malas y neutras—, nuestra vivencia interior, que es el hilo que atraviesa todas esas cuentas, es una experiencia de felicidad y da lugar a una vida feliz.

Cuando eres Feliz porque sí, lo eres de forma incondicional: no es cuestión de que tu vida sea siempre perfecta sino de que, lo sea o no, tú seas feliz en cualquier caso.

El poeta del siglo XIII Yalal ad-Din Muhammad Rumi lo describió así: «Feliz, pero no por lo que pase. Sin frío, pero no por un fuego o un baño caliente. Luz, ninguna detecto». Cada vez que pedí a alguno de Los 100 Felices que describiera las cualidades de la Felicidad porque sí obtuve la misma respuesta, una y otra vez:

- Tener un sentimiento de ligereza y optimismo.
- Sentirse vivo, vital, lleno de energía.
- Tener la sensación de que todo fluye, de apertura.
- Sentir amor y compasión por uno mismo y por los demás.
- Sentir pasión por la vida y que ésta tiene un propósito.

- Sentir gratitud, perdonar.
- Estar en paz con la vida.
- Vivir plenamente el momento.

Los investigadores que han medido la actividad —durante la meditación y en estado normal— del cerebro de Matthieu Ricard, un científico francés que se convirtió en monje budista hace más de treinta años, a menudo se refieren a él como «el hombre más feliz del mundo». (Hablaré más de investigaciones de laboratorio con monjes en el Capítulo 7.) El libro de Ricard *En defensa de la felicidad* ofrece una de las descripciones más claras que he leído de lo que significa ser Feliz porque sí: «A lo que me refiero con "felicidad" es al sentimiento profundo de eclosión que surge de una mente excepcionalmente sana. No es un mero sentimiento de placer, una emoción pasajera o un estado de ánimo, sino un estado óptimo del ser».

¿Hasta qué punto eres Feliz porque sí?

El siguiente cuestionario de Felicidad porque sí te dará una visión rápida de hasta qué punto eres Feliz porque sí en estos momentos. Puede que hayas respondido a cuestionarios sobre la felicidad en el pasado pero tal vez no te hayas dado cuenta de que, por lo general, éstos dependen de la situación, es decir, te piden que valores tu felicidad en función de lo que esté ocurriendo en tu vida —trabajo, relaciones, etc.— y lo satisfecho que estés con esas circunstancias. Esos cuestionarios miden hasta qué punto eres feliz por las razones correctas, pero éste en cambio es diferente, ya que lo que mide es lo feliz que eres porque sí.

Este cuestionario de Felicidad porque sí se ha confeccionado conforme a la Escala de Bienestar que forma parte del Cuestionario Multidimensional de Personalidad, una herramienta diseñada por Auke Tellegen, profesor de psicología de la Universidad de Minnesota, para poder determinar el nivel básico de felicidad. Piensa en cómo se ajustan las afirmaciones a tu caso en general cuando respondas a las preguntas.

Cuestionario de Felicidad porque sí

Valora cada afirmación en una escala del 1 al 5:
    1 = Nada cierto
    2 = Ligeramente cierto
    3 = Moderadamente cierto
    4 = Muy cierto
    5 = Absolutamente cierto

1. A menudo me siento feliz y satisfecho sin ningún motivo en particular.
    1   2   3   4   5

2. Vivo el momento.
    1   2   3   4   5

3. Me siento vivo, vital y energético.
    1   2   3   4   5

4. Experimento una profunda sensación de paz interior y bienestar.
    1   2   3   4   5

5. Para mí la vida es una gran aventura.
    1   2   3   4   5

6. No dejo que las situaciones desagradables me depriman.
    1   2   3   4   5

7. Me entusiasmo con lo que hago.
    1   2   3   4   5

8. La mayoría de los días experimento la risa o la alegría.

   1   2   3   4   5

9. Confío en que el universo es amistoso.

   1   2   3   4   5

10. Busco el regalo o la lección en todo cuanto ocurre.

   1   2   3   4   5

11. Soy capaz de olvidar y de perdonar.

   1   2   3   4   5

12. Me quiero a mí mismo.

   1   2   3   4   5

13. Busco lo bueno en todas las personas.

   1   2   3   4   5

14. Cambio las cosas que puedo cambiar y acepto las que no.

   1   2   3   4   5

15. Me rodeo de gente que me apoya.

   1   2   3   4   5

16. No echo la culpa a otros ni me quejo.

   1   2   3   4   5

17. Mis pensamientos negativos no se apoderan de mí.

   1   2   3   4   5

18. Experimento una sensación general de gratitud.

   1   2   3   4   5

19. Me siento conectado con algo más grande que yo mismo.

1   2   3   4   5

20. Siento que en mi vida hay un propósito.

1   2   3   4   5

Puntuación

Si has obtenido entre 80 y 100 puntos:
   en gran medida, eres Feliz porque sí.

Si has obtenido entre 60 y 79 puntos:
   eres bastante Feliz porque sí.

Si has obtenido entre 40 y 59 puntos:
   muestras atisbos de ser Feliz porque sí.

Si has obtenido menos de 40 puntos:
   tienes poca experiencia de ser Feliz porque sí.

Sea cual sea la puntuación que has obtenido, siempre se puede ser más Feliz porque sí. Como ya he mencionado anteriormente, no importa cuál sea tu punto de partida, lo que importa es que partas de algún sitio. Cuando acabes de leer el libro y ya hayas comenzado a poner en práctica los siete pasos y los Hábitos de Felicidad, responde al cuestionario otra vez. Es más, evaluar hasta qué punto eres Feliz porque sí regularmente a través de este cuestionario te ayudará a medir tus progresos.

Feliz porque sí: tu estado natural

Ser Feliz porque sí no es solamente una buena idea. Como explicaré en los capítulos siguientes, se trata de un **estado fisiológico específico y medible caracterizado por una actividad cerebral, unos ritmos cardíacos y una química corporal específicos.**

Gracias a los científicos sabemos que toda experiencia subjetiva se corresponde con un funcionamiento específico del cuerpo, y así la gente que es Feliz porque sí tiende a presentar una mayor actividad del hemisferio prefrontal izquierdo de la corteza cerebral, patrones de ritmo cardíaco más regulares y mayor cantidad de neurotransmisores asociados específicamente con el bienestar y la felicidad: oxitocina, serotonina, dopamina y endorfinas.

Pese a que la ciencia moderna nos proporciona nuevos conocimientos sobre la psicología de la Felicidad porque sí, éste es un estado del que ya han hablado prácticamente todas las tradiciones espirituales y religiosas a lo largo de la Historia. El concepto es universal: en el budismo se habla de un gozo sin causa; en el cristianismo, del Reino de los Cielos que habita en nuestro interior; el judaísmo hace referencia al *ashrei* —un estado interior de santidad y salud—; el islam lo denomina *falah* —felicidad y bienestar—; el hinduismo menciona el concepto de *ananda* o pura dicha, y algunas tradiciones hablan de este concepto en términos de iluminación o estado de lucidez.

Me he dado cuenta de que es un concepto ampliamente extendido por todo el mundo: vayas donde vayas, oír la expresión Feliz porque sí parece tocar una fibra sensible en la gente. Se diría que todos sabemos de manera intuitiva que nuestra esencia más profunda es la felicidad. No tienes que crearla: es lo que eres. El resto de este libro está dedicado a mostrarte cómo puedes volver a ese estado natural.

Practicar la felicidad

Las cosas no cambian; cambiamos nosotros.
Henry David Thoreau, escritor y filósofo.

Piensa en gente que conoces y que es Feliz porque sí: estas personas suelen tener en nosotros un efecto similar al de un pequeño sol irradiando energía y calor sobre todo lo que toca; desde luego son optimistas que no sólo ven el vaso medio lleno, sino que llevan en las manos la jarra con la que rellenarlo hasta el borde y poner un poco en el vaso de los demás de paso. No se trata necesariamente de personajes muy expansivos con actitud de animadora de fútbol americano, algunos simplemente son una discreta presencia que rezuma paz interior, satisfacción sosegada; son como focos de calma en medio del caos en el que muchos de nosotros vivimos. Éstas son las personas con las que nos encanta pasar el tiempo porque se las ingenian para levantarnos el ánimo incluso en los días en que estamos más malhumorados.

Yo recibí la inmensa bendición de crecer junto a una de esas personas Felices porque sí: mi padre, Marc, alguien a quien sin duda alguna le había tocado la lotería en lo que a nivel básico de felicidad se refiere: hiciera lo que hiciera, fuese donde fuese, siempre había esa chispa de felicidad en él que si embargo no se debía a las circunstancias externas. Mi padre se crió en un hogar bastante pobre durante los años de la Depresión, tuvo que esforzarse mucho para pagarse los estudios, se sobrepuso a un buen número de pérdidas personales y no medía más de 1,62 m pero, aun así, le encantaba todo.

Tras conseguir finalizar sus estudios de dentista —incluido todo un año en que trabajó como operario en una fábrica de chocolate para poder costeárselos (o quizá estaba poniendo su granito de arena para asegurarse que tendría clientela en el futuro)—, pasó cuatro años en el ejército durante la Segunda Guerra Mundial, prestando servicio como dentista militar en el frente del Pacífico Sur. Desde luego que la idea de estar en medio del campo de batalla no lo entusiasmaba, pero nunca perdió esa felicidad interior y estaba tan entregado a mi madre que le escribió una carta diaria durante todo el tiempo que pasó fuera: 858 en total, algunas de las cuales han sobrevivido hasta hoy. En esos años que pasó en el ejército, ahorró lo suficiente de su paga como para financiarse su primera clínica cuando por fin volvió a casa. Le encantaba su trabajo, así que cuando se jubiló hizo cosas increíbles sobre las que oirás hablar en uno de los capítulos siguientes.

Si bien tuvo que seguir enfrentándose a retos después de la guerra —en ocasiones incluso a problemas de dinero ya que, por mucho que se diga, sus hijos no vinimos con un pan debajo del brazo en el sentido literal y, además, al final le falló la salud—, mi padre siguió siendo feliz todo el tiempo y murió apaciblemente a la edad de noventa y un años tras haber pasado su noventa cumpleaños todavía jugando al golf.

Mi padre se despertaba todas las mañanas lleno de ilusión y agradecimiento por seguir participando en esa aventura que llamamos la vida; fue mi primer modelo de persona Feliz porque sí y la fuente de inspiración para este libro. Un día, cuando yo debía de tener diecinueve años, le pedí que me aconsejara sobre la vida y me respondió con dos palabras:

—¡Sé feliz!

—Ya, papá, estupendo —le respondí yo—, pero ¿cómo?

Para eso no tenía respuesta porque ser feliz era algo tan natural para él que no podía comprender por qué el resto del mundo no se sentía igual ni por qué andaban tan ocupados persiguiendo la felicidad.

Lo que quiso decir Thomas Jefferson en realidad

Cuando hablo con la gente sobre la felicidad, a menudo me citan la famosa frase de Thomas Jefferson en la Declaración de Independencia: «Claro que quiero ser feliz —me dicen—, en definitiva, ¿acaso no tiene todo el mundo el "derecho a la vida, la libertad y la búsqueda de la felicidad"?».

Se nos ha condicionado para que creamos que la felicidad es algo que hay que buscar. Así pues, igual que un perro sale corriendo a buscar el palo que le lanzamos, nosotros salimos en pos de la felicidad, agarrando a nuestro paso todo cuanto creemos que nos la proporcionará.

Un buen día descubrí lo que en realidad había querido decir Thomas Jefferson.

Tras una conferencia, viajaba en un avión de vuelta a casa en compañía de mis buenos amigos Stewart y Joan Emery, ambos personalidades destacadas del movimiento del potencial humano, y estábamos hablando del concepto de la felicidad —algo que yo hago muy a menudo— cuando Stewart me miró y dijo con su maravilloso acento australiano: «Marci, ¿sabes qué era lo que Thomas Jefferson quiso decir en realidad cuando hablaba de la búsqueda de la felicidad?».

Stewart, que es coautor de *El éxito que perdura: casos que han dejado huella*, es un pozo de sabiduría lleno de datos fascinantes y a menudo poco conocidos: según me explicó, en tiempos de Jefferson el significado de la palabra «búsqueda» no era el de «perseguir algo»; en 1776, la palabra utilizada para «búsqueda» en la Declaración significaba practicar una actividad, hacer algo regularmente, no perseguirlo, que además en cualquier caso no es muy productivo.

Así que dejemos de buscar la felicidad y empecemos a ponerla en práctica, lo cual se consigue a través del ejercicio de nuevos hábitos.

Los hábitos de la gente feliz

La gente con altos niveles básicos de felicidad es humana igual que el resto de nosotros, no tiene superpoderes ni un corazón de más ni visión de rayos X en los ojos, simplemente sus hábitos son distintos. Es muy sencillo: los psicólogos dicen que por lo menos un 90 % de todos los comportamientos son rutinarios, así que, para ser más feliz, lo que necesitas es tomar en consideración tus hábitos.

Hay libros y programas que te dirán que puedes simplemente decidir ser feliz, que basta tan sólo con que te decidas a ser feliz y entonces lo serás.

Yo no estoy de acuerdo.

No se puede decidir ser feliz sin más, igual que tampoco se puede tomar una decisión de estar en excelente forma física o ser un gran virtuoso del piano y esperar que suceda de la noche a la mañana. Lo que, sin embargo, sí se puede hacer es decidir dar los pasos necesarios, como por ejemplo hacer ejercicio o ir a clases de piano y, con la práctica, al final es posible conseguir estar en forma o dar conciertos. De manera similar, puedes convertirte en una persona Feliz porque sí practicando los hábitos de la gente feliz.

Todos tus pensamientos y comportamientos habituales del pasado han hecho surgir unos conductos neuronales específicos, una manera determinada en la que tu cerebro está cableado, son como los surcos en la superficie de un vinilo. Cuando piensas o te comportas de determinada manera una y otra vez, esos conductos neuronales se refuerzan y los surcos se profundizan, del mismo modo que una ruta muy transitada que atraviesa un campo acaba por convertirse en un sendero perfectamente distinguible. La gente infeliz tiende a tener más conductos neuronales negativos; ¡ésa es la razón por la que no puedes limitarte a ignorar la realidad que supone el cableado de tu cerebro y decidir ser feliz! Para incrementar tu nivel básico de felicidad, debes crear nuevos surcos.

Hubo un tiempo en que los científicos solían pensar que una vez que una persona había llegado a la edad adulta, el cerebro estaba conformado irremisiblemente y no se podía hacer gran cosa para cambiar su configuración, pero hay estudios recientes que revelan datos sumamente fascinantes sobre la neuroplasticidad cerebral: las diversas maneras en que piensas, sientes y actúas hacen que el cerebro cambie y, de hecho, varíe la configuración de sus conexiones. No estás condenado para el resto de tus días a seguir determinados conductos neuronales negativos. El doctor Richard Davidson de la Universidad de Wisconsin, un prestigioso investigador de las funciones cerebrales, sostiene que «de acuerdo con lo que sabemos sobre la plasticidad del cerebro, podemos considerar cosas tales como la compasión y la felicidad como habilidades comparables a aprender a tocar un instrumento musical o jugar al tenis… Es posible entrenar nuestros cerebros para ser felices».

Unos cuantos de Los 100 Felices a los que entrevisté nacieron felices, pero la mayoría aprendieron a ser felices practicando los hábitos sobre los que se sustenta su felicidad.

Según el Dalai Lama, uno de mis héroes en cuestiones de felicidad (no puedo evitar sonreír al pensar en él), es importante saber cuáles son los hábitos que sirven de apoyo a la felicidad en nuestras vidas y cuáles no. En su libro *El arte de la felicidad*, escribe:

Pero, en términos generales, uno empieza por identificar aquellos factores que conducen a la felicidad y los que conducen al sufrimiento. Una vez hecho eso, es necesario eliminar gradualmente los factores que llevan al sufrimiento mediante el cultivo de los que llevan a la felicidad. Ése es el camino.

A lo largo de todo este libro, iré identificando los factores que llevan a la felicidad, pero ahora pensemos en cuáles son los que «llevan al sufrimiento» y bloquean nuestra felicidad. Dos de estos bloqueadores de la felicidad, el Mito de Querer Más y el Mito de Seré Feliz Cuando están tan extendidos en nuestra cultura que casi todo el mundo está enganchado a ellos.

El Mito de Querer Más

> *¿Quién es rico? Aquel que es feliz con lo que tiene.*
> EL TALMUD

La mayoría de nosotros caemos en las redes del Mito de Querer Más: cuanto más tenemos, mejor nos sentimos. El trance colectivo de querer más y más cosas —o «luminosos objetos resplandecientes» como los llama mi amigo Stewart— en que vive nuestra sociedad está basado en la insidiosa creencia común y a menudo inconsciente de que, cuantos más «juguetes» tengamos, cuanto más éxito y más dinero, más felices seremos. No obstante, las estadísticas demuestran que no es cierto:

- Los ingresos per cápita de los estadounidenses se han multiplicado por más de 2,5 en los últimos cincuenta años y sin embargo los niveles de felicidad no han variado.
- Casi un 40 % de las personas que aparecen en la lista de los más ricos de Estados Unidos que elabora la revista *Forbes* son menos felices que el estadounidense medio.
- En cuanto los ingresos personales superan los 12.000 dólares anuales, el hecho de tener más dinero prácticamente no incrementa la felicidad.

Es una obviedad que la gente más feliz no es la que lo tiene todo (¡si fuera así, habría mucha más gente feliz en Hollywood!), pero nos seduce la creencia firmemente arraigada de que el dinero nos proporcionará la felicidad, o por lo menos pensamos que en nuestro caso sí será así: según una encuesta reciente, en todos los niveles de ingresos, la gente cree que si tuviera más dinero su nivel de felicidad subiría sin lugar a dudas.

Una vez oí que un periodista le había hecho la siguiente pregunta a J. Paul Getty, el fundador de la empresa petrolera Getty Oil y el primero en toda la Historia que consiguió ganar mil millones de dólares: «Usted es el hombre más rico del mundo, ¿cómo sabe si tiene suficiente?». Por lo visto Getty se quedó pensando un momento y respondió: «Yo diría que todavía no».

Esto nos muestra que nuestro «anhelo de adquirir cosas» no nos traerá verdadera dicha así que entonces, ¿por qué es tan difícil escapar a ese deseo de tener más?

Porque las empresas de publicidad y todas sus tiendas de lujo no quieren que lo hagamos: los anuncios existen para perpetuar el Mito de Querer Más, ése es el motor de la economía.

Cada año se gastan miles de millones en convencerte de que no estás bien tal como te encuentras sino que necesitas *cosas* —montañas y montañas de cosas— que te hagan feliz. Una noche hice un experimento: conté el número de veces y formas en que me decían esto durante el tiempo que estuve viendo la televisión.

Fue toda una sorpresa: en tan sólo tres horas, me bombardearon con sesenta y ocho mensajes en los que se me decía que estaba condenada a la desgracia si no tenía lo que fuera que la empresa en cuestión estaba tratando de venderme. De la manera más entretenida, creativa y atractiva posible, los anunciantes intentaban convencerme de que necesitaba tener el coche adecuado (cinco empresas diferentes declaraban que éste era el que ellas comercializaban), el sujetador más sexy (como por ejemplo uno decorado con diamantes que valía 2 millones de dólares: un millón por teta) y el mejor producto para la piel (¡Dios me librara de aparentar la edad que tenía!).

Sé lo que estás pensando: «Es que yo no presto atención a los anuncios, a mí no me afectan». Siento mucho ser yo quien te abra los ojos, pero el hecho es que sí. No puedes evitarlo: los mensajes que vemos y oímos repetidamente entran en nuestro subconsciente y se convierten en creencias. Si no fuera así, los anunciantes no gastarían dinero a paletadas en asegurarse de que vemos su publicidad una y otra vez.

Teniendo en cuenta que los niños ven una media de cinco horas de televisión al día, ¿acaso es una sorpresa que nos encontremos con un montón de chavales desgraciados que se desesperan por tener el último juguete, videojuego o pantalones vaqueros de marca? Si alguna vez has pasado tiempo con niños cuando se acerca la Navidad, entenderás por qué la siguiente historia —que me contó un joven padre— me conmovió tanto:

Cuando mi hija mayor, Victoria, tenía casi tres años, unos días antes de que llegaran las vacaciones empezamos a leerle todas las noches el cuento del Dr. Seuss *Cómo el Grinch robó la Navidad.* Ella se acurrucaba a mi lado mientras yo le leía: *En Villaquién, todo el mundo ama la Navidad...*

Victoria siguió con atención la historia de cómo el Grinch desvela sus planes para arruinar la Navidad a los habitantes de Villaquién, sobre cómo él mismo se viste como Santa Claus y disfraza a su perro como uno de los renos, y roba en las casas llevándoselo absolutamente todo hasta dejar incluso las paredes peladas. Sin embargo, y para su sorpresa, los habitantes de Villaquién siguen felices a pesar de haber perdido regalos, árboles, adornos y abalorios: no consigue impedir que llegue la Navidad, ésta «viene de todos modos».

Aquella mañana de Navidad nos despertamos justo antes que Victoria para poder contemplar el entusiasmo en la cara de nuestra hija de tres años cuando viera sus regalos debajo del árbol. Lo primero que hizo fue ir a la cocina, donde les había dejado a Santa y su reno un tentempié, para comprobar si se lo habían tomado y ver con sus propios ojos las pistas de que efectivamente Santa Claus había visitado nuestra casa: las migajas de galleta en el plato, el vaso de leche vacío y las zanahorias que ya no estaban... Mi mujer, embarazada de nuestro segundo hijo, y yo estábamos exultantes mientras contemplábamos los ojos desorbitados de una Victoria presa de la excitación con sólo pensar que Santa Claus en persona nos había hecho una visita. Lo siguiente que hizo nuestra hija fue ir corriendo al cuarto de estar y entonces vio los regalos debajo del árbol.

Nos esperábamos que se abalanzara sobre ellos, pero no lo hizo sino que alzó su diminuta mano y dijo: «¡Un momento! Vamos a hacer como si el Grinch hubiera estado aquí y se hubiera llevado todo, como si las paredes estuvieran peladas y pese a todo siguiéramos siendo felices».

Así que eso fue lo que hicimos, y fuimos felices y... a mí, igual que al Grinch, ese día el corazón se me ensanchó tres tallas.

¿Qué pasaría con nuestras vidas si consiguiéramos ser felices pase lo que pase?

Cuando experimentas tu propia felicidad interior innata y eres Feliz porque sí, sigues disfrutando de las cosas buenas de la vida pero no buscas en ellas la felicidad sino que eres capaz de deshacerte del Mito de Querer Más.

El Mito de Seré Feliz Cuando...

Un pariente cercano del Mito de Querer Más. ¿Cuántas de las siguientes afirmaciones te suenan familiares?

- Seré feliz cuando encuentre la pareja perfecta.
- Seré feliz cuando tenga un trabajo mejor.
- Seré feliz cuando tenga un hijo (u otro hijo).
- Seré feliz cuando lo niños vayan al colegio.
- Seré feliz cuando se me reconozca y se me aprecie más.
- Seré feliz cuando pueda jubilarme.

Y el siempre popular:

- Seré feliz cuando pierda 5 (10, 15, 20...) kilos.

Por muchos Seré Feliz Cuando que consigas, nunca será suficiente del todo porque, con cada uno de ellos, experimentarás o bien una sensación de felicidad pasajera o bien una franca decepción. Piensa en las últimas cinco metas que hayas logrado, ¿cuánta felicidad te proporcionaron?, ¿y cuánto duró esa felicidad?

Y, sin embargo, ignoras el sentimiento de que algo falta y continúas intentándolo: te esfuerzas cada vez más, diciéndote a ti mismo:
«Un poquito más y lo conseguiré. Si tan sólo pudiera hacerme con el
control de esta o aquella cuestión, estoy seguro de que lo conseguiría».
Eres igual que un hámster corriendo sin avanzar en la rueda de su jau-
la, y la rueda gira y gira, y tú tratas desesperadamente de controlar y
manipular las circunstancias externas que te rodean pero siempre
sientes el miedo a perder lo que sea que ya tengas. Cuando se está
atrapado en el Seré Feliz Cuando, la felicidad siempre es algo que pertenece al futuro pero, en realidad, el único momento en que puedes
ser verdaderamente feliz es el presente.

Una investigación reciente de Daniel Gilbert, un prestigioso catedrático de Psicología de Harvard, ha demostrado la total futilidad
de pensar en términos de Seré Feliz Cuando. Gilbert, el autor de *Tropezar con la felicidad*, ha realizado algunos estudios fascinantes, de los
que se desprende que a los seres humanos no se nos da particularmente bien anticipar lo que nos hará felices en el futuro, y en los que
se llega a la conclusión de que, una y otra vez, sobredimensionamos la
felicidad que nos producirá conseguir las cosas que deseamos: nos
imaginamos lo maravilloso que será ir de vacaciones a un determinado sitio o conseguir un ascenso o tener una relación de un cierto tipo,
pero, cuando por fin lo conseguimos, por lo general somos mucho
menos felices de lo que pensamos que seríamos. Y lo que es más: nos
acostumbramos a lo que fuera que supuestamente iba a hacernos felices, así que cada vez que experimentamos la mágica sensación de haber conseguido esa meta que iba a darnos la felicidad eterna, la emoción disminuye.

Para llegar a ser más feliz tenemos que despertar de ese trance que
nos dice que la felicidad reside en el «más y mejor» que conseguiremos tener «algún día»: independientemente de lo que tengamos, la
Felicidad porque sí existe sólo en el aquí y ahora, no en el luego.

Los Tres Inspiradores:
principios en base a los cuales vivir la vida

Con el tiempo, y a medida que iba entrevistando a Los 100 Felices y ellos me describían sus vidas, empecé a detectar ciertos patrones que emergían claramente: todos habían conseguido deshacerse del Mito de Querer Más y se habían bajado de la rueda de hámster que supone el Mito de Seré Feliz Cuando; y además todos parecían vivir conforme a los mismos tres principios inspiradores o leyes universales. Independientemente de las palabras que usaran Los 100 Felices para describirlos, esos principios habían desempeñado un papel significativo a la hora de ayudarlos a convertirse —o seguir siendo— Felices porque sí. Yo llamo a esos principios los Tres Inspiradores:

1. Lo que te expande te hace más feliz (Ley de la Expansión).
2. El universo conspira a tu favor (Ley del Apoyo Universal).
3. Aquello que aprecias, se aprecia (Ley de la Atracción).

Cuando comiences a practicar los Hábitos de Felicidad que aprenderás en la segunda parte, puede que haya momentos en que te veas atrapado en viejos comportamientos y maneras de pensar y sentir; es en momentos como ésos cuando puedes invocar a los Tres Inspiradores para que te ayuden a seguir adelante.

Principio Inspirador n.º 1
Lo que te expande te hace más feliz

La ciencia nos muestra que todo lo que existe en el universo, incluido tú, está hecho de energía: todo lo que dices, haces o piensas, todo lo que te rodea, está o bien expandiendo o bien contrayendo tu energía.

Cuando tu energía se expande, experimentas una felicidad mayor, y cuando se contrae, una menor.

Lo puedes comprobar tú mismo haciendo este sencillo ejercicio: siéntate bien derecho, echa los hombros hacia atrás, abre bien los brazos, respira hondo y sonríe. Cierra los ojos y comprueba cómo te sientes.

Seguramente describirías tu experiencia con palabras como:

Libre
Abierto
Alegre
Hay una sensación de ligereza y de espacio: eso es la expansión.

Ahora piensa en alguien a quien quieres o admiras, una persona con la que te gusta pasar tiempo. ¿Qué sensaciones físicas experimenta tu cuerpo cuando piensas en esa persona?

Una vez más, probablemente sientes la expansión, esa sensación de apertura y ligereza. Cuando eres feliz, estás en un estado de expansión. De hecho, los científicos pueden decirte lo feliz que eres midiendo el nivel de expansión de tu cuerpo: si durante un momento de felicidad estuvieras conectado a los aparatos capaces de medir estas cuestiones, podrías ver el incremento en los niveles de absorción de oxígeno, la dilatación de los vasos sanguíneos, la relajación de los músculos, el suave ritmo de los latidos de tu corazón y la mayor integración de las funciones cerebrales, todos ellos signos de que has expandido tu energía.

Ahora encógete de hombros, aprieta los puños, respira entrecortadamente y frunce el ceño. Fíjate en cómo te sientes.

Ansioso
Tenso
Agitado
Hay una sensación opresiva: eso es la contracción.

Piensa un instante en alguien a quien temas o en una persona con quien estés enfadado. ¿Cómo te sientes? Notas esa misma energía opresiva y contraída.

Ésa es nuestra vivencia básica de la infelicidad: todas nuestras emociones negativas —ira, miedo, tristeza, celos— nos contraen y, literalmente, constriñen el flujo de nuestra energía vital. Cuando experimentamos esas emociones, los músculos se tensan, la respiración se hace más trabajosa y se entorpece el riego sanguíneo. Si estuvieras conectado a esos aparatos de los que hablaba antes, podrías ver el nivel de estrés hormonal que sube, lo que destroza tu sistema inmunológico e incrementa el riesgo de contraer infecciones o caer enfermo.

Los 100 Felices elegían los pensamientos, sentimientos y comportamientos que los expandían en vez de los que los contraían. Elevar tu nivel básico de felicidad es cuestión de desarrollar esos hábitos que expanden tu energía. Esto es lo que nos hace expandirnos o contraernos:

Contracción	Expansión
infelicidad	felicidad
miedo	amor
pesimismo	optimismo
constricción	fluidez
resistencia	aceptación
poca energía	vitalidad
dificultad	facilidad
malestar	bienestar
separación	conexión
sentirse mal	sentirse bien

La expansión es la autopista hacia la felicidad. Éste es un principio inspirador que puedes utilizar para ver si te mueves hacia la felicidad al ir comprobando a lo largo del día si estás en expansión o en contracción.

Tu sistema interno de guía o el juego de frío o caliente

¿Has ido en un coche con sistema de posicionamiento global (GPS)? Estés donde estés, el GPS te dirige hacia el lugar adonde quieres ir, y hasta puedes programar el tipo de voz con que quieres que te hable: el GPS de una amiga mía habla igual que un mayordomo inglés (dice que la hace sentirse como una reina).

Pues resulta que cada uno de nosotros llevamos dentro un GPS que nos dirige hacia la felicidad por medio de un sistema de verificación del estado de expansión/contracción. Si te sientes en expansión, eso significa que vas en la dirección correcta; si te sientes en contracción, ha llegado el momento de modificar el rumbo. Es igual que un juego al que seguramente habrás jugado de niño cuando buscabas algo: a medida que te acercabas a lo que estabas buscando, tus amigos te decían: «¡Caliente, más caliente, te quemas!», y si por el contrario te estabas alejando: «¡Frío, más frío, helado!». La única diferencia entre esto y tu GPS interno es que lo que éste último te dice es «en expansión» o «en contracción».

Yo me guío por mi GPS interno a menudo: cuando se me plantea una decisión, me paro, respiro hondo y compruebo cuál de las alternativas que tengo me hace sentir más ligera, abierta y en expansión; y esto lo hago para pequeñas decisiones, como por ejemplo escoger qué primer plato prefiero del menú, o para grandes decisiones como elegir qué oportunidades de negocio desarrollar. La opción que me hace sentir más en expansión siempre resulta ser la que más me gusta.

Para ver qué porcentaje de tu vida estás viviendo en expansión o en contracción, haz el siguiente ejercicio:

Lista de expansión/contracción

1. Escribe estos dos títulos en el extremo superior de una hoja de papel: «Contracción» a la izquierda y «Expansión» a la derecha.
2. Piensa en tu vida: trabajo, casa, cuerpo, relaciones personales, etc. Analiza cada uno de estos aspectos, cierra los ojos, respira hondo, comprueba si sientes que tu energía se expande o se contrae y anótalo en la columna correspondiente.
3. Revisa la lista y verifica qué aspectos de tu vida están contribuyendo a tu felicidad y cuáles, por el contrario, te hunden. Los elementos de la lista de la contracción son áreas donde es necesario rectificar el rumbo.

Todos los Hábitos de Felicidad que recomiendo practicar en la segunda parte se basan en este primer principio inspirador: todo lo que te expande, te hace más feliz. En cada capítulo encontrarás un mapa de expansión/contracción relacionado con cada paso y, al prestar atención a lo que te vaya diciendo tu GPS interno sobre lo que te contrae y lo que te expande, podrás reforzar los comportamientos que elevan tu nivel básico de felicidad y te ayudan a ser Feliz porque sí.

Principio Inspirador n.º 2
El universo conspira a tu favor

En una ocasión Einstein dijo que la pregunta más importante que cabía plantearse era: «¿Es este universo amistoso?» La respuesta de Los 100 Felices a esa pregunta es un rotundo «¡sí!». En vez de pensar que el universo conspira en su contra, ellos creen que lo hace para apoyarlos.

Lo más sorprendente es que no creen que el universo sea benevolente sólo cuando les pasan cosas buenas, sino todo el tiempo, y cuando les ocurre algo malo no se quejan y se lamentan diciendo: «¿Por qué a mí? No es justo», sino que ven todos los acontecimientos de sus vidas desde a través del prisma de «Al final, lo que está ocurriendo será para bien. Nada es un error, así que voy a buscar la parte positiva de todo esto». La creencia en un universo amistoso es la causa de la actitud relajada y confiada que tienen ante la vida.

Incluso existen estudios que indican que el creer en un universo amistoso puede influir en la salud de una persona: investigaciones recientes de Gail Ironson, Ph.D., doctora en medicina y catedrática de Psicología y Psiquiatría en la Universidad de Miami, señalaban que las personas con VIH que creían en un poder superior lleno de amor gozaban de mejor salud durante más tiempo que quienes veían ese poder universal como un juez implacable.

Tal vez este concepto te resulte difícil de aceptar, y desde luego es innegable que en este mundo pasan muchas cosas horribles: guerras, persecuciones, hambrunas y sufrimientos, que pueden fácilmente llevar a la conclusión de que el universo no es amistoso. A mí, lo que me ha ayudado a aceptar el concepto de que el universo siempre conspira a mi favor es el saber que todos los hombres y las mujeres prudentes y sensatos que hayan existido, los santos y los sabios del pasado y del presente, comparten esa creencia. Así que cuando me cuesta darme cuenta de cómo el universo conspira a mi favor en una situación concreta, estoy dispuesta a admitir que mis pensamientos y mi comprensión podrían tener sus limitaciones, y a recordarme a mí misma que la clarividencia y capacidad de discernimiento de esas personas es superior.

En cualquier caso, no hace falta entrar en las implicaciones filosóficas y religiosas de esa creencia, no se trata de eso, simplemente digo que la gente que es Feliz porque sí utiliza este principio inspirador y que tú también puedes utilizarlo para elevar tu nivel básico de felicidad.

En vez de tratar de establecer si este principio es o no cierto, lo que sugiero es que adoptes esta perspectiva durante las próximas dos semanas y compruebes la visión tan distinta que tienes de la vida al cabo de ese periodo, que asumas que el universo está de tu lado pase lo que pase, incluso si no te resulta demasiado evidente que así sea.

En mi caso, cuando empecé a hacer esto me di cuenta de que, pese a no estar precisamente dando saltos de alegría y encantada con todas las cosas a que tenía que enfrentarme en la vida, desde luego sentía mucha más tranquilidad y paz interior. En ocasiones, cuando estaba particularmente triste o algo me había afectado mucho —el final de una relación sentimental, por ejemplo—, el creer en un universo que siempre me apoyaba, en el que había un plan en el que todo encajaba, me ayudaba a superar mi cantinela habitual del «No es justo» y el «Nunca encontraré el amor verdadero» y a mantener un corazón abierto, lo que al final me llevó hasta Sergio.

Cuando crees que el universo conspira a tu favor, eres capaz de resistir lo que ocurre, lo que no equivale a tener una actitud pasiva o complaciente ante los acontecimientos que se sucedan en el mundo o en tu propia vida, simplemente quiere decir no resistirse o quejarse sobre *lo que ya ha ocurrido* y no puede cambiarse. Muchos de nosotros gastamos cantidades ingentes de tiempo y energía disgustándonos y resistiéndonos a la vida. En cambio si incorporamos la suposición de que nada es un error y aceptamos las cosas, esa energía la podemos poner a trabajar para enfrentarnos de manera efectiva a la situación *ahora*.

Confiar en que el universo genera constantemente formas de apoyarte y promover tu crecimiento óptimo es una excelente herramienta que te permitirá permanecer en expansión.

Principio Inspirador n.º 3
Aquello que aprecias, se aprecia

Este principio se basa en la Ley de la Atracción que, expresada en términos simples, no es más que otra forma de decir que «lo bueno llama a lo bueno» (y viceversa): atraerás hacia a ti cualquier cosa que pienses, sientas, digas y hagas, como si fueras un imán; cuando valoras la felicidad que ya tienes en la vida, igual que ocurre con el dinero en el banco, ¡ésta se aprecia!

Se ha hablado mucho de la Ley de la Atracción en los últimos años debido en gran parte al gran éxito de la película *El Secreto*. A mí me honra que su creadora y productora, Rhonda Byrne, me eligiera para participar en la confección de este libro y película transformacionales. Rhonda es alguien que verdaderamente predica con el ejemplo: utilizó la Ley de la Atracción para generar el gran éxito de *El Secreto*; su intención, su visión siempre han sido repartir alegría y ver el mundo transformado por el uso de la Ley de la Atracción. La primera vez que vi a Rhonda me sorprendió la intensa felicidad que irradiaba: pese a que en su día atravesó una etapa de total desesperanza en su vida, hoy es una persona que irradia un entusiasmo gozoso combinado con una profunda paz interior. Encontrarás su increíble historia en el Capítulo 8 de este libro.

Mucha gente se centra en el uso de la Ley de la Atracción como medio para atraer las cosas que creen que los harán felices, pero eso en realidad es empezar la casa por el tejado: ser feliz es lo que atrae hacia nosotros las cosas que queremos, ese es el fundamento de la Ley de la Atracción. En su libro *El Secreto*, Rhonda escribe lo siguiente:

> *Voy a contarte un secreto sobre El Secreto. El atajo hacia cualquier cosa que desees en la vida es ¡SER y SENTIRTE feliz ahora! Es la vía más rápida de atraer dinero y todo lo que desees a tu vida. [...]¡Lo que necesitas es un trabajo interior! El mundo exterior es el mundo de los efectos; es el resultado de los pensamientos. Sintoniza tus pensamientos y frecuencia con la felicidad.*

Cuando te sientes bien, tu energía genera un poderoso campo de vibraciones que atrae hacia ti lo que deseas con mayor facilidad. No tiene nada de malo hablar sobre el coche, casa o trabajo que quieres, pero la llave de la felicidad no es manipular el mundo para que te de lo que quieres. El mejor uso de la Ley de la Atracción es aplicarla al objetivo subyacente sobre el que se sustentan todos los demás: ser Feliz porque sí. A mí la Ley de la Atracción me ha dado excelentes resultados en lo material, pero son mucho mayores los beneficios que he obtenido en lo espiritual, cuando la he aplicado para sanar el corazón centrándome en la gratitud, y para provocar una transformación en mi vida valorando todos y cada uno de los pasos en la dirección correcta, por muy pequeños que sean. Utilizar la Ley de la Atracción de este modo lleva a ser Feliz porque sí.

Mi Fórmula Secreta

Mi herramienta favorita para poner en práctica la Ley de la Atracción es lo que llamo mi Fórmula Secreta: Intención, Atención y Nada de Tensión. Este proceso en tres partes lo aprendí de mi amigo, el consultor de productividad, Bill Levacy. Así es como puedes aplicarla para ser Feliz porque sí.

1. Intención: sé claro sobre qué es lo que quieres; en este caso lo que deseas es una felicidad mayor.
2. Atención: aquello a lo que prestas atención es lo que se refuerza en tu vida, así que centra tu atención en practicar los Hábitos de Felicidad todos los días.
3. Nada de Tensión: relájate y suelta amarras; a medida que vayas practicando los hábitos, no seas demasiado duro contigo mismo y confía en que estás eliminando los obstáculos que te impiden experimentar una mayor felicidad.

Establecer tus intenciones y visualizar tu ideal

Todo cambio consciente comienza por la intención: para elevar tu nivel básico de felicidad, es importante que, primero que nada, establezcas tu intención de ser Feliz porque sí; empieza por escribir una declaración de intenciones, comienza por algo como «Doy gracias porque soy…» y completa la frase con aquello en lo que consiste ser Feliz porque sí para ti.

Me gusta usar la expresión «porque soy» ya que «soy» es una de las palabras más poderosas que existen y el utilizarla contribuye a que tus intenciones se conviertan en realidad. Verás que te estoy pidiendo que utilices el presente para tu declaración de intenciones, como si ya estuvieras experimentando la Felicidad porque sí; el poder y la inmediatez del tiempo presente atraen los deseos de tu corazón hacia ti igual que un imán. Por ejemplo, en mi caso, mi intención personal de ser Feliz porque sí es «Doy gracias porque soy una persona que está experimentando una profunda sensación de paz interior y felicidad».

Tu intención de ser Feliz porque sí

Ahora imagínate a ti mismo siendo Feliz porque sí. ¿Cómo sería la vida si experimentaras ese estado de paz interior y bienestar inquebrantables? ¿Cómo te sentirías y qué harías? ¿Cómo te relacionarías con los demás?

Imaginar cómo querrías sentirte puede que te parezca algo fantasioso o tonto, pero en realidad es un ejercicio muy potente porque, cuanto más clara tengas cuál es la sensación de la Felicidad porque sí para ti, más fácilmente conseguirás hacerla realidad.

El mero hecho de pasar por este proceso ya te coloca en el campo de las vibraciones de la Felicidad porque sí, y lo más probable es que comiences a sentirte más feliz con tan sólo pensar en ello e imaginarlo.

También te recomiendo que te hagas un cartel con tu visión para poder ir mirándolo a medida que practiques los Hábitos de Felicidad. Un cartel de visión consiste en una representación visual de cualquier cosa que desees crear en tu vida; hay mucha gente que usa este tipo de carteles para centrarse en lo que desean conseguir: un coche, una relación, una casa… Te aconsejo que te hagas un cartel centrándote en imágenes que plasmen estados de felicidad; por ejemplo, podrías usar fotografías en las que estés con gente que quieres o admiras; elige imágenes que te hagan sentir en expansión, abierto, con ánimo —incluso si no eres capaz de explicar exactamente por qué—, e incluye tu declaración de intención de ser Feliz porque sí. Al igual que ocurre con la intención, en el caso del cartel también es importante centrarse en las imágenes como si aquello que representan ya fuera una realidad.

Mi cartel contiene fotos mías en momentos de máxima felicidad —por ejemplo en medio de la naturaleza o con gente que quiero—, así como imágenes, fotos y citas que me inspiran alegría, y lo tengo en la pared que tengo frente a mi mesa de trabajo para ir mirándolo durante todo el día. Pasa algún tiempo a diario contemplando tu cartel de visión y sintiendo la felicidad que te provoca.

Construir tu Casa Interior de la Felicidad

Ahora estás listo para comenzar a poner en práctica tus intenciones. En la segunda parte, aprenderás los siete pasos para construir tu Casa Interior de la Felicidad. Una vez hayas acabado este libro, sugiero que pases una semana con cada uno de esos pasos, practicando los Hábitos de Felicidad, haciendo los ejercicios y realizando las acciones o pasos que se sugieren al final de cada capítulo. Seguramente algunos de esos hábitos te resultarán fáciles mientras que otros supondrán un reto mayor; cuando eso último pase, tómate el tiempo que necesites para conseguir que esa nueva práctica te resulte fácil.

A medida que vayas trabajando con estas ideas y técnicas, ten siempre presentes los Tres Inspiradores: usa tu GPS interno para moverte en la dirección correcta hacia la expansión, observa lo que ocurre cuando eliges creer que el universo conspira a tu favor y sigue trabajando con la Ley de la Atracción para elevar tu nivel básico de felicidad al apreciar profundamente la que ya estás experimentando.

Con estas herramientas en la mano, ha llegado el momento de construir tu Casa de la Felicidad. ¡Manos a la obra!

SEGUNDA PARTE

CONSTRUYE TU CASA DE LA FELICIDAD

*Al principio creamos nuestros hábitos
y luego son los hábitos lo que nos crean a nosotros.*

JOHN DRYDEN,
poeta y dramaturgo inglés del siglo XVII.

Los Cimientos:
sé el dueño de tu felicidad

La mayoría de las sombras de esta vida
las proyectamos nosotros al taparnos el sol.

RALPH WALDO EMERSON, escritor y filósofo.

Aunque construir casas no es precisamente una de mis mayores habilidades, sí sé que el primer paso necesario para ello es poner unos cimientos sólidos; ésa es la base sobre la que se erige una casa sólida.

La construcción de tu Casa de la Felicidad comienza precisamente con ese importante primer paso: pones los cimientos al adueñarte de tu felicidad; eso significa, en primer lugar, creer que puedes ser feliz, luego adquirir consciencia de los hábitos que suponen un obstáculo en tu camino y finalmente sustituir —de manera suave pero persistente— esos hábitos por otros nuevos, otras maneras de pesar, sentir y actuar que te sean más útiles.

Una de las cosas que más me llamó la atención de Los 100 Felices fue precisamente que, entrevista tras entrevista, ninguno cuestionaba su capacidad de ser feliz: sabían que era posible y que su felicidad dependía de ellos mismos, no dejaban la cuestión de ser feliz para más tarde, no esperaban a que las circunstancias fueran las idóneas ni se limitaban a esperar a tener suerte algún día; y tampoco se quedaban estancados en el pasado diciendo: «Con mi historial —o después de lo que me ha pasado—, no puedo ser feliz». Todos eran gente que tomaba la iniciativa en sus vidas y se centraban en las posibilidades futuras en vez de sentirse víctimas de sus circunstancias pasadas o presentes.

Este vínculo entre la felicidad y el hacerse responsable de la propia vida quedó patente en un estudio publicado en el *International Journal of Behavioural Medicine* en 2005: el estudio, dirigido por la doctora Gail Ironson —cuyas investigaciones ya mencioné en el capítulo anterior—, mostraba que, en una población de sujetos a los que se les había diagnosticado VIH, los optimistas tomaban más la iniciativa, llevaban mejor su situación y la enfermedad progresaba más lentamente. Según la doctora Ironson, existe una fuerte correlación entre la capacidad de tomar la iniciativa y el optimismo, una característica asociada con una mayor felicidad.

La buena noticia es que, independientemente de cuál sea tu punto de partida, cuando tomas la iniciativa y te responsabilizas de experimentar la felicidad, es como si te colocaras en el asiento del conductor de tu propia vida, y eso supone avanzar a pasos agigantados en lo tocante a elevar tu nivel básico de felicidad.

En el fondo, todos somos Felices porque sí, hay un brillante sol que irradia paz y bienestar en el interior de cada uno de nosotros, pese a que muy a menudo esté oculto tras las nubes. En este capítulo vamos a hacer que la luz penetre a través de esas nubes —nuestras pautas de comportamiento de víctima, los viejos hábitos profundamente arraigados— que bloquean nuestra capacidad de experimentar continuamente la felicidad que tenemos en esencia.

Hacerse el dueño

Algo que he aprendido con mi trabajo es que cada vez hay más gente que está empezando a darse cuenta del poder que tienen para crear su propio futuro a través de lo que piensan, sienten, dicen y hacen, que reconocen que sus decisiones son determinantes en sus vidas. Entender la Ley de la Atracción supone asumir responsabilidad por las experiencias de felicidad (o infelicidad) en la propia vida.

Hacerse dueño de la propia felicidad incluye dos aspectos:

1. Aceptar que ser feliz es algo que depende de uno mismo y que uno tiene la habilidad y el poder de ser más feliz cambiando los propios hábitos.
2. Asumir «respons-abilidad» en el sentido de ser capaz de responder a los acontecimientos de un modo que sustente la propia felicidad.

Leyendo este libro, ya has dado el primer paso, porque es algo probado —y no meras «palabras de ánimo»— que el mero hecho de centrar tu atención en ser más feliz ya tiene un gran efecto; es más, uno de los primeros experimentos sobre felicidad de la Historia muestra precisamente esto: en 1977, el doctor Michael Fordyce, psicólogo y autor de *La psicología de la felicidad,* publicó los revolucionarios resultados de un experimento que mostraba que estudiantes a los que se les había encomendado el estudio de los hábitos de la gente feliz acababan siendo ellos mismos más felices y estando más satisfechos con sus vidas por el mero hecho de aprender sobre los sujetos del estudio.

No obstante, tal y como india la doctora Sonja Lyumbomirsky, catedrática de Psicología en UC Riverside ya mencionada en el Capítulo 1, invertir tiempo y esfuerzo en ser más feliz es igual que ponerse a dieta y hacer ejercicio: no es algo que pueda hacerse sólo un par de días si queremos que surta efecto, sino que es necesaria cierta continuidad. Por desgracia, la mayoría de la gente dedica más energía a pensar qué coche nuevo van a comprarse que a elevar su nivel básico de felicidad.

Reponsabilidad: la habilidad de responder

Nuestra habilidad para responder a lo que nos ocurre —nuestra responsabilidad— influye poderosamente en nuestra felicidad. Los 100

Felices responden a los acontecimientos de sus vidas de un modo que sustenta su paz interior y su bienestar.

Hace unos cuantos años, mi mentor, Jack Canfield, me enseñó esta sencilla ecuación que ilustra muy bien el concepto:

A + R = C (Acontecimientos + Respuesta = Consecuencia)

La gente que es Feliz porque sí organiza los acontecimientos siempre que está en su mano, y cuando no es el caso y no pueden cambiar los acontecimientos, *cambian sus respuestas*.

La próxima vez que estés en medio de un embotellamiento, mira a tu alrededor; seguramente habrá gente rezongando, otros gritando a los otros coches y agarrando el volante con fuerza como si con ello evitaran perder completamente los nervios; puede que otros en cambio tengan la radio puesta y estén tarareando alegremente, hasta cantando a voz en cuello y bailando en el asiento: un mismo acontecimiento y dos respuestas muy distintas.

Cada vez que decides responder de una manera que te expande y contribuye a generar más paz y bienestar, estás reforzando tu habilidad para tomar esa misma decisión positiva en el futuro. Esto sí que es verdadero empoderamiento, pues pasas de ser víctima a ser vencedor.

Victorioso al final

La primera vez que oí hablar de este concepto capaz de cambiar vidas fue en el instituto, cuando el profesor de literatura encargó un trabajo a la clase sobre *El hombre en busca de sentido* de Viktor Frankl, un superviviente del Holocausto que escribió con sorprendente elocuencia sobre lo que había hecho que él y otros fueran capaces de sobreponerse a la desesperación mientras soportaban las atrocidades de estar prisioneros en un campo de concentración nazi. Al principio me resistí, pues me daba miedo que me horrorizara demasiado su relato, pero a medida que pasaba las páginas sentí que mi corazón se iba haciendo más ligero, como si cada vez me sintiera más inspirada. Hubo un fragmento en particular que me tocó profundamente:

> *Los supervivientes de los campos de concentración aún recordamos a algunos hombres que visitaban los barracones consolando a los demás y ofreciéndoles su único mendrugo de pan. Quizá no fuesen muchos, pero esos pocos representaban una prueba irrefutable de que al hombre se le puede arrebatar todo salvo una cosa: la última de las libertades humanas —la elección de la actitud personal que debe adoptar frente al destino— para decidir su propio camino.*

Si Viktor Frankl pudo encontrar sentido —incluso experimentar el amor— en las peores circunstancias imaginables, entonces no me queda más remedio que creer que todos podemos encontrar cada día el valor necesario para cambiar cómo respondemos a lo que sea que ocurra en nuestras vidas.

Como su propio nombre indica, ¡al final Viktor Frankl salió vitorioso!

Los ladrones de felicidad

Cuando nos vemos estancados en viejos patrones de comportamiento en que nos hacemos la víctima, en definitiva estamos atrayendo ese tipo de situaciones una y otra vez (un claro ejemplo de cómo funciona la Ley de la Atracción). Es algo que vemos constantemente a nuestro alrededor, por ejemplo en el caso de la mujer que acaba en el mismo tipo de relación sentimental malsana una y otra vez: distinto hombre pero los problemas siguen siendo los mismos.

El escritor Eckhart Tolle es un buen ejemplo de persona Feliz porque sí. En su libro *El poder del ahora* menciona que, si tomamos conciencia de nuestro propio poder presente, podemos cambiar la energía victimista que perpetúa nuestros viejos problemas:

Tener una identidad de víctima es creer que el pasado tiene más fuerza que el presente, que es lo opuesto de la verdad. Es creer que otras personas, y lo que te hicieron, son responsables de quien eres ahora, de tu dolor emocional y de tu incapacidad para ser tú mismo. La verdad es que el único poder existente está contenido en este momento: es el poder de tu presencia. Cuando lo sabes, también te das cuenta de que ahora mismo eres responsable de tu espacio interno —nadie más lo es— y de que el pasado no puede prevalecer ante el poder del ahora.

En el momento presente, siempre somos libres de romper con los viejos hábitos y establecer Hábitos de Felicidad que crearán un futuro diferente. A continuación veremos algunos de los hábitos victimistas que nos roban la felicidad: quejarse, echar la culpa a alguien o algo y avergonzarse.

Quejarse. Quejarse, compadecerse de uno mismo, tratar de que nos tengan lástima, hacerse el «mártir» o «dar en exceso» son pistas indiscutibles de que estamos haciendo el «jeremías» («todo me sale mal»). De acuerdo con la Ley de la Atracción, sabemos que si nos centramos en lo que no queremos y lloriqueamos constantemente sobre lo mal que nos va todo en nuestras relaciones personales o el montón de dinero que debemos, de hecho estamos atrayendo más de lo mismo, consolidando en nuestras vidas la energía de las malas relaciones o las deudas. ¡Quejarse es como enviar un pedido de más de lo que *no* queremos al universo!

El lema del quejica: *¡Pobre de mí!*

Echar la culpa a alguien o algo. Echar la culpa a nuestras circunstancias para poner excusas o culpar a otros de nuestro dolor o nuestros problemas nos debilita, nos priva del poder y la energía necesarios para lidiar con la situación porque los estamos canalizando hacia alguna otra cosa o persona.

El lema del acusica: *¡No es culpa mía!*

Avergonzarse. Cuando nos culpamos a nosotros mismos, cuando nos avergonzamos de las cosas que nos han ocurrido o nos sentimos culpables por algo que hemos hecho (o dejado de hacer), a menudo tratamos de suprimir el dolor o de enterrar esos sentimientos incómodos en lo más profundo de nuestro interior y, al hacerlo, gastamos mucha energía y bloqueamos la felicidad.

El lema del que se avergüenza: *¡Es todo culpa mía!*

Piensa en gente infeliz que conozcas. Seguramente se pasan mucho tiempo echando la culpa a otros y también sintiéndose avergonzados, lo que en definitiva les roba la posibilidad de experimentar su felicidad innata. Desmarcarte del juego del victimismo es una forma contrastada de expandir tu energía y ser más feliz:

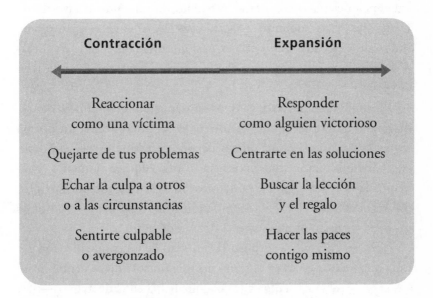

Contracción	Expansión
Reaccionar como una víctima	Responder como alguien victorioso
Quejarte de tus problemas	Centrarte en las soluciones
Echar la culpa a otros o a las circunstancias	Buscar la lección y el regalo
Sentirte culpable o avergonzado	Hacer las paces contigo mismo

Echar el guante a los ladrones de felicidad

El hábito de sentirse como una víctima puede ser muy sutil y estar profundamente enraizado. Comencé a darme cuenta de los patrones de victimismo de la gente en los días en que trabajaba como formadora para grandes empresas: solía dar clases sobre la importancia de asumir las responsabilidades personales y, al principio de la clase, le preguntaba a todo el mundo si estaban de acuerdo con que volviéramos del descanso a la hora en punto. Todo el mundo decía que sí y se acordó que el que llegara tarde tendría que ponerse de pie delante de los demás y cantar una canción de la época en la que iban al instituto u otra que escogieran si no se acordaban ya de aquellos tiempos... ¡Ni te imaginas la cantidad de dinámicos ejecutivos de éxito de las empresas de la lista Fortune 500 que llegaban tarde y se inventaban excusas, echaban la culpa a otros o se quejaban sobre el acuerdo al que habíamos llegado todos! Era increíble ver lo difícil que le resultaba a la gente asumir responsabilidades, incluso una tan pequeña. Aun así, yo no cedí lo más mínimo y para el final del tercer día de curso ya nos habíamos deleitado con varias versiones de mi canción favorita de Diana Ross y las Supremes —*Stop in the Name of Love*— a cargo de varios altos ejecutivos con una expresión azorada prendida en el rostro, de manera muy similar a como llevaban el nombre prendido en la solapa.

Tiempo después, hace ya unos años, asistí a un seminario de tres días en el que se volvieron las tornas: el instructor tenía un norma según la cual si yo o cualquiera de mis compañeros de seminario adoptábamos una actitud victimista, si en cualquier momento echábamos la culpa a alguien, poníamos una excusa, nos quejábamos, nos regodeábamos en la autocompasión o nos culpábamos a nosotros mismos, tendríamos que poner 2 dólares de bote.

¡Fue una auténtica sorpresa la cantidad de veces que hice todas y cada una de esas cosas en el transcurso de un solo día!: cuando llegaba tarde, le echaba la culpa a la cola que había en el desayuno —¡Uy, eso eran dos dólares! (Por lo menos no había que cantar.)—; si me quejaba de que hacía demasiado frío, me costaba dos dólares más (después de los cientos de seminarios que he impartido en salas donde hacía una frío polar, habría cabido esperar que se me ocurriera traer un jersey)… Echar la culpa, avergonzarse y quejarse se habían convertido en acciones tan automáticas que ya ni siquiera era consciente de ellas. Me pasé todo el día sacando dinero de la cartera, pero aun así las multas de dos dólares no fueron un precio excesivo por la lección de ver la frecuencia con que me hacía la víctima.

Y no era la única: al final del tercer día, el bote estaba tan lleno que no cabía ni una moneda más —donamos lo recaudado a una organización benéfica de la zona— y todos jugábamos mucho menos a hacernos las víctimas, por el mero hecho de prestar atención a nuestros hábitos.

Te recomiendo que trates de hacer este ejercicio durante una semana con tu familia, tus compañeros de trabajo o tus amigos y verás lo que pasa: si tuviera que adivinar, yo diría que acabarás acumulando una buena suma de bote que donar para obras de caridad... Y además, el adquirir conciencia de lo que haces te ayudará y te dará pie para pasarte a los hábitos en que se apoya ser Feliz porque sí.

Nunca es demasiado tarde

No importa cuándo empieces, siempre es posible cambiar de hábitos; sin ir más lejos, yo misma he visto a mi propia madre experimentar una maravillosa transformación tardía en su vida: como muchas mujeres de su generación, mi madre siempre ha sido muy cariñosa y con cierta tendencia a «dar en exceso» —hasta el punto de descuidar sus propias necesidades y acabar exhausta— pero, con el tiempo, ha aprendido a superar esas viejas pautas de comportamiento y a asumir más la responsabilidad de traer alegría y satisfacción a su propia vida. Empezó a practicar la meditación cumplidos ya los cincuenta, lo que le permitió dejar de tomar ciertas medicinas y recuperar la salud; cuando ya tenía setenta y muchos años, comenzó a hacer ejercicio regularmente —algo que nunca había hecho antes— y ahora, a sus ochenta y cinco, da dos paseos diarios y es la decana de su clase de aeróbic para la tercera edad (¡la primera clase de este tipo a la que ha asistido en su vida!). Cuando mi padre murió tras haber estado casados sesenta y tres años, mi madre fue capaz de reunir el coraje suficiente como para hacer sola muchas cosas por primera vez: viajar, apuntarse a varios clubes, hasta recibir sesiones semanales de masaje… Si se mide en términos de empoderamiento, mi madre está mucho mejor ahora, a sus ochenta y cinco, que cuando tenía cincuenta —o incluso veinticinco—, lo que demuestra que nunca es demasiado tarde para hacerse responsable de la propia felicidad.

Durante mis entrevistas a Los 100 Felices descubrí que había tres maneras básicas de superar viejos patrones, disfrutar un mayor empoderamiento y responsabilizarse de la propia felicidad:

Hábitos de Felicidad para el Empoderamiento

1. Céntrate en la solución.
2. Busca la lección y el regalo.
3. Haz las paces contigo mismo.

Hábito de Felicidad para el Empoderamiento n.º 1
Céntrate en la solución

> *Si algo no te gusta, cámbialo. Si no puedes cambiarlo,*
> *cambia tu actitud. No te quejes.*
> MAYA ANGELOU, escritora y poeta.

¿Nunca has oído eso que suele decirse: «Preocuparse es como estar sentado en una mecedora, gastas mucha energía pero no llegas a ninguna parte»? Lo mismo podría decir de quejarse. Estoy segura de que en algún momento te has quejado de una situación o un problema que te preocupaba y te has alterado al pensar en ello.

Imagina que esa misma energía la hubieras dedicado a resolver el problema en cuestión usando la creatividad, la inteligencia y la imaginación para descubrir las posibles soluciones.

¿Cuál de las dos posiblidades te hace más feliz?

No hay punto de comparación: si te centras en el problema, contraes tu energía, pero si te centras en lo que puedes hacer para solucionarlo, tu energía se expande y eso te hace más feliz, tal y como plantea el Principio Inspirador n.º 1. La gente victoriosa se centra en las soluciones, mientras que las víctimas se quejan de sus problemas.

Cuando leí las historias que la gente enviaba para los libros de la serie *Sopa de pollo para el alma*, me di cuenta de que las más estimulantes eran las de gente que había transformado sus vidas pasando de víctimas a victoriosos.

A continuación vas a leer la historia de uno de mis 100 Felices, Aerial Gilbert; es la primera de las veinte historias increíbles que compartiré a lo largo del libro y con ella ilustraré este Hábito de Felicidad porque se trata de uno de los ejemplos más impresionantes que conozco de alguien que ha realizado esa transición hacia la victoria.

Mi amigo Paul fue el primero que me habló de Aerial: estábamos almorzando en el comedor de mi casa y él me habló de la persona más feliz que conocía, Aerial, una joven encantadora que había trabajado como enfermera en el hospital de nuestra zona antes de que su vida diera un inesperado giro. Cuando Paul acabó su relato sobre Aerial, me quedé allí sentada sin decir nada, meditando sobre lo que acababa de oír. ¿Cuál era el secreto de Aerial para ser tan feliz? Sigue leyendo para averiguarlo.

La historia de Aerial
Una nueva visión

Era junio de 1988, el final de un día como otro cualquiera. Había terminado mi turno en el ala de Pediatría y me dirigía hacia casa. Tenía los ojos irritados, así que paré en una tienda para comprar unas gotas. Cuando llegué a casa, lo primero que hice fue echármelas: sentí un dolor insoportable y me di cuenta de que apenas podía ver.

Todavía llevaba puesto el uniforme blanco de enfermera cuando me llevaron rápidamente a Urgencias, donde hicieron cuanto pudieron para ayudarme, pero sin éxito: las gotas estaban adulteradas con lejía y, al cabo de una hora de habérmelas echado en los ojos, estaba ciega.

De repente me había convertido en una niña que apenas sabe andar, sólo que atrapada en el cuerpo de una mujer de treinta y cuatro años. Durante meses, me pasaba prácticamente todo el día en la cama, dormitando a las horas más extrañas; el daño sufrido en los ojos también me provocaba frecuentes migrañas que me dejaban agotada; si sonaba el teléfono no respondía casi nunca, y tampoco quería recibir visitas: mi autocompasión era como un enorme muro que me rodeaba y tras el que estaba presa, aislada del mundo, y pese a que mi marido y los pocos amigos con los que hablaba trataban de consolarme, no eran capaces de saltarlo.

Antes de perder la vista, como la mayoría de las personas, no me fijaba en las cosas de la vida: me bastaba con hacer mi trabajo, salir con los amigos y dedicar el tiempo libre a lo que me interesaba y a mis aficiones. En esa vida, la vida «de verdad», había sido una persona muy visual: además de ser enfermera, también era artista, hacía joyas, me gustaba la fotografía, era piloto. También me encantaba la astronomía, era muy deportista y me apasionaba practicar actividades al aire libre: nadaba, jugaba al tenis, remaba asiduamente con un equipo local y daba largas caminatas por el campo, prismáticos y guía de pájaros en mano.

Desde que tenía cinco años, mi abuelo y yo solíamos ir a ver pájaros juntos. La actividad altamente visual de otear el paisaje en busca de indicios de la presencia de aves y luego anotar las marcas de los pájaros, el tipo de plumaje y la forma del pico para identificar la especie había afinado mi capacidad de observación además de mis vínculos con la naturaleza. Pero, ahora, ir a ver pájaros y todas esas otras cosas que se me habían dado tan bien y que tanto me gustaban parecían haberse esfumado para siempre, parecían quedar completamente fuera del alcance de mi nuevo —ciego— yo.

Así transcurrió casi un año y entonces, un buen día, estaba tendida en la cama y me pregunté: «¿Qué calidad de vida tengo?». Me estaba regodeando en mi desgracia y cada vez caía más hondo en un pozo oscuro que se abría en mi interior y era mucho peor que no poder ver. Me imaginé cómo serían los próximos veinte, treinta, cuarenta años: «¿Es eso lo que quieres?».

Mi espíritu se rebeló: «¡No! —pensé— No puedo vivir así.» Sentí que la primera chispa de energía e interés por la vida revivía en mi interior. «Está bien, entonces, quiero recuperar mi vida —pensé— pero ¿cómo?, ¿qué hago ahora?» Toda la gente ciega que había visto tenía un perro guía o llevaba un largo bastón blanco; a mí siempre me habían encantado los perros, así que la elección era fácil: quería un perro guía.

Por primera vez en meses, en vez de lamentarme sobre lo que me había pasado, sentía que tenía un propósito y una dirección en la que avanzar: tenía que llamar a la Organización Nacional de Perros Guía para Ciegos. Los latidos de mi corazón se aceleraron: ¿dónde estaba el teléfono?, ¿sería capaz de llamar a Información para que me dieran el número?; me senté en la cama y, presa de la excitación, comencé a palpar la mesita de noche en busca del teléfono. ¡Era tan maravilloso volver a emocionarme con algo!

A tientas, pero con firme determinación, conseguí llamar a la Organización Nacional de Perros Guía para Ciegos y me dijeron que tenía que alcanzar un cierto dominio de las habilidades básicas de la vida diaria para que me dieran un perro: otra meta que conseguir. Mientras realizaba las gestiones necesarias para asistir al correspondiente curso, por fin sentí que estaba viva otra vez.

Durante los seis meses que siguieron, a medida que asistía a las clases del programa, hubo momentos en que quise tirar la toalla; habría sido mucho más fácil acurrucarme en un rincón y compadecerme de mí misma, pero pronto empecé a experimentar que haberme animado a dar el paso y hacer algo para cambiar las cosas, aunque diera miedo, también era muy emocionante: comenzaron a surgir en mi interior pequeñas llamitas de esperanza que acabaron por convertirse en el intenso fuego de dicha que ardía en mi pecho el primer día que tuve en las manos la correa de mi perro guía, Webster, y salimos juntos a dar un paseo. Con un bastón, tenía que ir tentando delante de mí y avanzando lentamente, asegurándome a cada paso de que no había ningún obstáculo en mi camino, pero ahora, mientras caminaba a paso vivo con Webster a mi lado, podía moverme cómoda y con toda tranquilidad; de repente todo parecía fluir y sentía que volvía a ser yo misma: tranquila, confiada y competente.

Al cabo de un tiempo, y con Webster a mi lado, incluso comencé a dar caminatas por el campo. Un día estaba con mi marido dando uno de esos paseos en Tucson cuando oí cantar a un pájaro.

—¡Fíjate! ¿Oyes ese pájaro? —le pregunté—. ¿Ves de qué color tiene las alas? —Mi marido lo localizó y me contó de qué color era. Llena de excitación, empecé a bombardearlo con preguntas—: ¿Tiene unas franjas negras en la cola? ¿Es más o menos de este tamaño?

Igual de emocionado que yo, él me describió el pájaro con todo lujo de detalles:

—¡Sí! ¡Y tiene el buche blanco! Y el pico tiene forma de…

Yo estaba aturdida de la emoción:

—¡Es un reyezuelo listado!

Nos entró la risa al darnos cuenta de la nueva técnica para observar pájaros que acabábamos de inventar: durante el resto de la caminata, entre los dos —yo oyendo a los pájaros, mi marido proporcionándome la información visual y luego yo por fin identificando la especie— conseguimos que yo volviera a experimentar una felicidad que había creído perdida para siempre; de hecho, así era incluso más agradable todavía, puesto que podía compartir la experiencia con mi marido gracias a aquella forma de cooperación maravillosa.

Tener a Webster también me permitió volver al mundo laboral: conseguí un empleo en el mismo hospital donde antes había sido enfermera, primero revelando las placas de rayos X y luego como transcriptora médica. Y una vez fui independiente de nuevo, enseguida me ofrecí voluntaria para trabajar con la Organización Nacional de Perros Guía para Ciegos y empecé a dar charlas y hacer de guía en el centro que la Organización tenía cerca de mi casa, hasta que al final me puse a trabajar a tiempo completo para ellos.

Mi nuevo trabajo me encantaba: participar en aquel proceso de transformación de otras personas me hacía sentir maravillosamente. Recuerdo a un hombre que vino con su mujer —que no era ciega— a hacer una visita a las instalaciones: uno de los voluntarios no ciegos del centro me contó que él llevaba sombrero y que tenía el pelo largo y poblada barba: todavía se escondía del mundo, igual que había hecho yo durante tanto tiempo, pero al final se decidió a asistir al curso intensivo de un mes y, a mitad de éste, cuando se le asignó un perro, le dijo al instructor que quería cortarse el pelo y afeitarse la barba, y también fue a comprarse ropa nueva; a medida que iba conectando con su perro y con el mundo, fue verdaderamente como si se expandiera igual que una flor que se abre, tanto física como emocionalmente. El cambio fue increíble y, para cuando atravesó el escenario el día de la graduación para recoger su diploma, su mujer —que estaba sentada entre el público y no lo había visto desde hacía un mes, pues el curso se hacía en régimen de internado— apenas pudo identificarle.

Ahora puedo relacionarme. A veces casi ni me reconozco. Antes de perder la vista, habría dicho que era una persona bastante feliz, pero hoy por hoy lo soy mucho más y soy capaz de muchas más cosas que antes, de manera más consistente y encontrándole a todo mucho más sentido. Ahora experimento un sentimiento profundo de felicidad y paz en mi vida porque, pese a haber perdido la vista, mi visión es mucho más amplia.

El Enfoque en las Soluciones

Pese a que la mayoría de nosotros no hemos pasado por una experiencia tan repentina y extrema como la ceguera de Aerial, todos tenemos nuestra propia manera de hacernos las víctimas. Hasta las más pequeñas decepciones, chascos y desengaños van acumulándose y, cuando quieres darte cuenta, estás quejándote de que te sientes abrumado e infeliz. ¡Hace poco oí que una persona se queja una media de setenta veces al día!

Will Bowen, un pastor de Kansas City, ideó una forma innovadora de enfrentarse al síndrome de la queja. Will repartió unas pulseritas de color morado a todos los miembros de su congregación y les pidió que participaran en un experimento: cada vez que se sorprendieran a sí mismos quejándose, tenían que cambiarse la pulserita de mano; el objetivo era aguantar veintiún días sin cambiar la pulsera de lado. Su iniciativa acabó por extenderse y hoy en día hay millones de personas en todo el mundo que llevan las pulseritas moradas y se han unido a los esfuerzos de Will por conseguir un mundo «libre de quejas».

La transformación de Aerial comenzó en el momento en que dejó de pensar en sí misma como una víctima y comenzó a buscar maneras de solucionar su problema. Cualquiera puede realizar ese cambio utilizando la poderosa técnica del Centrarse en las Soluciones desarrollada por Mark McKergow, un físico brillante convertido en consultor empresarial que escribió un libro con el mismo título (*The Solutions Focus*). Yo misma he utilizado este proceso con mucho éxito, tanto en lo profesional como en lo personal. Recuerdo una mañana, justo después de haber aprendido el Centrarse en las Soluciones, en la que Sergio y yo estábamos pasando por un mal momento en nuestra relación, así que decidimos probar con esta técnica (¡una de las ventajas de vivir con un psicoterapeuta es que siempre está dispuesto a hablar de nuestra relación!).

El primer paso del Centrarse en las Soluciones es valorar cómo te sientes respecto a la situación en una escala del 1 al 10, siendo el 10 «Estoy completamente satisfecho». Sergio fue el que se encargó de hacer las preguntas: «¿Cómo valorarías lo satisfecha que estás con nuestra relación en estos momentos?», me preguntó.

Era un día bastante malo, así que le contesté: «Mmm, más o menos con un 6».

El siguiente paso es lo que verdaderamente diferencia a esta técnica de las demás y da testimonio del talento de Mark. Antes de aprender el Centrarse en las Soluciones, Sergio y yo nos habríamos pasado los siguientes tres días hablando de por qué nuestra relación no era de 10, nos habríamos centrado en todas las razones por las que no estábamos satisfechos y las cosas que queríamos que cambiaran.

Pero, en vez de eso, Sergio dijo:

—¡Vaya, sacamos un 6! —(En ocasiones Sergio puede llegar a ser tan positivo que desquicia) y luego añadió—: ¿Y qué es lo que hacemos para merecer un 6 y no un 1?

—Bueno, pues… —dije yo tras pensarlo un rato— sacamos un 6 porque nos lo pasamos bien juntos, porque nos amamos y confiamos el uno en el otro profundamente; nuestra relación es de 6 porque hacemos la Práctica de la Apreciación juntos todos los días [oirás hablar más de esto en el Capítulo 9], sacamos un 6 porque nos gusta salir juntos a dar paseos en bicicleta y caminatas por el campo…

Continué haciendo una lista de todas las razones por las que sentía que nuestra relación funcionaba. Sergio estuvo de acuerdo con lo que dije y añadió sus propias razones de por qué no teníamos una relación de 1, incluido el hecho de que éramos sinceros el uno con el otro, sacábamos tiempo para la otra persona y compartíamos los mismos valores.

Esa misma tarde, decidimos salir a dar un paseo: nos reímos, lo pasamos muy bien, escuchamos al otro y, para cuando volvimos a casa, ¡nuestra relación era de 11!

El Centrarse en las Soluciones focaliza tu atención en lo que sí funciona y eso te permite dejar de canalizar la energía hacia las quejas y comenzar a generar más felicidad en tu vida. A continuación encontrarás unos sencillos pasos que te permitirán utilizar la técnica del Centrarse en las Soluciones en tu vida.

Ejercicio

Técnica del Centrarse en las Soluciones

Escribe en un papel tus respuestas a las siguientes preguntas:
1. Piensa en una situación sobre la que te hayas estado quejando. Valora cómo te sientes en una escala del 1 al 10 en la que el 1 sería «No estoy en absoluto satisfecho con la situación» y el 10 equivaldría a «Estoy completamente satisfecho»._____
   (Si has valorado la situación con un 1, pasa directamente a la pregunta 3)
2. ¡Estupendo, no has puesto un 1! Escribe qué estás haciendo (tantas cosas como se te ocurran) para que tu nivel de satisfacción esté en el número que has puesto y no más bajo.
3. ¿Cuáles serían los primeros *leves* indicios de que tu satisfacción se ha incrementado en un punto? Piénsalo bien y escribe todo lo que se te ocurra.
4. En vista de lo que acabas de escribir, ¿cuáles son los primeros pequeños pasos que podrías dar para incrementar tu satisfacción con esta situación?
5. Comienza por poner en práctica alguna de las acciones de la lista que has confeccionado en la pregunta número 4. Empieza por fijarte en las ocasiones en que te sientes algo más satisfecho y sigue con lo que veas que te ayuda.

Adaptación de Solutions Focus Technique
con autorización de Mark McKergow.

En la página web www.HappyforNOReason.com/bookgifts podrás descargar gratuitamente un Libro de Ejercicios de Feliz porque sí de 26 páginas que incluye ejercicios para los 21 Hábitos de Felicidad.

Hábito de Felicidad
para el Empoderamiento n.º 2
Busca la lección y el regalo

Los mejores años de tu vida son aquellos
en los que decides que tus problemas te pertenecen.
No echas la culpa a tu madre ni al medio ambiente
ni al presidente del Gobierno, sino que te das cuenta
de que controlas tu propio destino.
ALBERT ELLIS, psicólogo.

Los estudios confirman que echar la culpa a otro nos roba la felicidad. Una investigación de 1999 realizada por Shane Frederick del MIT (Instituto Tecnológico de Massachussets) y George Loewenstein de la Universidad Carnegie Mellon mostraba que los sujetos que echaban la culpa a los demás de los serios accidentes que habían sufrido en los ocho a doce meses anteriores «obtenían una puntuación especialmente baja en cuanto a su capacidad para sobrellevar su situación». La triste realidad es que, cuando dices «la culpa es de mi madre, de mi marido, del Gobierno, de la profesora de piano que tuve a los doce años...», no eres feliz.

Los 100 Felices tienen un secreto que les permite dejar de quejarse: creen que el universo conspira a su favor (Principio Inspirador n.º 2) y sienten que cualquier cosa que les ocurra les trae una lección y un regalo.

Si la culpa es una de las nubes que tapan nuestra felicidad interior, haz la prueba tú mismo: en vez de preguntarte: «¿A quién echo la culpa?», empieza a preguntar: «¿Qué puedo hacer para aprender de esto? ¿Cuál es el regalo oculto que se me ofrece?».

Chellie Campbell, autora de varios libros y conferenciante motivacional, es una destacada miembro de Los 100 Felices, pero ese no ha sido siempre el caso. En la siguiente historia Chellie cuenta cómo la peor pesadilla de toda mujer al final la ayudó a reconocer su hábito de echar la culpa a otros.

La historia de Chellie
Punto final a los lloriqueos

—No puedo seguir adelante —dijo Stan, mi prometido.

Estaba segura de que no le había oído bien. Era última hora de la tarde y los dos acabábamos de volver del trabajo. Le di un par de camisas que le había comprado en unos grandes almacenes, pero apenas las miró y las lanzó sobre la mesa.

—Simplemente no puedo seguir adelante —repitió él. Me envolvió una densa nube negra y cerré los ojos. Dejé de respirar. «No, no, no», pensé. Él bajó la cabeza, clavó la mirada en el suelo y dijo:

—Lo siento mucho pero no puedo casarme contigo.

La boda debía celebrarse al cabo de tres semanas. Me lo quedé mirando boquiabierta. «No te pongas a llorar, no te pongas a llorar, no te pongas a llorar», me repetía yo.

—¿Por qué? —conseguí decir al fin— ¿Qué ha pasado?

Él no tenía respuesta para aquella pregunta. Durante las horas que siguieron, discutimos, yo le supliqué, él marcó las distancias, yo le grité, él me gritó, lloriqueé, luché desesperadamente por encontrar una respuesta: ¿Pánico de último momento? ¿No le gustaba la iglesia, la tarta de bodas, el pinchadiscos, su traje, el qué? «Dame una respuesta, cualquier respuesta, excepto "No te amo"», imploraba yo en silencio para mis adentros.

Ni eso: resultó ser «No me siento tan cercano a ti como para eso».

Entonces salí corriendo: eran las tres de la madrugada y llamé a mi mejor amiga, Gaye. Ella y yo siempre habíamos bromeado sobre cómo la mejor amiga era alguien que te abriría la puerta a las tres de la madrugada. «Déjame quedarme, por favor —le dije—. Stan no quiere casarse conmigo».

Durante las semanas siguientes, Stan y yo cancelamos nuestra felicidad: cancelamos el encargo del vestido, cancelamos la reserva de la iglesia, cancelamos las flores, las damas de honor, el fotógrafo, el salón para el banquete, la luna de miel... Devolvimos los regalos, anulamos las invitaciones... Mis padres lloraron, mis amigos me abrazaron... Me cambié de casa.

Diez semanas más tarde, Stan se casó con otra.

Durante una semana, yo gasté dos cajas de pañuelos de papel al día. Comencé con las sesiones de terapia individual en un intento de sobrellevar la situación. Luego también empecé con la terapia de grupo. Me desesperaba, me quejaba a gritos, lloraba, escupía los reproches, la emprendí a raquetazos con el sofá. Me deshacía en sollozos en todas las sesiones:

—¡Teníamos una relación taaaan bonita! ¡Era la relación más bonita del muuuuundo!

—¿Ah sí? —me preguntó por fin mi sufrido terapeuta un día— Cuéntame por qué era tan bonita. Si hubiera sido tan maravillosa, no se habría terminado...

La horripilante fealdad de aquella verdad descarnada me golpeó igual que un derechazo del mismísimo campeón del mundo de los pesos pesados. El grupo entero dejó escapar un grito ahogado al unísono con el mío. Yo me quedé mirando al terapeuta con los ojos como platos: ¿cómo podía decirme algo así? Pero ¿de qué lado estaba él en realidad?

Yo no quería dejar de echarle la culpa a otro, no quería dejar de echarle la culpa a Stan, de representar el papel de víctima inocente. Hacerse la víctima es tan agradable: todos tus amigos te abrazan y te miman, te consuelan para calmar el dolor de tus muchas heridas... Y además puedes echar la culpa de tu desgracia a quien sea menos a ti misma: al tipo ese, a tus padres, al trabajo, al terapeuta, hasta a Dios. Llamé a todos mis amigos para contarles esa última traición que acababa de sufrir: ¡no era sólo que mi malvado novio me hubiera utilizado y se hubiera aprovechado de mí, sino que además mi perverso terapeuta pensaba que la culpa era mía!, me deleitaba yo acurrucada en el mullido nido del martirio.

En el trabajo, cerraba la puerta de mi despacho y todo el mundo iba de puntillas conmigo hasta que, una mañana, una compañera de trabajo entró en mi oficina y me miró directamente a los ojos. «Cuando yo tenía dieciocho años, me quedé embarazada y mi prometido me dejó una semana antes de la boda y se alistó en el ejército», me dijo.

Yo me la quedé mirando un buen rato. Ella seguía allí sentada, esperando con toda la calma del mundo a que mi mente procesara la idea de que había otras personas que habían sufrido —tanto o más que yo— y habían sobrevivido. Mi compañera era una persona divertida, competente y feliz. De alguna manera, había conseguido recuperarse de aquello, recobrar la confianza en sí misma y avanzar en su camino. No había dejado que aquel episodio desgraciado de su vida la condenara eternamente al papel de víctima.

Su confesión me planteaba un reto: ¿qué iba a hacer yo con mi vida ahora? ¿Vivirla como la proverbial novia abandonada en el altar, encerrada con los harapos del vestido blanco aún puestos y la tarta criando hongos a mi lado? ¿O iba a asumir mi responsabilidad, aprender de lo que había hecho para que aquello ocurriera y madurar?

El ángel que me susurraba al oído «Madura» ganó la batalla y volví a las sesiones de terapia: ahora podía empezar a recuperarme de verdad.

Comencé por reconocer mi parte de culpa: ¿Por qué me había sorprendido tanto la infelicidad de Stan? Repasé mentalmente todas las pequeñas señales de alarma, los pequeños pilotos rojos que se habían ido encendiendo y apuntaban hacia un inmenso cartel que decía «Carretera cortada»: él se quejaba de que yo quería controlarlo todo cuando me empeñaba en planificar las cosas; yo quería gastar y él insistía en ahorrar; incluso, en una ocasión, en la boda de su hermano, me dijo que los novios parecían estar enamorados de un modo especial, distinto a como lo estábamos nosotros. En retrospectiva, las señales no podían haber sido más evidentes. Yo debería haber estado prestando más atención. Stan no era malo ni había hecho nada malo; y yo tampoco. Sencillamente éramos distintos. El tiempo en que caminábamos por la misma senda había llegado a su fin y ahora yo me daba cuenta de que nuestros ideales iban en direcciones opuestas: yo quería salir victoriosa, pero convertirlo a él en perdedor no era la manera. Tenía que dejar de pensar en mí misma como la víctima, tenía que dejar de echar la culpa de mis desgracias a otros, debía dejar de contar aquellas historias en las que yo era la víctima.

Asumir la responsabilidad era una historia completamente diferente: pese a que había tomado algunas decisiones equivocadas en el pasado, decidí adoptar una nueva forma de pensar y actuar con el objetivo de cambiar mis experiencias.

Descubrí modelos excelentes en los que inspirarme, gente que vivía el tipo de vida que yo deseaba, y entré en contacto con esas personas. Leí biografías de personajes famosos a los que quería emular y seguí sus consejos. Celebré cada éxito como una prueba de que era una persona victoriosa. Encontré a gente feliz y de éxito, frecuenté su compañía y aprendí de ellos. Y cuando mi siguiente novio se quejó de mi comportamiento en el transcurso de una discusión, me detuve a escucharlo, me miré a mí misma con sus ojos y dije:

—Steve, llevas razón. Lo que he hecho no me ha gustado ni a mí. No sé por qué lo he hecho, creo que es un viejo hábito que tengo.

—¡Vaya! —exclamó él en voz baja—, me has dejado impresionado, no sólo porque lo veas así, sino porque además me lo reconozcas. Gracias.

Además de unas relaciones mejores, conseguí clientes mejores, mejores trabajos, mejor sueldo. Empecé a impartir seminarios y a ayudar a otros, escribí dos libros, contaba mi historia en los cursos y en las conferencias que daba, hablaba de las lecciones que tanto me había costado aprender y ayudaba a otras personas a convertirse ellos también en gente victoriosa.

Descubrí que lo que puede parecer malo no siempre lo es. ¿Quién habría podido anticipar que el hecho de que me plantaran en el altar prácticamente, a tan sólo tres semanas de la boda, me ayudaría a romper con el hábito más nocivo que tenía, el que me impedía ser feliz? Echar la culpa a otros no conduce a nada y además tengo cosas mejores que hacer, como por ejemplo estar en paz, satisfecha y feliz.

El rechazo es una protección divina

Si elegimos buscar el regalo y la lección en las situaciones en vez de quedarnos atascados en la casilla de echar la culpa a los demás, nos liberamos del viejo patrón de señalar con el dedo y recrear la misma situación una y otra vez.

Buscar la lección puede parecer todo un reto al principio, de veras, me hago cargo. Cuando estoy pasando por un momento difícil, no me resulta fácil escuchar a alguien que me dice: «Tú, espera, será para bien al final». Y, sin embargo, he llegado a la conclusión de que es cierto.

Tengo un amigo que me recuerda a menudo que «el rechazo es una protección divina» y, pese a que no siempre estoy en posición de reconocer que eso es lo que está ocurriendo, cuando analizo las decepciones que he sufrido a lo largo de los años, puedo ver que muchas de las cosas que perseguía con tanto ahínco no me habrían proporcionado la felicidad en cualquier caso (¡confirmación personal de las investigaciones de Daniel Gilbert!) y que, a menudo, las cosas que creía que eran malas, han acabado siendo las bendiciones más grandes de mi vida.

Esto ocurre con tanta frecuencia que, hace unos años, comencé a utilizar una expresión que me ha sido muy útil: en cuanto veo que empiezo a echar la culpa a otra persona, paro un momento y me hago la pregunta: «Si esto estuviera ocurriendo por algún motivo superior que ahora no veo, ¿cuál sería?»

Los 100 Felices reconocen que, para empezar, no es útil poner a los acontecimientos la etiqueta de «bueno» o «malo» y en vez de eso eligen confiar en que todo conlleva un regalo o una lección, aunque no siempre sean capaces de verlo en un primer momento.

Hay un antiguo relato chino que ilustra perfectamente este punto:

Un viejo campesino araba los campos con su caballo. Un día, el caballo se escapó, y cuando el vecino del campesino se compadeció del viejo por la mala suerte que había tenido, éste se encogió de hombros y respondió: «¿Mala suerte? ¿Buena suerte? ¡Quién sabe!».

Una semana más tarde, el caballo volvió con una manada de yeguas salvajes, y en esa ocasión el vecino felicitó al campesino por su buena suerte, a lo que él le respondió: «¿Mala suerte? ¿Buena suerte? ¡Quién sabe!».

Poco después, cuando el hijo del granjero trataba de domar las yeguas, se cayó y se rompió una pierna. Todo el mundo estuvo de acuerdo en que había tenido muy mala suerte, pero el campesino se limitó a decir: «¿Mala suerte? ¿Buena suerte? ¡Quién sabe!».

Al cabo de una semana, el ejército llegó a la aldea y reclutó forzosamente a todos los jóvenes que encontraron, pero cuando vieron al hijo del granjero con la pierna rota dejaron que se quedara. ¿Mala suerte? ¿Buena suerte?

Como ves, nunca se sabe.

Cuando las cosas no salgan como quieres, trata de confiar en que lo que está ocurriendo es para bien. Recuerda: el universo conspira a tu favor. Eso hará que tu energía se expanda inmediatamente y, con práctica, este proceso te resultará cada vez más fácil.

A continuación te propongo un ejercicio que te ayudará a romper el hábito de echar la culpa y a buscar el regalo y la lección:

Ejercicio

Busca la lección y el regalo

1. Siéntate sólo en un lugar tranquilo. Cierra los ojos y respira hondo unas cuantas veces.

2. Recuerda una situación concreta que te haya hecho sentir ofendido o de la que hayas echado la culpa a otros. Imagínate la persona o personas, el lugar y lo que pasó.

3. Imagina que das unos cuantos pasos hacia atrás y observas la escena a cierta distancia, como si estuvieras contemplándola en una pantalla de cine.

4. ¿De qué parte de lo que ocurrió puedes responsabilizarte tú? ¿Ignoraste las señales que deberían haberte servido de pistas para reconocer que había un problema? ¿Actuaste de un modo que provocó la situación? ¿Contribuiste a agravarla con tus pensamientos o tus acciones?

5. ¿Cuál es la lección que sacarse de lo que pasó? ¿Necesitas tener más paciencia o marcar mejor los límites? ¿Necesitas escuchar más, decir menos?

6. Pregúntate a ti mismo: si esto estuviera ocurriendo por algún motivo superior, ¿cuál sería esa lección? ¿Eres capaz de encontrar el regalo?

7. Escribe la cosa más importante que harías de otra manera como resultado de la lección o el regalo que has encontrado.

Hábito de Felicidad para el Empoderamiento n.º 3
Haz las paces contigo mismo

Nunca conseguiremos la paz en el mundo exterior
hasta que no hagamos las paces con nosotros mismos.
Su Santidad el DALAI LAMA

A ver si lo adivino: como la mayoría de la gente, hay cosas en tu vida que no te han ido demasiado bien, ¿cierto?; y tú te culpas por ello. Tal vez se trata de un matrimonio o un negocio fracasado, o quizá sea que tus hijos tienen problemas. Puede que hayas hecho daño a alguien o que hayas dejado que te lo hagan a ti. Culparnos a nosotros mismos nos roba la felicidad tanto o más que culpar a otros, pues genera sentimientos de vergüenza y culpabilidad. Cuando tratamos de reprimir esos sentimientos desagradables, gastamos mucha energía en contenerlos y, poco a poco, comienzan a reconcomernos, a mermar nuestra capacidad para experimentar una felicidad duradera.

Para hacer las paces contigo mismo, es importante que liberes energía y aceptes los sentimientos que has estado evitando dejando así atrás el pasado y, cuando lo hagas, serás capaz de seguir avanzando en tu vida y de experimentar mayor expansión y felicidad.

En la siguiente extraordinaria historia resultante de mis entrevistas con Los 100 Felices, Zainab Salbi —escritora, activista y fundadora y presidenta de la organización humanitaria Women for Women International—, nos describe una manera en que puede hacerse precisamente eso.

La historia de Zainab
Contar mi historia

Crecí en un barrio de las afueras de Bagdad durante la década de los setenta. Mi padre era piloto de las Líneas Aéreas Iraquíes y, de niña, viajé mucho por todo el mundo. Lo mismo jugaba con coches de carreras que con la Barbie y mis sueños para el futuro no tenían límite. Pero las cosas cambiaron cuando cumplí los once años y comenzó la guerra con Irán: fue entonces cuando vi por primera vez los cazas de guerra y el resplandor del fuego antiaéreo en el cielo, soldados con sus fusiles en las calles e incluso misiles cayendo sobre los hogares de la gente. Recuerdo que mis padres hablaban de si no sería mejor que la familia al completo (mis dos hermanos, mi padre, mi madre y yo) durmiéramos juntos en la misma cama, para que muriéramos todos juntos si una bomba alcanzaba nuestra casa, o si por el contrario era preferible que siguiéramos durmiendo cada uno en nuestra habitación y continuáramos con nuestras vidas como si todo siguiera normal. Pero la vida, definitivamente, había dejado de ser normal, y a veces resultaba incluso aterradora y peligrosa. Entonces, de la noche a la mañana, se hizo infinitamente más arriesgada: mi padre se convirtió en el piloto del avión privado de Saddam Hussein.

Cuando le ofrecieron el puesto no pudo rechazarlo: habría significado la cárcel, incluso una sentencia de muerte. Así que tratábamos de evitar el tema pero, igual que un gas venenoso, Saddam penetró por las rendijas hasta invadir nuestro hogar y se apoderó de nuestras vidas a medida que íbamos respirando aquel aire viciado por su presencia. Todo lo que tuviera que ver con nosotros comenzó a asociarse con el trabajo de mi padre. Se hablaba de la casa de mi familia como «la casa del piloto», la calle en la que vivíamos se convirtió en «la calle del piloto» y, lo peor de todo, a mí siempre me llamaban «la hija del piloto».

Como todos los niños iraquíes, se me enseñó a llamar a Saddam *Amo* («tío» en árabe) pero, a diferencia del resto de los niños, a mí se me invitaba a menudo a acompañar a mi padre a las fiestas que daba Saddam en su palacio. Pertenecer al círculo más cercano al dictador era sumamente peligroso: mi madre me dio instrucciones para que no me relajara ni bajara la guardia jamás; en incontables ocasiones estábamos sentados con Saddam en uno de los salones y él mencionaba con toda naturalidad que había mandado asesinar a un miembro de su familia, a un amigo o un colega, y luego nos observaba atentamente. Ofenderlo con el comentario equivocado o con una expresión facial inadecuada podía ser fatal, así que aprendí a que mis reacciones se correspondieran con las suyas: si él sonreía, yo también. Durante años, mi familia y yo vivimos permanentemente aterrados por ese hombre y su locura.

Y entonces, cuando yo tenía ya casi veinte años, mi madre me pidió que aceptara la propuesta de matrimonio de un hombre al que jamás había visto, un iraquí expatriado que vivía en Chicago. A mí la idea me pareció espantosa, puesto que casarme con alguien que no conocía y a quien decididamente no amaba iba en contra de todo lo que mis padres habían dicho desear para mí: amor, pasión y libertad para elegir la vida que quería llevar. Al principio me negué, pero mi madre lloró y me suplicó con tanta desesperación que al final accedí, más por hacerla feliz a ella que por otra cosa. Lo que yo no sabía —y mi madre no me dijo hasta diez años después— era que le preocupaba que Saddam empezara a mostrar intenciones amorosas hacia mí, y que por tanto estaba desesperada por sacarme de Irak y alejarme de él.

Toda la familia volamos a Chicago para la boda y, en cuanto vi a mi futuro esposo, se me hizo un nudo en el estómago: no sentía la menor atracción hacia él; pero me dijo que trataría de ser un buen marido, que me daría libertad para acabar mis estudios universitarios, que había dejado a medias en Irak, y que, con el tiempo, aprenderíamos a amarnos.

Al cabo de unas cuantas semanas descubrí que mi flamante esposo no tenía la menor intención de cumplir sus promesas: prácticamente no me daba dinero, no podía usar el coche y tampoco me permitió ir a la universidad. Durante meses, me sentí atrapada, victimizada y violada, como una esclava obligada a servir en una casa donde no se me respetaba y se me maltrataba verbal y emocionalmente. Yo me repetía una y otra vez que las cosas mejorarían, pero no fue así. La gota que colmó el vaso fue un desagradable episodio de violencia sexual que me dejó maltrecha en cuerpo y alma. Después de aquello, me arrastré hasta la ducha y me quedé allí de pie bajo el chorro de agua caliente mientras sollozaba. Daba igual que estuviera casada con aquel hombre: me había violado. Recogí mis cosas y todo el dinero que tenía —unos 400 dólares— y llamé a una amiga de mi madre que vivía cerca y me ayudó a escapar.

Las cosas mejoraron después de eso: me mudé a otra ciudad, empecé a ir a clase e hice nuevos amigos. Dejé atrás todo lo que me había pasado, mi infancia marcada por los horrores de la guerra, los años vividos bajo la terrorífica sombra de Saddam y mi matrimonio plagado de abusos; hice un amasijo con todo el dolor, el miedo y los traumas que había sufrido y lo enterré en lo más profundo de mi interior. No quería volver a enfrentarme a nada de todo aquello ni dedicar ni medio segundo a pensar en ello. Durante aquella época, pese a que hubo momentos felices, una parte de mí siempre se sentía profundamente triste.

En 1992 me volví a casar, esta vez con un hombre maravilloso del que me había enamorado en la universidad. Estábamos ahorrando para ir de luna de miel cuando leí un artículo en una revista sobre los miles de mujeres bosnias y croatas que habían sido encerradas en «campos de violación» durante la guerra. Algo en las fotografías de los rostros de aquellas mujeres tocó el dolor profundo que yo llevaba dentro y comencé a llorar. Mi marido entró corriendo en la habitación para enterarse de qué pasaba y cuando le expliqué por qué lloraba, me abrazó con fuerza y entonces lloramos los dos. Queríamos hacer algo para ayudar, pero no encontrábamos ninguna organización que estuviera prestando ayuda a esas mujeres en concreto, así que decidimos hacer algo nosotros mismos y, con lo que habíamos ahorrado para nuestra luna de miel y la ayuda de la Iglesia unitaria, que apoyó nuestros esfuerzos, viajamos hasta Croacia.

La respuesta que obtuvimos allí fue abrumadora: en seguida me di cuenta de que aquello era lo que se suponía que debía hacer; el viaje a Croacia fue el principio de Women for Women International, una organización que hoy ayuda a rehacer sus vidas a supervivientes de la guerra en todo el mundo poniéndolas en contacto con mujeres estadounidenses que les envían mensualmente una pequeña cantidad de dinero y una carta personal. Empecé a viajar por todo el mundo hablando a miles de mujeres que habían sido víctimas de violaciones y de la violencia más atroz para animarlas a que contaran sus historias y, una y otra vez, veía que compartir sus vivencias era el primer paso en su proceso de curación y las ayudaba a realizar la transición de víctimas a supervivientes y finalmente a ciudadanas con plena participación en la sociedad.

Entonces, en 2003, cuando capturaron a Saddam, decidí escribir un libro sobre lo que las mujeres iraquíes habían sufrido y todavía sufrían. No era mi intención hurgar en mis propios traumas pero un día mi agente me llamó y me dijo:

—Tienes que escribir este libro en primera persona. Tú eres la historia.

—¡No! —exclamé yo inmediatamente—. No se trata de mí, sino de otras mujeres.

Aduje todas las excusas que se me ocurrieron, pero en mi interior sentía ira y miedo mientras debatía conmigo misma la posibilidad de desvelar mi propio dolor y el trauma de los que me había distanciado hacía ya tanto tiempo: contar mi historia arruinaría mi imagen de mujer fuerte, feminista y defensora de los derechos de las mujeres que yo proyectaba al mundo, y que había terminado por creerme. Pero, más que nada, estaba verdaderamente convencida de que si le contaba a alguien que conocía a Saddam Hussein, mi propia identidad, mis creencias y mis logros desaparecerían y Saddam se haría con el control de todo, igual que había hecho cuando yo todavía vivía en Irak.

Unos cuantos días después de esa llamada, mientras estaba en el Congo en una misión de Women for Women International, llegué a un punto de inflexión. Durante dos horas, estuve sentada en una habitación con una mujer llamada Nabito y una intérprete mientras Nabito describía lo que le había pasado durante la guerra en aquel país. Era una historia terrible, además de habitual: unos soldados habían violado a aquella mujer y a sus hijas a punta de pistola; los soldados habían ordenado a uno de sus hijos varones que violara a su madre y, cuando se negó a hacerlo, le dispararon en una pierna. Me sorprendí a mí misma temblando mientras ella relataba los detalles. Cuando acabó, me miró y dijo: «Nunca le he contado mi historia a nadie más que a ti».

Aquella declaración desató en mí muchas cosas: ella me estaba contando su verdad y en cambio a mí me daba demasiado miedo contar la mía. Así que le pregunté:

—¿Qué quieres que haga? Mi trabajo es escribir sobre tu historia y contársela al mundo pero ¿quieres que guarde el secreto? ¿Prefieres que no se lo cuente a nadie?

Ella me miró a los ojos y, con una sonrisa, me respondió:

—Si cuento mi historia al mundo entero, tal vez eso evitará que otras mujeres pasen por lo mismo que yo. Sí, cuéntasela al mundo, sólo te pido que no se la cuentes a los vecinos.

Fue uno de los momentos de mi vida que más me han movido a la humildad. Me metí en el coche y lloré durante las cinco horas que duró el viaje del Congo a Ruanda. No podía dejar de pensar en Nabito: era analfabeta, no tenía casa, no tenía nada, sólo un vestido que alguien le había dado y unos zapatos que se había hecho ella misma con cosas que encontró en la basura, pero también tenía mucha más compasión y coraje que yo; no sólo estaba dispuesta a reconocer su historia y abrir la caja de los truenos, del dolor y el trauma que había dentro, sino que, si con ello podía ayudar aunque sólo fuera a otra mujer y evitar que pasara por lo mismo que ella había tenido que sufrir, también estaba dispuesta a contársela al mundo.

Pese a que aún existían muchas razones para aferrarme a mi miedo, yo sabía que mi madre había muerto sin romper su silencio y que lo mismo había hecho mi abuela, y no quería ser otra mujer que muere sin romper el silencio, así que cuando llegué al hotel en Ruanda les envié a la colaboradora que escribía el libro conmigo y a mi agente un correo electrónico que decía: «Lo haré».

Empecé a escribir mi propia historia, a retirar una por una todas las dolorosas capas de dolor y emoción. Al final, resultó ser la experiencia más liberadora de toda mi vida. Creo sinceramente que abrir la caja fuerte que llevaba dentro, y en la que había cerrado bajo siete llaves todos aquellos sentimientos que ahora estaba asumiendo, abrió el camino a mi curación y mi paz.

Hoy ya no llevo ese dolor dentro, es como si esa parte de mí fuera diáfana como el cristal; cuando respiro hondo, el aire recorre hasta el último recoveco de mi interior, tengo una profunda sensación de tranquilidad y la alegría de vivir es mucho más intensa.

He visto tanta muerte y también tanta vida; y la vida es tan maravillosa, es como el primer mordisco que das a una manzana jugosa, con el chasquido, el jugo y el sabor dulce. ¡Me encanta!

Creo de verdad que cada desgracia que he sufrido me ha llevado hasta mi buena fortuna, hasta la vida feliz que tengo hoy. Si la gente tiene miedo de contar su historia les digo que, en mi propia experiencia, hablar sólo lleva a una gran dicha, a la paz interior, y a la alegría y la ligereza que la acompañan.

Empezar de nuevo

Hay muchas maneras de hacer las paces contigo mismo. Si, como Zainab, hay acontecimientos en tu vida que te han traumatizado, tal vez necesites desenterrar los sentimientos reprimidos y aprender a aceptar tu pasado. Los estudios muestran que la gente que entierra sus traumas vive vidas más cortas, menos sanas y más infelices que los que cuentan su historia.

Aun así, también es importante no quedarse estancado en esos sentimientos. Según la antropóloga cultural Angeles Arrien, en muchas culturas indígenas se anima a la gente a que «cuente su historia» cuando han pasado por una experiencia dolorosa o traumática, pero no más de tres veces. Esas culturas reconocen lo importante que es compartir esa vivencia con gente que te quiera y te apoye para dejar salir el dolor, pero también que contarla más de tres veces atrapa a la persona en la energía del victimismo. Hacer las paces con uno mismo tiene que ver con curarse y liberarse para poder seguir avanzando.

A veces la gente se siente como una víctima por causa de la vergüenza, no por lo que les haya pasado, sino por el arrepentimiento o la culpabilidad que les producen sus acciones pasadas. Es difícil sentirse bien con uno mismo cuando hay una vocecita interior recordándote constantemente que «después de lo que hiciste» no te mereces ser feliz. Si continuamos juzgándonos por nuestras acciones pasadas, es como si lleváramos a cuestas una pesada carga, nos quita toda la energía. Harriet Goslins, la creadora de la Cortical Field Reeducation (Reeducación de Campos Corticales) me dijo una vez: «Cuando consigues diferenciar entre asumir tu responsabilidad y culparte, entonces sí que eres libre de tomar nuevas decisiones, eso abre la puerta a perdonarte a ti mismo de veras».

En situaciones como éstas, hacer las paces contigo mismo podría significar reparar el daño causado. Por más que no puedas cambiar lo que ocurrió en el pasado, con un poco de creatividad normalmente siempre se encuentra un modo de arreglar las cosas. Por ejemplo, si pediste dinero prestado a alguien y nunca se lo devolviste, le podrías pagar ahora ya sea todo de golpe o a plazos, y anónimamente si así lo prefieres. O si no consigues localizar a la persona, siempre podrías donar la misma cantidad a alguna obra de caridad. Te sorprendería la ligereza y la energía que se sienten cuando se repara el daño causado.

La magia mente-cuerpo

Durante los últimos diez años me ha ido interesando cada vez más el campo en expansión de la psicología energética, que incluye toda una variedad de técnicas mente-cuerpo de vanguardia que permiten liberarse de viejos patrones victimistas y de condenación. Esas técnicas, practicadas por terapeutas, médicos y profanos, consisten en adoptar posturas y realizar acciones que desempeñan el papel de interruptores para restablecer un equilibrio energético adecuado al eliminar los bloqueos en el sutil campo energético del cuerpo a través de meridianos de energía, canales de energía que llevan miles de años siendo reconocidos por sistemas de medicina tradicional. Las técnicas también programan de nuevo el subconsciente, que es el que controla el 90 % de nuestro comportamiento, y establecen nuevos patrones en el sistema nervioso central que promueven el bienestar. Un buen número de éstas pueden ponerse en práctica dedicando tan sólo unos minutos de tiempo a ello y admiten la autoaplicación sin necesidad de recibir adiestramiento formal.

Hoy por hoy ya existen miles de casos documentados de gente que se ha beneficiado de las técnicas de la psicología energética, y se están realizando cientos de estudios en este ámbito. En mi entrevista con Dawson Church, Ph. D., autor de *The Genie in Your Genes* y fundador del Soul Medicine Institute, éste me contó que recientemente había finalizado un estudio realizado por Kaiser Permanente para los Institutos Nacionales de la Salud (de Estados Unidos) en el que se había observado que hay una técnica de psicología energética que resulta muy útil para ayudar a la gente a controlar su peso con éxito: cuando una persona elimina los patrones y creencias que la limitan, está más conectada con su yo vibrante, llena de energía y poder.

Algunas prácticas sencillas y efectivas de la psicología energética incluyen la Técnica de Sincronización Bioenergética (BEST en sus siglas en inglés), las Técnicas de Libertad Emocional (EFT en sus siglas en inglés), la Técnica de Acupresión de Tapas o TAT y la técnica Psych K. (Puedes encontrar más información sobre éstas en la sección de recursos de este libro.)

Hace poco aprendí más sobre la técnica BEST de manos de su propio creador, uno de Los 100 Felices, el doctor M.T. (Ted) Morter, doctor en quiropráctica y pionero en el campo de la salud mente-cuerpo. La entrevista con el doctor Morter fue una de las más animadas: a sus setenta y dos años es un hombre tan brillante, enérgico y vital como cualquier persona de treinta y tantos. Cenamos juntos —una comida italiana fantástica— y me contó historias fascinantes sobre su vida y su filosofía de la felicidad. Se veía claramente que había conseguido ser feliz en su propia vida, así que me entusiasmó que se ofreciera a enseñarme la M-Power March (Marcha de M-Poderamiento), un ejercicio específico de la técnica BEST que desarrolló para ayudar a la gente a eliminar los bloqueos a la felicidad.

Según el doctor Morter, este ejercicio recompone el sistema nervioso central, elimina los bloqueos inconscientes y activa la capacidad de perdonar. Incluye movimientos simultáneos de las partes superior e inferior del cuerpo, así como de los lados izquierdo y derecho, y lleva al sistema nervioso central a un estado más equilibrado para que pueda procesar los pensamientos y emociones de manera más eficiente y efectiva. «Limpia el disco duro» para que podamos reprogramar la manera en que procesamos la información subconsciente, como por ejemplo viejas heridas y lamentaciones. Se trata de una herramienta excelente para ayudarnos a cambiar cualquiera de los patrones victimistas y condenatorios de los que hemos hablado en este capítulo. Este ejercicio sencillo de tres minutos, al igual que el resto de procedimientos y ejercicios de BEST, han sido increíblemente eficientes para ayudarme a sentir que tengo poder sobre mi propia vida y todos son muy fáciles.

Ejercicio

Marcha de M-Poderamiento:
Haz las paces contigo mismo

1. Permanece de pie bien erguido, alerta pero cómodo y relajado.
2. Da un paso largo con el pie izquierdo manteniendo el pie de atrás (el derecho) firmemente apoyado en el suelo (y ambos pies mirando hacia delante). Dobla ligeramente la rodilla izquierda, hasta donde puedas sin levantar del suelo el talón del pie de atrás.
3. Al mismo tiempo que avanzas la pierna izquierda, también vas a levantar el brazo derecho hasta un ángulo de 45 grados. El brazo izquierdo se moverá hacia atrás automáticamente para ayudarte a mantener el equilibrio, así que deja que siga ese movimiento y estira el brazo izquierdo hacia atrás y hacia abajo en un ángulo aproximado de 45 grados. En este momento tienes la pierna izquierda y el brazo derecho hacia delante y la pierna derecha y el brazo izquierdo hacia atrás.

4. Ahora gira la cabeza hacia el brazo derecho, mira hacia arriba, cierra los ojos y e-s-t-í-r-a-t-e.

5. Mientras permaneces en la posición de estiramiento, piensa en algo de lo que te arrepientas o algo que te provoque vergüenza o sentimiento de culpa. Respira hondo y concéntrate en sentir «perdón». Aguanta la respiración entre 5 y 10 segundos sin cambiar de posición.

6. Suelta el aire y repite todo con la otra pierna y el otro brazo adelantados. Repite la secuencia completa con ambas piernas tres veces.

RESUMEN Y PASOS
EFECTIVOS HACIA LA FELICIDAD

Al hacerte dueño de tu felicidad, sientas las bases de tu Casa de la Felicidad: dejas de ser una víctima al centrarte en las soluciones, buscar la lección y el regalo en las situaciones y haces las paces contigo mismo. Utiliza los siguientes pasos efectivos para practicar los Hábitos de Felicidad para el Empoderamiento:

1. Durante una semana, pon 2 dólares en una caja cada vez que eches la culpa a otros, te avergüences de ti mismo o te quejes. Apunta cuánto dinero recaudas cada día y comprueba si vas progresando a lo largo de la semana. Utiliza el dinero para salir por ahí con tu familia o dónalo a alguna obra social.
2. Haz un experimento: pasa el «mono». A ver si puedes pasarte un día entero sin echar la culpa a otros ni quejarte o sentirte avergonzado.
3. Utiliza la Técnica del Centrarse en las Soluciones cuando te sorprendas a ti mismo quejándote.
4. Rompe el hábito de echar la culpa, identifica todos los días una experiencia que no salió como querías y utiliza el ejercicio de «Buscar la lección y el regalo». (Si no se te ocurre nada, ¡felicidades: vas por buen camino para llegar a ser Feliz porque sí!)
5. Para hacer las paces contigo mismo o cambiar cualquier patrón victimista de comportamiento, practica la Marcha de M-Poderamiento durante tres minutos todos los días.

El siguiente paso para construir tu Casa de la Felicidad es levantar los pilares: aprender los Hábitos de Felicidad que están relacionados con la mente, el cuerpo, el corazón y el alma. De igual modo que los pilares o piedras angulares de tu casa están conectados con las paredes, tu mente, tu corazón, tu cuerpo y tu alma se encuentran íntimamente ligados: tus pensamientos afectan a tu fisiología, tus sentimientos afectan a tu forma de pensar, y así sucesivamente. He separado estos cuatro aspectos de nuestras vidas en cuatro capítulos diferentes para que las explicaciones resulten más fáciles, pero reconozco que eso genera unas distinciones un tanto arbitrarias. A medida que vayas leyendo cada capítulo, verás que a veces los pasos se superponen. Debido a que estas áreas de nuestra vida están tan interconectadas, la mejoría en una de ellas reforzará todas las demás.

El Pilar de la Mente:
no te creas todo lo que piensas

*La mente es su propia morada, y, en sí misma, puede
convertirel Cielo en un Infierno, y el Infierno en un Cielo.*
JOHN MILTON, poeta inglés.

Una vez oí hablar a un prestigioso sabio. Respondió a una pregunta
de un hombre que llevaba un traje de 3.000 dólares, zapatos elegan-
tes e iba cargado de joyas de oro. El hombre le preguntó:

—¿A qué tengo que renunciar para experimentar verdadera felicidad y paz interior?

—Tengo buenas y malas noticias —le respondió el sabio—. La
buena noticia es que no tienes que renunciar a nada de lo que tienes,
la pobreza no es el camino a la felicidad; la mala noticia es que tienes
que hacer algo que tal vez te resultará aún más difícil: debes renunciar
a tu manera de pensar.

¿Renunciar a tu manera de pensar? ¿Acaso no es eso igual que dejar
de respirar? Bueno, tampoco es tan difícil como suena. Mis investigaciones, mi propia experiencia y las entrevistas a Los 100 Felices me han
enseñado algunas técnicas muy poderosas para cambiar la manera de
pensar. En este capítulo te enseñaré formas de dejar que tu mente apoye tu felicidad en vez de sabotearla; con esto se refuerza el Pilar de la
Mente, el siguiente paso en la construcción de tu Casa de la Felicidad.

Cálculos mentales que asustan

¿Cuántas veces al día te tienden los pensamientos negativos una emboscada?

«No soy lo bastante bueno.»
«Mi marido (o mujer) no me ama.»
«Detesto mi aspecto físico.»
«Me preocupa no llegar a fin de mes.»
«Mi hija no me respeta.»
«Soy un imbécil.»
«No aguanto este trabajo.»

Si te pasa lo que a la mayoría de las personas, es probable que esos pensamientos te asalten muy a menudo. Con todos esos pensamientos revoloteando en tu cabeza, resulta muy difícil permanecer feliz.

Nuestras mentes —hechas de pensamientos, creencias y diálogo interior—, están siempre «enchufadas». Según los científicos, tenemos alrededor de 60.000 pensamientos al día: un pensamiento por segundo durante el tiempo que estamos despiertos. ¡No es de extrañar que estemos tan cansados cuando llega la noche!

Y lo que es aún más sorprendente: de esos 60.000 pensamientos, el 95 % son idénticos a los que tuvimos ayer, y antes de ayer, y el día antes de antes de ayer. La mente es como un tocadiscos que reproduce siempre el mismo tema una y otra vez. (Vale, igual que un iPod, para los que tengan menos de treinta años.) A eso llamo yo estar atrapado en una rutina...

Pero, aun así, eso no sería tan malo si no fuera por el siguiente dato estadístico: en el caso del individuo medio, el 80 % de esos pensamientos habituales son *negativos*; ¡eso significa que, cada día, la mayoría de las personas tienen más de 45.000 pensamientos negativos similares a los de la lista anterior! El doctor Daniel Amen, un psiquiatra de prestigio mundial y especialista en imágenes cerebrales, los llama pensamientos automáticos negativos o ANT en sus siglas en inglés.

No es ninguna sorpresa que el hecho de que tu mente esté llena de pensamientos negativos automáticos tenga un profundo efecto psicológico en ti. Los investigadores de los Institutos Nacionales de la Salud, entre otros, han medido el flujo sanguíneo y los patrones de actividad cerebral y han descubierto que los pensamientos negativos estimulan áreas del cerebro que participan en los cuadros de depresión y ansiedad, mientras que los pensamientos positivos por su parte tienen un efecto calmante y beneficioso. Nuestros pensamientos negativos son como veneno en el sistema y los positivos como medicina. En el siguiente cuadro podrás ver cómo nuestro pensamiento nos contrae o nos expande, afectando así a nuestra felicidad:

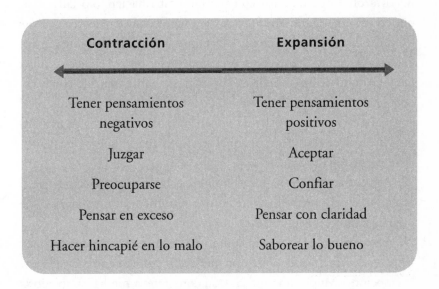

Contracción	Expansión
Tener pensamientos negativos	Tener pensamientos positivos
Juzgar	Aceptar
Preocuparse	Confiar
Pensar en exceso	Pensar con claridad
Hacer hincapié en lo malo	Saborear lo bueno

La verdad sobre tus pensamientos

La buena noticia es que para evitar que los miles de pensamientos negativos que tenemos cada día nos hundan no tenemos que tratar de eliminar todos y cada uno de ellos. Hay una forma más sencilla de hacerlo. El secreto es aceptar un hecho sorprendente:

> Tus pensamientos no son siempre ciertos.

Parece sencillo, pero de hecho es una idea revolucionaria que requiere un cambio de perspectiva drástico. Estamos tan acostumbrados a creer que nuestros pensamientos son ciertos y a reaccionar a ellos automáticamente que apenas nos damos cuenta de que lo hacemos. Todavía recuerdo el momento en que, hace muchos años, hice este descubrimiento.

Estaba en medio de una conferencia que pronunciaba ante 450 personas apiñadas en un salón de un hotel. Me sudaban las manos y mi corazón empezó a latir con fuerza: estaba haciéndolo fatal. ¿Por qué estaba tan segura? Porque había un señor en la tercera fila que me lo estaba haciendo saber en unos términos que no dejaban lugar a dudas: estaba sentado tieso como un palo, con los brazos cruzados; no se había reído ni de una sola de mis bromas, no había asentido con la cabeza levemente ni una sola vez dando a entender que me seguía. ¿Me engañaba la vista o acababa de poner los ojos en blanco? Se me empezó a revolver el estómago: aquel señor odiaba lo que yo estaba diciendo, me odiaba a mí.

Me entró pánico cuando el hombre echó a andar directo hacia el escenario en el preciso instante en que terminé mi intervención. Me preparé para recibir una crítica implacable.

Pero, en vez de eso, vino como una flecha hasta donde yo estaba y me tendió una mano, al tiempo que decía, con voz entrecortada por la emoción: «Muchísimas gracias, su conferencia me ha cambiado la vida».

Casi me desmayo: ¡no había odiado mi intervención en absoluto! Habían sido mis propios pensamientos negativos lo que me habían hecho perder los nervios. Ahí fue cuando me di cuenta de que mi mente —mi compañera inseparable en la alegría y en la adversidad, en los momentos buenos y malos de la vida— no siempre me dice la verdad. Lo mismo puede aducirse de todos y cada uno de nosotros y, hasta que no nos damos cuenta de que es así, el camino a la Felicidad porque sí está bloqueado.

No te crees todo lo que oyes, ¿a que no? Claro que no. Tampoco te crees todo lo que lees, y en esta era de los efectos especiales y el Photoshop, por supuesto no te crees todo lo que ves, así que...

> No te creas todo lo que piensas.

Los pensamientos no son más que paquetes de energía que se forman en nuestro cerebro como consecuencia de acontecimientos neuroquímicos que pueden medirse en términos de impulsos eléctricos y frecuencias de onda. Tus pensamientos no siempre muestran una imagen fidedigna de la realidad, pero tu mente los emite de todos modos. Cuando analizas de cerca tus pensamientos negativos y ves que no tienes por qué creerlos, eso los priva de una gran parte de su capacidad de generar infelicidad.

¿Alguna vez te has preguntado por qué los pensamientos negativos tienen semejante poder sobre nosotros? Simplemente, así son nuestras conexiones: el problema radica en mecanismos primitivos de supervivencia que se han descontrolado.

Velcro contra teflón

En los días en que el señor Cavernícola y su esposa, la señora Cavernícola, trataban de sobrevivir el tiempo suficiente como para criar a los bebés Cavernícola, tenían que prestar más atención a las potenciales amenazas que a los acontecimientos positivos para evitar peligros de la Prehistoria tales como que se los comiera un dientes de sable.

Esta atención selectiva a lo negativo es lo que permitió sobrevivir al señor y la señora Cavernícola y sus bebés: por aquel entonces, si querías una vida larga, era mejor reaccionar inmediatamente ante cualquier cosa que pudiera ponerla en peligro —aunque luego resultara ser algo inofensivo— que ignorar algo que pudiese ser letal: nuestros ancestros eran los «manojos de nervios» y los «miedicas» de la tribu; ¡la gente que estaba más relajada respecto a esas situaciones potencialmente peligrosas no duraba lo suficiente como para tener hijos a los que transmitir sus genes!

Hoy en día y pese a que ya no tenemos que andar pendientes de los tigres que puedan acecharnos —por lo menos en mi barrio no—, nuestras conexiones siguen siendo las mismas: prestamos más atención a lo negativo que a lo positivo. Como el doctor Rick Hanson, psicólogo e investigador del cerebro humano, me explicó durante la entrevista, nuestros cerebros son «velcro para lo negativo y teflón para lo positivo». Nuestras experiencias negativas se pegan como el velcro mientras que las positivas resbalan como el teflón. ¡De hecho, los investigadores han descubierto que hacen falta varias experiencias positivas para superar una única experiencia negativa! Por desgracia, esas conexiones resultan nefastas para nuestra felicidad.

¿Recuerdas lo que pasó con mi mente durante la conferencia? No me negarás que hace falta un talento especial para ignorar a las otras 449 personas que se pasaron toda la presentación riendo, sonriendo y asintiendo con la cabeza para concentrarme exclusivamente en la única a la que pensé —por error— que no le había gustado lo que estaba diciendo. Estoy convencida de que ya te habrás dado cuenta de esto: si recibes diez cumplidos y un insulto, ¿cuál recuerdas luego? Si te pareces en algo a la mayoría de los mortales, pasarás un mal rato dándole vueltas al insulto durante horas, ignorando por completo el número muy superior de mensajes positivos. Los psicólogos llaman a esta tendencia a responder más intensamente a los pensamientos y experiencias desagradables nuestro «sesgo negativo».

El psicólogo Johan Cacioppo, de la Universidad de Chicago, demostró esta tendencia en un estudio en el que midió la actividad eléctrica del área del cerebro de los sujetos que procesa la información entrante. A cada sujeto le enseñó tres tipos de imágenes: un grupo de imágenes estaba inspirado en sentimientos positivos (coches deportivos, comida deliciosa), otro provocaba sentimientos negativos (imágenes desagradables y perturbadoras), y un tercero consistía en imágenes que solamente producían sentimientos neutros (objetos de uso diario como platos y secadores). El aumento de la actividad eléctrica era muchísimo más alto cuando la gente miraba las imágenes que les parecían negativas. La negatividad simplemente produce un impacto mayor en nuestro cerebro.

Los investigadores están empezando a comprender las razones psicológicas por las que nuestras experiencias negativas son tan «pegajosas»: tiene que ver con la amígdala, la parte del sistema de alarma del cerebro que desencadena la respuesta de luchar o escapar; si quieres saber más sobre este proceso, pongámonos la bata blanca y entremos en el laboratorio a observar más de cerca el cerebro y cómo funciona.

La adrenalina y una amígdala hiperactiva

La que sigue debiera ser una explicación detallada en preciso lenguaje científico que seguramente te costaría unos cuantos viajes al diccionario. No sé si a ti te pasa, pero a mí ese tipo de explicación me acaba nublando la vista y me deja pensando que necesito unas largas vacaciones en las Bahamas, así que voy a intentar, en vez de eso, ofrecerte un breve resumen de cómo es el sistema de alarma del cerebro y el impacto que éste tiene sobre nuestros cuerpos.

Cuando la amígdala lanza una señal para luchar o escapar, tu cuerpo inmediatamente acelera el ritmo del corazón, segrega ríos de adrenalina y también envía otras hormonas del estrés al torrente sanguíneo. Según un estudio reciente realizado por el doctor Jim McGaugh de la Universidad de California-Irvine, los recuerdos que crea esa adrenalina en el cerebro son más potentes que los que dejan las hormonas del placer. Eso significa que las experiencias desagradables llevan una «sobrecarga química» que las hace más permanentes que las felices.

Esto se complica aún más por el hecho de que muchos de nosotros tenemos amígdalas dadas a reaccionar de forma exagerada: desencadenan la emisión de adrenalina con demasiada facilidad y demasiado a menudo. Los científicos hablan de «hiperactividad» de la amígdala y dicen que éste es uno de los mayores obstáculos a la felicidad. Ésta es la causa de que por lo general aguantemos poco sin enfadarnos, nos invada el pánico fácilmente y, con frecuencia, hagamos una montaña de un grano de arena. La gente con amígdalas más hiperactivas son esos que hacen un drama de todo, los que se disparan a la mínima, los doña angustias y los jeremías que siempre se quejan por todo.

Cuando la amígdala se queda encasquillada en quinta marcha, es como si se ensancharan los conductos neuronales negativos en el cerebro: la mente comienza a plagarse de pensamientos negativos, nos preocupamos, nos imaginamos una y otra vez lo que no queremos que ocurra y los resultados son la ansiedad y la infelicidad, nos contamos a nosotros mismos historias sobre nuestras Viejas Creencias Enquistadas, lo que yo llamo «cuentos de VCE».

Tener una amígdala hiperactiva también afecta negativamente a la salud: cuando la amígdala está apretando constantemente el botón de «luchar o escapar», aumenta el nivel de las sustancias químicas que se segregan con el estrés. Vivimos en un mundo en el que los dientes de sable de nuestros antepasados han sido sustituidos por cosas como estar a punto de tener un accidente de tráfico, discutir con nuestro jefe o con los compañeros de trabajo, pelear con la pareja... Pese a que todas esas situaciones de la vida diaria desencadenan la secreción de hormonas de luchar o escapar, no es necesario que salgas corriendo para ponerte a salvo ni que le des un puñetazo a nadie, ambas actividades físicas para las que esos poderosos agentes químicos eran de gran ayuda. Ahora lo que pasa es que esas sustancias no se eliminan con la correspondiente acción, sino que se van acumulando y provocan fatiga e incluso enfermedades.

A no ser que aprendas a neutralizarlo, un sistema de alarma que reacciona exageradamente puede perjudicar tu salud y mermar seriamente tu nivel básico de felicidad.

Enseñar trucos nuevos a un cerebro viejo

Pese a que el cerebro ya viene conectado de fábrica para funcionar como el velcro con lo negativo y además tiene un sistema de alarma altamente sensible, aun así es posible incrementar el nivel de felicidad. A diferencia de lo que ocurre con un sabueso que está ya muy resabiado, el cerebro siempre puede aprender trucos nuevos: al cambiar los pensamientos, se producen cambios en el cerebro mismo y tal vez hasta en el ADN.

Los estudios realizados por el doctor Richard Davidson, director del Laboratorio de Neurociencia Afectiva de la Universidad de Winsconsin-Madison y al que ya te presenté en el Capítulo 1, demuestran que tener pensamientos nuevos y diferentes crea nuevos conductos neuronales. Cuando cambiamos nuestra manera de pensar para apoyar nuestra felicidad, los conductos neuronales negativos se estrechan y los positivos se ensanchan, de modo que nos resulta más fácil y automático pensar en positivo.

Durante años, la noción de que el componente genético de nuestro nivel básico de felicidad —el 50 % determinado por el ADN— no podía cambiarse era ampliamente aceptada pero, según Bruce Lipton, biólogo molecular y autor de *La biología de la creencia: la liberación del poder de la conciencia, la materia y los milagros*, nuestro ADN podría verse influenciado por los pensamientos positivos y negativos que tenemos: otra indicación clara de que nuestro pensamiento puede reprogramar nuestro nivel básico de felicidad.

Pon la neocorteza cerebral a trabajar

Según los estudios más recientes, la neocorteza es el lugar donde reside la felicidad en el cerebro, en la región prefrontal izquierda para ser más exactos. Las últimas investigaciones señalan que la gente feliz tiene niveles más altos de actividad en esa zona, mientras que los que tienen tendencia a la ansiedad, el miedo o la depresión presentan una mayor actividad en la región prefrontal derecha.

En lo que se refiere a la felicidad, es imposible engañar al cerebro: el psicólogo James Hardt, uno de los mayores expertos en ondas cerebrales a escala mundial, me explicó una vez que la actividad de las ondas cerebrales de una persona feliz es distinta a la de una persona desgraciada. Sus investigaciones demuestran que la gente que es menos proclive a reaccionar a los mensajes inquietantes de su amígdala tiene más actividad de ondas alfa, señal de que se trata de un cerebro feliz.

En vez de dejarse asediar por los pensamientos negativos o entrar en modo luchar o escapar constantemente, la gente feliz tiene hábitos que les permiten responder con más facilidad desde la parte central superior del cerebro, la neocorteza. En el curso de mis entrevistas con Los 100 Felices, he descubierto que no creen todo lo que piensan sino que:

- Son más escépticos con sus pensamientos negativos. Cuestionan las alarmas y las neutralizan cuando es necesario.
- No luchan con sus pensamientos negativos. Saben que a menudo son un subproducto de su sesgo negativo y lo que hacen es ir más allá de la mente y soltar amarras (dejar de aferrarse a esos pensamientos).
- Registran los pensamientos positivos más profundamente y se deleitan en sus experiencias positivas.

A continuación encontrarás tres Hábitos de Felicidad que te ayudarán a crear nuevos conductos cerebrales y responder con más prontitud desde la neocorteza:

Hábitos de Felicidad para la Mente

1. Cuestiona tus pensamientos.
2. Ve más allá de tu mente y suelta amarras.
3. Predispón tu mente a la alegría.

Hábito de Felicidad para la Mente nº. 1
Cuestiona tus pensamientos

*Sólo hay una causa de la infelicidad: las falsas creencias
de la mente, creencias tan extendidas, tan comunes
que nunca se nos ocurre cuestionarlas.*
ANTHONY DE MELLO, sacerdote jesuita y psicoterapeuta.

Recientemente, Sergio y yo tuvimos el gran privilegio de reunirnos en privado con el Oráculo Nacional del Tíbet, un hombre que lleva asesorando a Su Santidad el Dalai Lama y al gobierno del Tíbet desde hace veinte años. Me impresionó profundamente la alegría y la serenidad que irradiaba y le pregunté sobre el tema de la felicidad; esto es lo que me contestó: «El verdadero enemigo de la felicidad son las fijaciones y los engaños de la mente. Si se miran las situaciones con otros ojos, si se ve la verdad, el sufrimiento és menor. Con la actitud mental adecuada, se puede superar cualquier cosa, se puede ser feliz independientemente de lo que pase».

¿Y cómo puede uno saber si la mente le dice la verdad? ¡Preguntando! Cuando te tomas con filosofía los disgustos y no te crees la premisa subyacente, es increíble ver cómo todo un torbellino de emociones simplemente se evapora.

La siguiente historia ilustra de forma diáfana los beneficios de no creernos todo lo que pensamos. Durante la entrevista, Bruce Fraser —otro representante de Los 100 Felices— me describió el viaje que emprendió para salir del sufrimiento a medida que aprendía a cuestionar sus pensamientos sobre lo que estaba ocurriendo en su vida.

La historia de Bruce
La verdad y nada más que la verdad

Mi mujer y yo llevábamos veinte años casados. Teníamos una hija de diecinueve y entre nosotros había lo que yo siempre había considerado como un compromiso sólido de —si no permanecer casados— por lo menos hablar las cosas entre nosotros. Si alguna vez nos separábamos, estaba seguro de que sería una decisión que tomaríamos después de un largo periodo en el que habríamos intentado solucionar los problemas juntos.

Yo sabía que los últimos dos años no habían sido fáciles: por causas de trabajo, yo había tenido que mudarme a otra ciudad, así que manteníamos una relación a distancia y nos veíamos dos o tres veces al mes. No era ideal, pero de verdad que pensé que seríamos capaces de soportarlo.

Lo cierto fue que no pudimos.

Un fin de semana que estaba en casa, mi mujer me dijo que teníamos que hablar: «He estado pensando mucho y no quiero seguir casada contigo». Me la quedé mirando sin poder creerlo. «Pero ¿qué está diciendo?», pensé. «Por supuesto que todavía te quiero y me gustaría que siguiéramos siendo amigos —continuó ella—, pero quiero el divorcio.»

El divorcio. Aquella palabra me cayó encima como un cubo de agua fría, cortándome la respiración, pero incluso a través de la bruma de estupor que me envolvía, entendí que no me estaba diciendo que teníamos que hablar sobre el divorcio: estaba decidida y simplemente me informaba de que nuestro matrimonio se había acabado.

No podía creer que no me hubiera incluido en una decisión que tenía un impacto semejante en nuestras vidas. Durante todo aquel fin de semana traté por todos los medios de hacerla cambiar de opinión: supliqué, negocié, lloré...

Y entonces, en las semanas que siguieron, las cosas fueron de mal en peor: mi mujer, inamovible en su decisión de romper nuestro matrimonio, acabó admitiendo que había conocido a otro; eso explicaba por qué no le interesaba tratar de salvar nuestra relación. Lo que quería era salir de ella para poder estar con él.

Yo empecé a derrapar: me sentía traicionado, rechazado, falto de amor, indigno de amor. ¿Cómo podía hacerme aquello?, me preguntaba. Mi desesperación acabó por teñirlo todo: mi trabajo, mi salud y especialmente mi mente. Completamente derrotado, me apunté a un seminario de nueve días que se suponía que me ayudaría a cambiar el modo de relacionarme con mis propios pensamientos.

Al principio del seminario nos preguntaron: «En una escala de felicidad del 1 al 10, ¿dónde te situarías?». Mi nivel de felicidad estaba bajo mínimos: un 1.

Durante los dos días siguientes me limité a escuchar. La premisa sobre la que se basaba todo el seminario era que, cuando nos ocurre algo, reaccionamos creando una historia en nuestra cabeza sobre los acontecimientos. Lo que nos hace sufrir no son los hechos en sí, sino la historia sobre los hechos, así que si estamos disgustados por algo que ha pasado, es importante que cuestionemos nuestra historia para ver si es cierta. Lo que oía tenía sentido, pero estaba demasiado paralizado por el dolor para hacer nada.

El tercer día, cuando todo parecía perdido, por fin comencé a cuestionar mi historia utilizando el proceso recomendado por el instructor.

«¿Qué pienso realmente sobre todo este desgraciado episodio?», me pregunté a mí mismo.

La respuesta no se hizo esperar: «Mi mujer no debería haberse comportado así. Su traición ha hecho que pierda mi hogar y mi familia, nunca volveré a ser feliz».

No sé por qué, pero en ese momento el intenso dolor que me atenazaba me dio un respiro y pude continuar con el proceso y preguntarme: «¿Es todo eso cierto?».

Tenía la sensación de que sí, pero profundicé un poco más: «¿Puedo saber con total certeza que ella no debería haber actuado como lo ha hecho? ¿Puedo saber con total certeza que nunca volveré a ser feliz?». Sorprendentemente, la respuesta a las dos preguntas fue «no».

Durante un instante, no fui capaz de salir de mi asombro: había conseguido interrumpir el bucle infinito de pensamiento-dolor-pensamiento-dolor-pensamiento-dolor que había estado reproduciendo en mi cabeza durante las últimas semanas. Casi me entró la risa: sin el tamborileo constante de mis trágicos pensamientos golpeándome la cabeza, el hecho era que me sentía tranquilo y en calma.

Me di cuenta de que, si consideraba la situación con una perspectiva más amplia, no tenía ni idea de si lo que estaba ocurriendo era «bueno» o «malo»; simplemente no estaba en mi mano saber si ella debería o no haber actuado como lo hizo. De repente, todo lo que había estado pensando sobre la situación me pareció sospechoso, desapareció el miedo a enfrentarme a mi futuro «desolador» y, en su lugar, empecé a sentir cierta ilusión: «¡Tal vez —pensé— me irá incluso mejor que en el pasado!».

Ese momento luminoso de posibilidades no duró más que unos minutos, hasta que pensé en mi mujer con otro hombre y una explosión de dolor y rabia me atravesó el corazón: ¿Cómo podía haberme hecho eso?

Pero el alivio que había sentido durante aquellos escasos minutos había conseguido aflojar el implacable puño con que mi historia me tenía sujeto: consideré mi propio relato una vez más y vi todavía otro nivel de profundidad: estaba convencido de que mi mujer amaba a otra persona más que a mí.

Respiré hondo y me hice aquella sencilla pregunta de nuevo: «¿Es eso cierto?».

Una vez más, desde luego tenía la impresión de que lo era, así que volví a plantearme la pregunta más profunda: «¿Puedo saber con total certeza que ama a ese tipo más que a mí?».

«No, no puedo.» La idea de que amaba a otro más que a mí había estado multiplicando por dos el dolor que yo sentía, pero no podía estar absolutamente seguro de que eso fuera cierto. Darme cuenta de que ese pensamiento, la manera en que respondía a esa pregunta, tenía poder para decidir mi felicidad me cayó como un mazazo.

Fue un momento de esos en que «se hace la luz», de repente todo lo que había estado oyendo en el seminario encajó; en realidad era bastante sencillo: mi historia sobre la situación se materializaba en mi cabeza en forma de rotundas afirmaciones sobre los hechos y me provocaba reacciones instintivas de sufrimiento y tristeza, pero cuando profundizaba en esas «afirmaciones sobre los hechos», me daba cuenta de que no tenían una base sólida. Fue sorprendente —y muy reconfortante también— caer en la cuenta de que la situación en sí misma no era la causa de mi dolor.

Estaba tan emocionado con esa revelación que me dediqué en cuerpo y alma a seguir cuestionando mis pensamientos y creencias durante toda la semana siguiente.

Al final de los nueve días, ya no era el mismo hombre desesperado de actitud victimista que había llegado al seminario, sino que estaba en paz, lleno de serenidad y aceptación. Había aprendido que mi sufrimiento siempre provenía de mi historia sobre lo que había ocurrido en el pasado, y en ese momento lo único que me interesaba era vivir en el momento presente. ¡Qué liberación!

Cuando acabó el seminario llamé a mi mujer y le dije que estaba dispuesto a dejar que se marchara, hasta me ofrecí a hacer cuanto estuviera en mi mano para facilitar el periodo de transición y le dije que si había encontrado algo mejor que la relación que teníamos debía ir a por ello. Y lo decía de verdad.

Un año después, esa sensación de libertad todavía me acompaña. Aún queda algo de dolor que de vez en cuando se apodera de mí, pero en cuanto me pillo a mí mismo contándome historias sobre lo que he perdido y lo que eso significa, freno en seco, examino la historia y me hago la pregunta: «¿Qué creencia se oculta tras el dolor?». Y entonces, una vez he identificado la creencia, profundizo aún más preguntándome: «¿Es cierto?». Al principio tenía que hacer un esfuerzo consciente, pero con la práctica se ha convertido en algo cada vez más automático.

Recuerdo una ocasión, a las pocas semanas de haber ido al seminario, en que me encontré con una foto de mi mujer y yo, una de mis favoritas, la que solía tener sobre la mesa en la oficina. Al contemplar nuestros rostros sonrientes y pesar en todos los momentos felices que habíamos compartido, sentí que me inundaba la tristeza, pero me detuve un instante y me pregunté: «Vamos a ver, ¿cuál es la creencia que se esconde aquí?». Era una de mis viejas amigas favoritas: «Nunca volveré a ser feliz». Así que me hice la pregunta fundamental: «¿Puedo saberlo con total certeza?». De repente me eché a reír al recordar el día en que nos habíamos hecho la foto: no había sido precisamente idílico, de hecho, nos habíamos pasado casi toda la tarde discutiendo por menudencias. La verdad era que me había sentido mucho más feliz el minuto antes de tomar la fotografía en mis manos que el día que se hizo la foto.

La conclusión es la siguiente: los pensamientos vienen y van, las relaciones vienen y van, el dolor viene y va. He descubierto que aferrarme a mis historias sobre lo que creo que quiero y necesito es receta garantizada para el sufrimiento.

Hoy me encuentro en un punto de verdadera paz, de soltar amarras y aceptar las cosas simplemente como son y nada más. Este sencillo cambio me ha hecho más feliz de lo que jamás hubiera podido imaginar. En una escala del 1 al 10, estoy en un 9 —camino del 10— y no pienso volver la vista atrás.

Ponerse con El Trabajo

> *Lo que en verdad nos espanta y nos desalienta*
> *no son los acontecimientos exteriores por sí mismos,*
> *sino la manera en que pensamos acerca de ellos.*
> EPICTETO, filósofo griego.

A mí también me ha ayudado mucho esa técnica de auto-investigación (denominada El Trabajo) que Bruce describía en su historia: la desarrolló una mujer llamada Byron Katie (todo el mundo la llama

Katie) y consiste en hacerse a uno mismo cuatro preguntas sencillas sobre los pensamientos y las creencias dolorosos:

1. ¿Es cierto?
2. ¿Puedo saber con total certeza que es cierto?
3. ¿Cómo reacciono cuando creo ese pensamiento?
4. ¿Quién sería si no tuviera ese pensamiento?

Entonces se hace una declaración de «cambio de sentido», una frase que exprese lo contrario del pensamiento o creencia. Girar hacia la dirección opuesta es una forma de experimentar la verdad de lo opuesto a lo que creemos.

Katie descubrió El Trabajo como resultado de la transformación de su propia vida: pasó de ser la más desgraciada de los mortales a experimentar algo para lo que no se me ocurre otro calificativo que un momento de gracia que la colocó en un estado permanente de dicha absoluta y paz. Antes de su transformación, Katie, madre de tres hijos y empresaria, se describió a sí misma como «completamente deprimida, con tendencias suicidas, atrapada en los viejos dolores y el desprecio por sí misma». En ocasiones, no era capaz de levantarse de la cama durante días o incluso semanas, ni tan siquiera para ducharse ni lavarse los dientes. Al final, su autoestima estaba tan baja que ni siquiera sentía que se mereciera dormir en la cama y empezó a hacerlo en el suelo.

Una mañana, se despertó en el suelo porque algo se arrastraba por su tobillo: abrió los ojos y vio una cucaracha y, en ese preciso instante, algo se despertó en su interior. Se dio cuenta de que todo su sufrimiento provenía de sus propios pensamientos sobre su situación —«Mi vida es horrible, no merezco ser feliz»—, no de la situación en sí misma. Y entonces se echó a reír, de repente lo vio todo claro: cuando creía sus pensamientos, sufría; y cuando no los creía, era feliz. También reparó en que lo mismo le ocurría a todo el mundo: **todo sufrimiento proviene de creernos nuestros propios pensamientos.**

No soy santo Tomás precisamente, pero también tengo esa actitud de «ver y tocar para creer» que se le atribuye: quería saber si Katie era realmente Feliz porque sí; desde luego parecía muy feliz cada vez que me encontraba con ella en algún seminario, pero eso era en público... ¿Cómo era cuando no se encontraba bajo la luz de los focos? Decidí reunirme con ella y hacerle una entrevista para este libro.

Katie es absolutamente increíble, una de las personas más cariñosas y atentas que he conocido, el ejemplo perfecto de lo que significa ser Feliz porque sí. A pesar de que la han amenazado a punta de pistola, ha sufrido un divorcio y se ha enfrentado a la tragedia de perder la vista, sigue estando firmemente anclada en un profundo estado de felicidad interior. Escuchar a Katie y ponerme con El Trabajo ha cambiado completamente mi manera de «pensar sobre pensar».

Dado que siempre he tenido una mente inquisitiva y cierta tendencia a interrogar a todas las personas que conozco, cuestionar mi propia mente me resultó fácil. Hoy lo que me interesa, como dicen en las series de detectives, con «únicamente los hechos y nada más que los hechos».

Por ejemplo, tras una temporada bastante tranquila, un buen día me sorprendí a mí misma pensando: «Sergio no debería juzgarme con tanta dureza».

«Un momento —pensé para mis adentros—, ¿es eso cierto? Mmm, no estoy segura.»

«¿Puedo saber con total certeza que es cierto?» No. Desde luego la evidencia que tenía no serviría de mucho en un juicio.

«¿Cómo me siento cuando tengo ese pensamiento?» En contracción: sin lugar a dudas era un pensamiento que anulaba la energía.

«¿Quién sería yo si no tuviera ese pensamiento?» Más libre, en expansión. Más feliz.

Entonces hice un cambio de sentido. Escribí el que había sido mi pensamiento original: «Sergio no debería juzgarme con tanta dureza» y traté de darle la vuelta; probé varias alternativas:

«Sergio no debería juzgarme con menos dureza.»
«Yo debería juzgar a Sergio con menos dureza.»
«Debería juzgarme a mí misma con menos dureza.»

A medida que iba pensando en alternativas, me di cuenta de que empezaba a sentir compasión en vez de deseos de juzgar, y mi pensamiento original —«Sergio no debería juzgarme con tanta dureza»— simplemente desapareció.

Cuando adquieres el hábito de cuestionar tus pensamientos, te encuentras con que no tienes que tratar de controlar tu mente o desterrar los pensamientos que te hacen daño. A medida que pasa el tiempo, éstos simplemente pierden poder para disgustarte. Tu mente experimenta más paz, más fuerza y mayor expansión, lo que automáticamente eleva tu nivel básico de felicidad. El siguiente ejercicio te brinda una oportunidad para que utilices El Trabajo tú mismo.

Ejercicio

La mini hoja de ejercicios de El Trabajo

Escribe una creencia u opinión en el espacio que hay más abajo, luego cuestiónala por escrito utilizando las preguntas que siguen y haz un cambio de sentido:

Creencia: _____

1. ¿Es eso cierto?
2. ¿Puedes saber con total certeza que es cierto? (¿Puedes saber con total certeza que, a largo plazo, es lo mejor para tu camino o el camino de otra persona?)
3. ¿Cómo reaccionas cuando crees ese pensamiento? ¿Qué ocurre? (¿Cómo te tratas a ti mismo y a otros cuando crees ese pensamiento?)
4. ¿Quién serías si no tuvieras ese pensamiento? (¿En qué sería diferente tu vida si no creyeras ese pensamiento?)

Ahora haz un cambio de sentido.

(¿Es eso cierto o más cierto?)

Para cada cambio de sentido, encuentra tres ejemplos auténticos de cómo esa variación del rumbo es una realidad en tu vida. No se trata de echarte la culpa ni de sentir remordimientos, sino de descubrir alternativas que te den paz.

Cuando hacemos El Trabajo nos liberamos de los efectos de creer pensamientos estresantes como «No soy lo suficientemente bueno», «Ella no me entiende», «Estoy demasiado gordo», «Necesito más dinero» o «Va a ocurrir algo terrible». Podemos convertir nuestro estrés, nuestra frustración y nuestra ira en una libertad que nunca creímos posible.

Para obtener una descripción más completa de cómo utilizar El Trabajo, consulta www.thework.com

Publicado con autorización de Byron Katie.

Hábito de Felicidad para la Mente n.º 2
Ve más allá de tu mente y suelta amarras

Si sueltas amarras un poco, tendrás un poco de paz.
Si sueltas muchas amarras, tendrás mucha paz.
Si sueltas amarras por completo, tendrás completa paz.
El Venerable AJAHN CHAH, monje budista del siglo XX.

En Borneo, los nativos tienen una técnica ingeniosa para capturar a los monos salvajes que se comen las cosechas y las reservas de alimentos: usan una cáscara vacía de coco y le hacen un agujero lo bastante grande como para que pase la mano de un mono, ponen un poco de arroz en la cáscara como cebo y atan el coco al suelo. Al oler la comida, el mono ladrón se acerca a investigar, mete la mano dentro del coco y agarra un puñado de arroz; pero cuando trata de sacar la mano, como tiene el puño cerrado, ya no consigue que pase por el agujero. Si quiere escapar, el mono tiene que soltar el arroz, ¡pero como no lo sueltan, los monos de Borneo se quedan inexorablemente atrapados!

Muchos de nosotros somos como esos monos: estamos atrapados en nuestros pensamientos negativos porque nos negamos a soltarlos —a soltar amarras—, y cuanto más nos resistimos a ellos, más se nos pegan. No sirve de nada intentar alejarlos a empujones: siguen volviendo una y otra vez.

Otra forma de enfrentarse a los pensamientos desagradables es ir más allá de nuestras mentes y conectar con los sentimientos asociados con los pensamientos negativos. Son los sentimientos lo que hacen que los pensamientos permanezcan como pegados con cola a nuestras mentes. Cuando damos la bienvenida al sentimiento, lo aceptamos y soltamos amarras, el pensamiento se disuelve como por arte de magia. Hay una manera efectiva de hacer esto es a través de una técnica sencilla, pero muy poderosa, llamada el Método Sedona.

El milagro de Lester

Un hombre llamado Lester Levenson descubrió el Método Sedona hace más de cincuenta años. En 1952, Lester, físico y empresario de éxito, tenía cuarenta y dos años. Pese a que estaba en la cima del éxito entendido en términos mundanos, era muy infeliz y su salud era nefasta: sufría depresiones, tenía el hígado inflamado, piedras en el riñón, problemas con el bazo, acidez extrema y unas úlceras que le habían perforado las paredes del estómago hasta convertirse en lesiones graves. Tras sufrir un segundo infarto, los médicos de Lester lo mandaron a morir a su dúplex de Central Park South en Nueva York.

Pero Lester era un hombre al que le encantaban los retos, así que, en vez de rendirse, decidió encontrar respuestas. Se parapetó en su apartamento y se dedicó a hacer un profundo examen de conciencia: descubrió lo que le pareció la herramienta definitiva de crecimiento personal, un modo de soltar amarras y dejar atrás todas las limitaciones interiores que luego se convertiría en la base del Método Sedona que todavía hoy se enseña. Se emocionó tanto con su descubrimiento que se dedicó a poner en práctica lo que había descubierto de manera sistemática durante tres meses. Al final de ese periodo, su cuerpo estaba prácticamente curado por completo y, lo que es más, había entrado en un estado de profunda paz y felicidad que nunca lo abandonó. En vez de morirse en unas cuantas semanas como predecían los médicos, vivió hasta los ochenta y cuatro años (cuarenta más).

Soltar el boli

La primera persona a la que le oí hablar del Método Sedona fue a mi amigo Hale Dwoskin, que estudió con Lester y hoy continúa la labor de éste por todo el mundo. ¡Hale es increíble! Parece un buda sonriente y su actitud resulta contagiosa: no puedo pasar un rato con él sin que me entren ganas de reír. Sin lugar a dudas, es uno de mis mentores Felices porque sí.

Cuando conocí a Hale, soltar amarras no era uno de mis puntos fuertes: a veces luchaba con mis pensamientos y sentimientos negativos pero la mayoría del tiempo era la mejor en aferrarme a ellos, estaba obstinadamente decidida a desentrañarlos, a entender de dónde venían y qué significaban. Hale no hacía más que decirme: «Marci, limítate a seguir el proceso». Pero yo no creía que pudiera soltar amarras y dejar atrás todos aquellos pensamientos y sensaciones, me parecía de una simplicidad ridícula.

Lo que me ayudó a conseguirlo al final fue una pequeña demostración: Hale me enseñó con un ejemplo cómo funcionaba eso de soltar amarras. Inténtalo tú también.

Lo primero de todo, ve a buscar un boli. Ahora sostenlo fuertemente en tu mano: el boli representa tus pensamientos y sentimientos y tu mano la conciencia que tienes de ellos.

Fíjate en que, aunque al principio sostener el boli resulta incómodo, al cabo de un rato acaba siendo una sensación familiar o «normal». ¿Ya la sientes? De manera muy similar, la conciencia se aferra con fuerza a tus sentimientos y pensamientos, y al final te acostumbras tanto a sujetarlos que ya ni siquiera te das cuenta de que lo haces.

Ahora abre la mano y haz rodar el boli por la palma. Fíjate en que el boli y tu mano no están pegados ni conectados: lo mismo puede decirse de tus pensamientos y sentimientos; tus pensamientos y sentimientos no están más conectados contigo de lo que pueda estarlo el boli a la mano: *Tú no eres tus pensamientos y sentimientos.*

Ahora gira la mano hacia abajo y suelta el boli.

¿Qué ha pasado? El boli se ha caído al suelo.

¿Ha sido difícil? No. ¡Simplemente has dejado de sujetarlo!

Eso es lo que significa soltar amarras.

A Mariel Hemingway, la actriz y nieta del escritor Ernest Hemingway, el Método Sedona también le ha resultado muy útil. Una semana antes de nuestra entrevista me reuní con Mariel en una librería donde ella estaba firmando ejemplares de su último libro, *Healthy Living from the Inside Out*. Mariel es encantadora, divertida y auténtica a todos los niveles, un miembro de pleno derecho de Los 100 Felices. Durante la entrevista, Mariel me contó la siguiente historia, en la que describe perfectamente la libertad y felicidad de que disfruta como resultado de haber ido más allá de su mente y haber soltado amarras.

La historia de Mariel
Es de familia

Vengo de una familia famosa por su creatividad, su belleza, su amor por la naturaleza... y sus problemas. Mi abuelo, el escritor Ernest Hemingway, luchó con la depresión durante años y también era un bebedor empedernido. La gente siempre me dice: «Una vez me tomé una copa con tu abuelo»; me ha pasado tantas veces y en tantos lugares distintos que estoy convencida de que mi abuelo se tomó una copa con un porcentaje significativo de la población mundial.

Al final, su depresión y la bebida pudieron con él: cuatro meses antes de que yo naciera, se suicidó (el cuarto miembro de sus parientes próximos en quitarse la vida). Desde entonces, el alcoholismo, las drogas, la enfermedad mental y la depresión han continuado siendo una plaga para mi familia.

A pesar de que yo escapé a la «maldición de los Hemingway» en casi todo, mi mayor lucha en la vida ha sido el sobreponerme al desprecio por mí misma. Durante años, siempre había una desagradable voz en mi cabeza que me repetía: «Simplemente no eres lo bastante buena». Si algún amigo me hubiera hablado con aquella voz horrible, habría dejado de serlo sin la menor duda.

Yo era dura conmigo misma sobre todo en lo que concierne a mi aspecto físico: era muy consciente de mi rostro ancho, mi poco pecho y mis piernas largas y desgarbadas. Creía que era fea y odiaba mi voz aguda. Estaba obsesionada con mi cuerpo.

Esa obsesión también parecía ser cosa de familia: no es dato muy conocido que mi abuelo Ernest solía pesarse a diario y fue anotando los kilos en el lado del retrete de todas las casas en las que vivió: «8 de marzo de 1945 - 84 kilos», y así sucesivamente. Los problemas de mi hermana Margaux con su cuerpo, incluida su bulimia, sí son más del dominio público, y lo más probable es que contribuyeran a su depresión y, por último, a su suicidio. No resulta difícil identificar el desastroso patrón de comportamiento: o te vuelves loca o te suicidas. A veces las dos cosas a la vez. Desde luego, el panorama familiar era desolador para una chica joven como yo.

Durante mucho tiempo, me preocupaba despertarme una mañana y haberme vuelto loca como tantos otros miembros de mi familia. Así que me convertí en una obsesa del control, sobre todo con la comida. Me pasé años pensando únicamente en qué iba a comer. Era tan bochornoso... «¡Qué perdida de tiempo!», solía decirme a mí misma. Pero era lo primero que se me pasaba por la cabeza cuando me sentía incapaz de enfrentarme al dolor más profundo del miedo a volverme loca: mi cuerpo y la comida eran cuestiones con las que resultaba mucho más fácil lidiar; o por lo menos eran más controlables.

Por supuesto que ni se me ocurrió darme a la bebida o las drogas —¡soy una Hemingway, por el amor de Dios!—, pero era increíblemente estricta con el ejercicio y con lo que me llevaba a la boca. Un efecto positivo derivado de mi intensa necesidad de control fue que me daba miedo vomitar, lo que me salvó de convertirme en bulímica. Fundamentalmente, lo que sentía era una negatividad general contra mí misma que nunca creía que fuera a desaparecer: era igual que un nubarrón negro cerniéndose sobre mi felicidad, era parte de mi vida.

Durante años subsistí a base de una estricta dieta de café solo —la dieta de aire y cafeína—, y aquello acabó por afectar a mi salud. Al final reaccioné y me puse a comer de manera más sana y a tratarme con más cariño en lo que al ejercicio respectaba, pero seguía con aquel miedo dentro. Si algo salía mal en mi vida, mi necesidad de controlarlo todo volvía a asomar su espeluznante cabeza.

Creía que si conseguía controlar mi cuerpo y el mundo que me rodeaba, esa desagradable voz interior desaparecería. Para acabar de empeorar las cosas, me juzgaba a mí misma por juzgar tanto. Tratar de librarme de mis pensamientos negativos nunca dio resultado, sólo me hacía sentir aún peor.

Entonces aprendí un método para soltar amarras y dejar atrás mis pensamientos y sentimientos llamado el Método Sedona: con sólo hacerme a mí misma unas cuantas preguntas sencillas, podía dejar de aferrarme hasta a los pensamientos y sentimientos más persistentes. De repente entendí que la mayor parte del problema estaba en el hecho de estar convencida de que mis pensamientos y sentimientos estaban irremisiblemente unidos a mí. ¡Pero no es así! Los pensamientos persisten porque me resisto y lucho con ellos, y además me agarro a los sentimientos que traen consigo. ¿Y si dejara de aferrarme, soltara amarras y punto?

¿De verdad que podía ser así de fácil?

Al principio me resistí. Me pasaba cada puñetero segundo de mi existencia pensando que debería ser mejor. No obstante, en seguida me di cuenta de que soltar amarras contribuía a aligerar la intensidad de mis pensamientos y sentimientos negativos. El simple proceso de formularme las preguntas del Método Sedona —«¿Podría soltar amarras y dejar atrás este sentimiento? ¿Lo haría? ¿Cuándo?»— parecía explotar la burbuja de tensión que sentía que me rodeaba cada vez que me enfrentaba a un problema. A medida que fui practicando, algo se relajó en mi interior. Fue una auténtica bendición dejar de luchar con mi necesidad de control y comenzar a aceptarme tal y como era. Aunque no estoy del todo segura de cómo, sé que funciona, y eso es lo que importa.

El momento en que más me gusta para poner en práctica esta herramienta de soltar amarras es cuando estoy dando una caminata por el campo. Igual que a mi padre y mi abuelo, siempre me ha encantado la naturaleza, y cuando me disgusto por algo suelo salir de casa.

Recuerdo una vez que había ocurrido algo que me había afectado mucho y me sentía fatal conmigo misma; estaba convencida de que era poco atractiva, una masa inmensa sin forma; hacía un día precioso, así que decidí marcharme a la montaña y, mientras caminaba por el sendero que comenzaba en el jardín de nuestra casa de Sun Valley, Idaho, recorrí todo el proceso de soltar amarras en voz alta. Ahí estaba yo: caminando a paso vivo por el sendero mientras hablaba sola. Gracias a Dios, no había nadie cerca, pues habría pensado que era una lunática.

Cuando volví a casa, me miré en el espejo y no podía creer que fuera la misma persona que había salido a caminar: llevaba exactamente la misma camisa y los mismos pantalones cortos y no había perdido un solo kilo, pero pensé: «Te veo muy bien. Desde luego que sí». No había cambiado nada en mi aspecto físico, lo único que había cambiado era que había soltado amarras dejando atrás los sentimientos asociados con aquel juicio sobre mí misma. Vi claramente el poder de mis sentimientos y mis pensamientos y cómo me habían estado controlando.

Pese a que aún soy bastante dura conmigo misma de vez en cuando, incluso se me ha olvidado cómo todo aquello controlaba mi vida en otro tiempo: solía reprocharme algo cada seis minutos y ahora sólo lo hago cada seis meses; he pasado de estar dolorosamente obsesionada con mi cuerpo a no preocuparme en absoluto por él; sigo cuidándome, pero es porque quiero, no porque necesite controlar mi vida.

Hoy por hoy, a los cuarenta y cinco años, ya no oigo esa voz desagradable en mi cabeza; soy amable conmigo y me hablo como lo haría un amigo. Cuando por fin me di cuenta de que mis pensamientos, mis sentimientos y esa horrible voz no estaban unidos a mí irremisiblemente, dejé de aferrarme a ellos y así encontré mi verdadera esencia, la felicidad con la que había nacido. Ahora, la mayor parte del tiempo me siento como me sentía cuando era pequeña —como si fuera flotando por la vida— y no tengo la sensación de ser juzgada, sino simplemente de ser.

Soltar el exceso de equipaje

La mayoría de nosotros nos podemos identificar hasta cierto punto con la lucha de Mariel con su baja autoestima. Para algunas personas esa lucha se materializa en el cuerpo, para otros en las relaciones personales o en su carrera. Sea cual sea la faceta de la vida en que se manifiesta, el sentimiento subyacente es el de *no ser lo bastante algo*, y eso destruye la felicidad. Cuando dejamos de luchar con nuestros pensamientos y aprendemos a no aferrarnos a ellos, entonces nos liberamos.

Igual que Mariel, yo solía pensar que mi deber era luchar con todos los pensamientos negativos que tuviera hasta derrotarlos, pero durante ese viaje a la cordillera del Himalaya del que hablé al principio del libro, por fin me di cuenta de lo que me estaba haciendo a mí misma. Mientras observaba a aquella anciana subir la montaña con mi maleta de cuarenta y cinco kilos en la cabeza, reparé en la potente metáfora que tenía ante los ojos: ¡había llegado la hora de deshacerse de todos los trastos inservibles que llevaba en lo alto de la cabeza! Eran una carga para mí y para todos los que me rodeaban. Aprender a ir más allá de mi mente y dejar de aferrarme a mis pensamientos y sentimientos ha sido una forma fácil y efectiva de deshacerme de todo ese peso muerto.

Poner el Método Sedona en práctica

El Método Sedona se basa en dos premisas fundamentales:
1. Los pensamientos y los sentimientos no son hechos y tampoco son tú.
2. Puedes dejar de aferrarte a ellos.

En lo más profundo de tu ser, ya tienes la felicidad que estás buscando, y lo único que tienes que hacer es desenterrar esa felicidad natural soltando amarras y dejando atrás la infelicidad y las limitaciones que parecen estar cubriéndola u obstruyéndola.

La tendencia a aferrarnos y pegarnos a nuestros pensamientos y sentamientos desagradables es tan fuerte que se plasma incluso en el lenguaje: cuando nos sentimos desgraciados decimos: «Soy desgraciado»; cuando nos sentimos infelices, normalmente decimos: «Soy infeliz»; reforzamos constantemente la creencia de que estamos irremisiblemente unidos a nuestros pensamientos y nuestros sentimientos. El Método Sedona te ayuda a romper ese vínculo.

El siguiente ejercicio es una introducción al Método Sedona y te mostrará cómo puedes utilizar las preguntas que Mariel ha mencionado en su historia.

Ejercicio

El proceso de soltar amarras

Ponte cómodo y céntrate en tu interior. Puedes tener los ojos abiertos o cerrados.

Paso 1: Concéntrate en una cuestión sobre la que te gustaría sentirte mejor y permite que afloren los sentimientos que tengas en este momento. No tienen que ser sentimientos muy fuertes, de hecho, si te sientes abotargado, insensible, desconectado o vacío por dentro, puedes dejar de aferrarte a esos sentimientos con la misma facilidad con que puedes hacerlo con otros más reconocibles. Limítate a recibir el sentimiento con los brazos abiertos y deja que se manifieste en la medida de lo posible.

Esta instrucción tal vez te parezca un tanto simple, pero tiene que serlo: la mayoría de nosotros vivimos en nuestros pensamientos, imágenes e historias sobre el pasado y el futuro en vez de ser concientes de cómo nos sentimos en realidad en este instante. El único momento en que verdaderamente podemos hacer algo sobre cómo nos sentimos —y ya de paso sobre nuestras ocupaciones y nuestras vidas— es AHORA.

Paso 2: Pregúntate a ti mismo: *¿Puedo dejar de aferrarme a este sentimiento?*

Esta pregunta simplemente te plantea si es posible hacerlo. Tanto «sí» como «no» son respuestas aceptables. A menudo ocurre que, incluso si dices «No», dejarás de aferrarte a ese sentimiento. Todas las preguntas utilizadas en este proceso son deliberadamente simples. No son importantes en sí mismas sino que están diseñadas para guiarte hacia la experiencia de soltar amarras.

Paso 3: Hazte esta sencilla pregunta: *¿Dejaría de aferrarme a esto?* Dicho de otra manera: *¿Estoy dispuesto a dejar de aferrarme a esto?*

Si la respuesta es «No» o si no estás seguro, pregúntate a ti mismo: «¿Preferiría tener este sentimiento o librarme de él?». Aunque la respuesta sea «No», continúa con el Paso 4.

Paso 4: Plantéate esta pregunta todavía más sencilla: *¿Cuándo?*

Esta es una invitación a soltar amarras AHORA. Podrías sorprenderte a ti mismo haciéndolo sin dificultad. Recuerda que la decisión de soltar amarras la puedes tomar en cualquier momento.

Paso 5: Repite los cuatro pasos anteriores tan a menudo como sea necesario hasta que te sientas libre de ese sentimiento en particular.

NOTA: Seguramente notarás que cada vez sueltas amarras un poco más con cada paso del proceso. Los resultados podrían ser bastante sutiles al principio pero, si perseveras, pronto se harán cada vez más visibles. Es posible que te encuentres con varias capas de sentimientos sobre un tema específico, así que ten paciencia. Sin embargo, aquello a lo que dejas de aferrarte desaparece para siempre y eso te hará sentir más ligero y más en paz.

Algunos fragmentos del ejercicio anterior se han extraído de *El Método Sedona* de Hale Dwoskin. Publicado con autorización de The Sedona Method©, www.sedona.com

Hábito de Felicidad para la Mente n.º 3
Predispón tu mente a la alegría

¡Qué vida tan maravillosa he tenido!
Sólo desearía haberme dado cuenta antes.
COLETTE, novelista francesa del siglo XX.

Una noche, un anciano cherokee le habló a su nieto de la batalla que se libra en el interior de todo ser humano: «Hijo mío, es una pelea entre los dos lobos que viven dentro de cada uno de nosotros. Uno es la Infelicidad: el miedo, la preocupación, la ira, la envidia, la pena, la autocompasión, el resentimiento y el complejo de inferioridad. El otro es la Felicidad: el gozo, el amor, la esperanza, la serenidad, la amabilidad, la generosidad, la verdad y la compasión».

El muchacho meditó sobre lo que acababa de oír durante un rato y luego le preguntó a su abuelo:

—¿Y qué lobo gana al final?

El anciano cherokee simplemente le respondió:

—El que te dediques a alimentar.

Debido a nuestra tendencia innata a registrar los pensamientos, sentimientos y experiencias negativos más profundamente que los positivos, a menudo alimentamos al lobo que no debemos. Cuando tu cerebro se comporta como el teflón con lo positivo, la felicidad «resbala y se pierde». Para ser más feliz, hace falta que iguales un poco el marcador, y eso puedes hacerlo Predisponiendo tu Mente a la Alegría.

Al primero al que le oí usar esa expresión fue a James Baraz cuando asistí a su fabuloso curso Awakening Joy («Despertar la alegría»), un programa experimental de diez meses cuyo objetivo es desarrollar la capacidad personal natural para el bienestar y la felicidad. En la primera clase, James comenzó contándonos que el curso trataba de predisponer la mente a la alegría y sugirió que fuéramos cambiando el enfoque gradualmente para concentrar nuestra atención y energía en los pensamientos que nos sirviesen para algo.

Predisponer la mente a la alegría es algo así como trabajar para hacer más rugoso el teflón y conseguir así que las experiencias positivas se peguen más que las negativas. Cuando comencé a predisponer mi mente a la alegría de manera consciente, empecé a sentirme más feliz de inmediato, por el mero hecho de prestar más atención a los ejemplos —grandes y pequeños— de felicidad en los que hasta entonces no me había fijado. A medida que continué haciéndolo, con el tiempo mi felicidad aumentó de manera exponencial porque, como ya sabemos por la Ley de la Atracción, cuando caes en la cuenta de la felicidad que ya hay en tu vida y la aprecias, eso atrae más felicidad.

He llegado a la conclusión de que un área en la que es difícil predisponer nuestra mente a la alegría es la de la valía personal. Los estudios indican que dos de cada tres adultos estadounidenses tienen la autoestima baja. Mi amiga Lenora Boyle es una *coach* transformacional de vida y profesora del método Option Method, un poderoso proceso que ayuda a eliminar las creencias negativas. Tras haber trabajado con miles de hombres y mujeres, Lenora dice que la creencia restrictiva más extendida es: «No soy lo bastante bueno». Como consecuencia de mi experiencia de años impartiendo seminarios sobre autoestima, yo también he comprobado que la presencia de un crítico interior tan implacable limita nuestra experiencia de la felicidad.

Lisa Nichols, una dinámica oradora motivacional y participante como yo en *El Secreto*, luchó durante años con esos sentimientos de no ser lo bastante buena. A pesar de que hoy es una de Los 100 Felices, tuvo que trabajar mucho para superar las barreras que la separaban de la felicidad. Su historia nos muestra cómo predisponer la mente a la alegría la ayudó a superar los pensamientos automáticos negativos que poblaban su mente.

La historia de Lisa
La mujer en el espejo

Durante muchos años, fui infeliz porque sentía que las cartas que me habían tocado en la vida no eran precisamente una mano ganadora: la piel color café, los labios carnosos y las caderas redondeadas no eran precisamente el ideal de belleza que veía en la televisión y las películas. Y además, reunía los requisitos para recibir ayuda económica de Servicios Sociales y, por si fuera poco, vivía en la parte centro-sur de Los Ángeles, un barrio pobre con altos índices de criminalidad.

Me despertaba triste todas las mañanas, quería cosas que no podía tener, cosas imposibles. Quería parecerme a Farrah Fawcett de *Los ángeles de Charlie*. Imposible. Quería vivir en Beverly Hills. Imposible otra vez. Para compensar, me convertí en la típica persona que tenía que ser buena en todo: era capitana del equipo de atletismo, jefa de animadoras, redactora jefe del anuario del instituto, y era miembro del consejo de estudiantes. Pero no era suficiente. Las cosas que no me gustaban superaban con creces a lo bueno; por lo menos en mi cabeza.

Durante décadas, debido a que todos mis pensamientos se centraban en lo que no me gustaba de mí misma, tomé muchas decisiones equivocadas. Por ejemplo, a veces me atraían los hombres equivocados y, después de unas cuantas citas, yo acababa sintiéndome todavía más vacía.

No fue hasta que tuve treinta y pocos años cuando dejé de buscar el amor y la aceptación en otras personas. Un día una amiga me dijo que a veces la intimidad podía ser cuestión de «mirar en mi interior». ¡Vaya, eso sí que me hizo despertar! ¿Podría encontrar el amor mirando dentro de mí?

Comencé por ponerme delante del espejo, mirándome a los ojos y preguntándome: «¿Quién es Lisa?». Las respuestas eran sencillas y honestas: una mujer con labios carnosos, caderas redondeadas, piel de color café y pelo afro; una mujer que ha batallado con su peso durante años; una mujer que ha salido de una relación abusiva; una mujer que va en busca su espiritualidad y tenía una relación con Dios.

Había muchas cosas positivas en esa mujer. Me miré a los ojos y dije frases como: «Estoy orgullosa de que...» y hablé sobre las cosas que había hecho; hice una lista de las cosas que había puesto en mi currículum y las que nunca me habría atrevido a incluir: estoy orgullosa de que hayas sido capaz de irte a vivir lejos de tu familia para empezar tu propio negocio; estoy orgullosa de que hayas salido de esa relación abusiva; estoy orgullosa de que hayas reconocido que tienes que vigilar tu peso; estoy orgullosa de que nunca —jamás— hayas dicho una sola cosa mala sobre el padre de tu hijo; estoy orgullosa de lo que haces para ayudar a los adolescentes. ¡Centrar mi atención en aquellas cosas me hizo sentir maravillosamente!

Me quedé de pie frente al espejo y comencé a reconocer, amar y celebrar quién era yo. Empecé a celebrar las cosas grandes y las pequeñas, hasta las más diminutas. «Estoy orgullosa de que hayas hecho diez flexiones esta mañana.» Celebré todo, tanto si era algo inmenso como si se trataba de un detalle nimio. Las lágrimas me rodaban por las mejillas, pero continué: «Estoy orgullosa de que...» hasta que ya no supe qué más decir.

Me había mirado al espejo muchas veces antes de hacer ese ejercicio, por supuesto. Había estudiado mi cara, suspirando al contemplar los granitos que tenía en la frente y detestando el hecho de que mis labios fueran tan grandes y lo encrespado que tenía el cabello. Había mirado el exterior, lo que sentía que juzgaba la gente, y lo que yo también había estado juzgando.

Seguía viendo la misma imagen cuando terminé, pero entonces los ojos que miraban a los míos desde el espejo eran diferentes: eran ojos que buscaban la belleza y la bondad de mi verdadero yo y la habían encontrado. A lo largo de los años, tomarme el tiempo de saborear las cosas de mí misma que me hacen sentir bien me ha hecho más fuerte y capaz de amar más a otros.

Todavía hago el ejercicio del espejo todas las noches y me sorprende la cantidad de amor y compasión que siento por la mujer cuya imagen veo reflejada. A veces, cuando estoy de viaje, hasta uso el espejito que llevo en el bolso para hacer el ejercicio. Seguramente corre el rumor por todo el país de que soy un poco rara, pero no pasa nada: merece la pena si a cambio se consigue ser feliz.

Hace poco me ocurrió algo que me enseñó lo importante que es esta habilidad realmente: unos meses atrás me compré un coche nuevo; al día siguiente, iba conduciendo por la autopista, llena de emoción por estar estrenando mi nuevo juguete, y cuando me desvié en una salida el coche fue perdiendo potencia y al final el motor empezó a emitir un gutural: prff-prff-prff-prff.

«¡Ay, Dios —pensé—, pero ¿qué le pasa a mi flamante coche nuevo?».

Prff-prff-prff-prff, volvió a quejarse el coche y luego se paró del todo.

¡Me puse lívida! Salí del coche encaramada en mis sandalias de tacón y con las gafas de sol a la moda puestas y caminé por la rampa de salida hasta la estación de servicio que había al final de ésta; entré y fui directa hacia el dependiente:

—Se me ha averiado el coche, ¿podría venir a ver qué es lo que le pasa?

El hombre volvió al coche conmigo, puso la llave en el contacto y la giró; luego me dedicó una mirada desdeñosa y procedió a informarme:

—Señora, no se le ha averiado el coche, se ha quedado sin gasolina.

Casi me caigo redonda allí mismo; inmediatamente saqué el móvil y llamé al concesionario donde me lo habían vendido:

—Ayer mismo les compré un coche, les pagué un montón de dinero, y me acabo de quedar sin gasolina.

Tras dudar un instante, el vendedor me contestó:

—Señora, nuestro trabajo no es llenar los depósitos.

Su respuesta me cambió la vida; tenía razón, fue un momento de esos en que se tiene una revelación: caí en la cuenta de que no era la responsabilidad de nadie llenarme a mí el depósito, ¡ni el del coche ni el de la vida!

Hoy por hoy, prestar atención a lo que me gusta de mí misma me ayuda a llenar mi propio «depósito de amor»; al final los años de mandarme amor a través del espejo me han salido muy rentables, pues no sólo quiero a Lisa, sino que de verdad, de verdad, que también me gusta. Sé que mi trabajo no es echarle la bronca a Lisa y tampoco es ser infeliz sobre cómo son las cosas, sino quererme a mí misma a lo largo del camino.

El ejercicio del espejo

¿La idea de ponerte delante de un espejo a elogiar tus cualidades te parece una estupidez y además te resulta incómoda? A mí sí que me lo pareció, señal de que realmente necesitaba hacer la prueba.

Mi colaboradora Carol y yo oímos hablar del ejercicio del espejo por primera vez en 1990, cuando asistimos a un curso de una semana sobre autoestima impartido por Jack Canfield. Jack nos puso el ejercicio de deberes para que lo practicáramos todas las noches y añadió: «Aseguraos de que hacéis el ejercicio con la puerta cerrada para que no os vea nadie y piense que estáis locas». Carol y yo compartíamos la habitación, así que todas las noches nos turnábamos para meternos en el baño, cerrar la puerta y susurrar dulces palabras a nuestras respectivas imágenes reflejadas en el espejo: «Te quiero», «Eres guapa», «Tienes muy buen corazón»…

La primera noche me sentí como una *hippy* californiana chalada, pero al poco rato empecé a sentir una oleada de tristeza: yo era una experta en juzgarme a mí misma, así que, ¿por qué me resultaba tan difícil decirme cosas agradables?

Con práctica, poco a poco me fue resultando más fácil hacer una lista de las razones que tenía para quererme: «Eres inteligente», «Te esfuerzas por ayudar a los demás», etc. Pero el verdadero impacto de este ejercicio se produjo cuando aprendí a expresar reconocimiento hacia mí misma sin razón específica, cuando aprendí a mirarme a los ojos y simplemente quererme por quién era, sin condiciones.

Si te pasa igual que a la mayoría de las personas, reconocer de manera consciente las cosas buenas que tienes te puede parecer algo presuntuoso pues, a fin de cuentas, nos han educado para no echarnos flores a nosotros mismos. Tan es así, que acabamos no reconociéndonos los propios méritos ni valorándonos o —peor incluso— nos reprochamos cosas constantemente, lo que provoca que nuestros corazones se cierren a cal y canto, contrae nuestra energía y —sí, lo has adivinado— disminuye el nivel básico de felicidad. No es sorprendente que la gente que es Feliz porque sí tenga una actitud compasiva, alentadora y de reconocimiento hacia sí misma: no es arrogancia ni afán de protagonismo, se trata de apreciar y aceptar quiénes son. Sentirte así sobre ti mismo es un paso importante para elevar tu nivel básico de felicidad.

Registra lo positivo

Para predisponer tu mente a la alegría, empieza por registrar las experiencias positivas a un nivel más profundo. El primer paso es tomar la decisión consciente de buscar esas experiencias; puedes convertirlo en un juego contigo mismo; haz propósito de reparar en todo lo bueno que te ocurra: cualquier pensamiento positivo que tengas, cualquier cosa que veas, sientas, saborees, oigas o huelas que te agrade, toda experiencia que te resulte atractiva, todo avance significativo en tu comprensión de alguna cuestión, las expresiones de tu creatividad… La lista sigue y sigue… Esa intención pone en marcha el sistema de activación reticular (SAR), un grupo de células situadas en la base del bulbo raquídeo que son las responsables de gestionar la enorme cantidad de información entrante y atraer tu atención hacia lo esencial. ¿Te ha pasado alguna vez que te has comprado un coche y luego de repente has empezado a verlo por todas partes? Un claro ejemplo del SAR en acción. Ahora puedes usarlo para ser más feliz. Cuando decides buscar lo positivo, el SAR se asegura de que lo veas.

Adelle, otra representante de Los 100 Felices, me habló de un método extraordinario que tenía para registrar lo positivo: mientras anda de acá para allá todo el día haciendo cosas, va dando premios mentalmente: el premio al perro mejor educado, el premio al diseño de carteles con colores más vivos de la ventanilla de autoservicio del McDonald's, el premio al conductor más amable... Eso hace que se fije en la belleza y las cosas positivas que la rodean. La idea me encantó y la probé. Me gustó tanto que decidí incluirla como ejercicio al final de esta sección.

Cuando notes algo positivo, detente un momento a saborearlo de manera consciente. Incorpora la experiencia positiva a nivel profundo y siéntela, haz algo más que una mera observación mental; si es posible, pasa unos treinta segundos empapándote de la felicidad que sientes. Si quieres acelerar el proceso, busca un rato todos los días para escribir unas cuantas de las victorias, avances y acontecimientos que aprecias en los demás y en ti mismo. Eso hará que el equilibrio de poderes en el interior de tu cabeza cambie y escorará la ratio velcro/teflón hacia la felicidad.

En el transcurso de mi entrevista con uno de Los 100 Felices, Paul Scheele, experto en desarrollo humano y autor de *Talento Natural*, éste me explicó que registrar lo positivo a nivel más profundo resulta más fácil cuando involucras al inconsciente, que es el responsable del 90 % de nuestros pensamientos. Todos los días, nos enfrentamos a un verdadero alud de imágenes y mensajes negativos que entran en nuestra mente de forma inconsciente. Una forma efectiva de contrarrestar esos insidiosos pensamientos negativos es a través del uso de las grabaciones Paraliminal, que trabajan a nivel de la conciencia inconsciente utilizando múltiples voces junto con música y tecnología cerebral científicamente probada. Estos programas, que puedes escuchar cómodamente con auriculares, están cuidadosamente diseñados para trabajar simultáneamente en ambos hemisferios cerebrales e incidir sobre las creencias conscientes mientras estás simplemente escuchando relajadamente. Para mí, las grabaciones Paraliminal han resultado ser una forma increíblemente fácil de predisponer mi mente a la alegría.

Apóyate en el pensamiento que te haga sentir más feliz

El concepto de predisponer tu mente a la alegría es muy parecido a lo que el doctor Martin Seligman, considerado el padre de la psicología positiva, llama «optimismo aprendido». En su libro *Optimismo aprendido*, el doctor Seligman, director del Centro de Psicología Positiva de la Universidad de Pensilvania, menciona un gran número de estudios para justificar su tesis de que, con práctica, es posible aprender a ser más optimista.

Una de las maneras más efectivas que yo he encontrado de poner en práctica el predisponer la mente a la alegría es *apoyarse en el pensamiento que te haga sentir más feliz*. La próxima vez que te enfrentes a una situación complicada que te provoque pensamientos negativos y sentimientos desagradables, busca un pensamiento igualmente cierto sobre la situación que te haga sentir mejor y apóyate en él. La medida clásica del optimismo —ver el vaso medio lleno en vez de medio vacío— es un ejemplo perfecto de apoyarse en un pensamiento igualmente cierto, pero más positivo.

Aquí hay otro ejemplo sacado de una situación en mi propia vida por la que seguramente tú también has pasado: un día, mientras me inclinaba sobre la pantalla de mi ordenador tratando de poner en orden mis ideas y darles cierta coherencia, de repente se me pasó por la cabeza el proverbial pensamiento negativo y paralizador: «no vas a ser capaz de acabar este proyecto a tiempo».

Me fijé en cómo me hacía sentir aquel pensamiento: estresada, presa del pánico y desanimada, lo cual no ayudaba precisamente.

Entonces busqué en mi mente pensamientos que fueran *igualmente ciertos* pero que me hicieran sentir mejor, como por ejemplo: «Siempre consigo acabar las cosas a tiempo», «Puedo pedir ayuda», «Cuanto más relajada estoy, más ideas se me ocurren»… En vez de contraer mi cuerpo, esos pensamientos me hicieron sentir relajada y en expansión.

Por favor, entiéndase bien que no estoy hablando de que te obligues a pensar en positivo o a repetirte una y otra vez una frase del estilo «Puedo acabar a tiempo, puedo acabar a tiempo, puedo acabar a tiempo» mientras todavía sigues sintiendo que no puedes; eso supondría un cierto grado de lucha con tus pensamientos negativos, sería como una pelea a gritos en tu cerebro. ¿Quién ganaría, el «puedo» o el «no puedo»? Evidentemente el que chillara más fuerte.

En contraposición a eso, cuando te apoyas en un pensamiento más positivo no estás tratando de convencerte de nada, te limitas a cambiar el centro de atención de un aspecto de la situación que te hace sentir mal a otro aspecto verdadero de la misma, pero que te provoca un sentimiento más positivo.

Como ya apuntaba el abuelo cherokee, el lobo que gana es el que te dediques a alimentar.

Adquiere el hábito de alimentar la felicidad.

Ejercicio

Los Premios Diarios de la Felicidad

1. A lo largo del día, mira a tu alrededor con la intención de conceder premios.
2. Sé creativo. Por ejemplo, si estás mirando unas flores, fíjate en la que podría llevarse el «premio a la que tiene un color más original», o encuentra la que lo haya tenido más difícil para no secarse y otórgale el «premio a la mejor flor del día». Permanece atento a las sonrisas luminosas, el trato amable o las soluciones ingeniosas en medio de los retos diarios. No hay límite alguno para el tipo o número de premios que puedes conceder cada día.
3. Invita a otros miembros de tu familia o a tus amigos a participar en el juego de los premios y, al final del día, contaos los unos a los otros los premios que habéis repartido.

RESUMEN Y PASOS EFECTIVOS HACIA LA FELICIDAD

¡Gracias a Dios, no tenemos que creernos todo lo que pensamos! Refuerzas el pilar de la mente cuando piensas en formas de dar apoyo a tu felicidad: cuestionando tus pensamientos, yendo más allá de tu mente y soltando amarras, y predisponiendo tu mente a la alegría. Utiliza los siguientes pasos efectivos para poner en práctica los Hábitos de Felicidad para la Mente:

Cuando te sorprendas a ti mismo teniendo pensamientos negativos, comprueba si son ciertos utilizando El Trabajo.

Para liberarte de pensamientos negativos muy persistentes, practica el Ejercicio de Soltar Amarras.

Para registrar las cosas positivas sobre ti mismo, prueba a hacer el Ejercicio del Espejo una vez al día durante por lo menos una semana, a ser posible durante veinte días.

Concede premios de felicidad a lo largo del día para mantener tu mente predispuesta a la alegría.

Practica el apoyarte en el pensamiento que te haga sentir más feliz.

El Pilar del Corazón:
déjate llevar por el amor

Preferiría tener ojos que no ven, oídos que no oyen,
labios que no hablan, en vez de un corazón que no ama.

ROBERT TIZON, escritor.

Intenta un pequeño experimento conmigo. Señálate con el dedo. Ahora fíjate adónde estás apuntando: si eres como los otros miles de personas a los que les he pedido que hagan lo mismo, estás señalando tu corazón. Nadie apunta hacia la cabeza, el estómago o la rodilla. ¿Por qué? Porque, de manera instintiva, sentimos que el corazón es la esencia de quién somos.

Imagina que miras fijamente a los ojos a alguien especial y pronuncias las palabras «Te amo con toda mi cabeza»: simplemente no suena igual de bien, ¿a que no?

A lo largo de la historia, la gente de todas las culturas ha considerado el corazón, la sede de las emociones, como un elemento central de la felicidad y la sabiduría humanas. En muchas tradiciones, se habla del corazón como el diamante, la joya, el loto, todos ellos símbolos de la más profunda y valiosa esencia de nuestro ser.

> *En el centro de nuestro propio cuerpo hay un pequeño santuario en forma de flor de loto,*
>
> *y dentro se encuentra un pequeño espacio.*
>
> *Los cielos y la tierra están allí; el sol, la luna y las estrellas, el fuego, el rayo y el viento; el universo entero habita en el corazón.*
>
> Adaptación de los Upanishads

Nuestros corazones son el lugar de donde procede el «jugo» de nuestras vidas, y cuando ese jugo fluye, nos sentimos muy bien; cuando por el contrario no lo hace, somos desgraciados.

Todo esto lo sé perfectamente por experiencia propia. Durante muchos años, conviví con un intenso, lacerante y a menudo insoportable dolor intermitente en el corazón: comenzó hace más de veinte años, justo después de que terminara la relación que mantenía con el hombre del que estaba enamorada; pese a que no tenía planes de casarme con él, me derrumbé cuando empezó a salir con una amiga mía; me imaginé que el dolor de mi corazón se pasaría con el tiempo, o por lo menos cuando conociera a otra persona, pero no se iba. A veces, ese dolor físico era tan intenso que sentía que no iba a ser capaz de volver a tomar aire; en otras ocasiones me preocupaba ir a tener un ataque al corazón. Consulté a muchos especialistas, pero ninguno encontraba una razón física que explicara el dolor. Sentía el corazón oprimido, tanto física como emocionalmente. Sólo cuando comencé a practicar los Hábitos de Felicidad para el Corazón que vas a aprender en este capítulo empezó a remitir el dolor.

Mis entrevistas con Los 100 Felices revelaron una fascinante verdad: *la gente feliz se deja llevar por el corazón.* Pese a que sufren los mismos miedos, sufrimientos y decepciones que el resto, ellos simplemente tienen hábitos distintos que les permiten mantener el corazón abierto en el día a día. Cuando pongas en práctica estos hábitos, notarás que tu corazón se abre y se llena más de amor, uno de los pilares de la Casa de la Felicidad.

El corazón tiene un campo de energía

Piensa en un momento feliz de tu infancia: una salida especial de toda la familia, un día en que lo pasaste muy bien con tu mejor amigo, o tal vez el primer perro o gato que tuviste. ¿Cómo te hacen sentir esos recuerdos? Lo más probable es que sientas una corriente cálida y dulce en el corazón: ésa es la energía del corazón.

Cuando era niña, mi abuelo, Poppa, a quien yo adoraba, solía pasar el fin de semana en casa: llegaba los viernes con una bolsa de bizcochitos de chocolate en la mano y, en cuanto lo veía subir el primer peldaño de las escaleras del porche, prácticamente me ponía a temblar de alegría y excitación; podía sentir la energía de su corazón desbordándose para unirse a la energía del mío. Me faltaba tiempo para ir a acurrucarme en su regazo y oír más de sus fabulosas historias sobre el terremoto de 1906, sus años de jugador de béisbol semiprofesional y otras muchas aventuras. A los ocho años, ya me parecía obvio que el corazón tiene una energía que se extiende más allá del cuerpo.

Ahora la ciencia ya ha confirmado esa experiencia de mi infancia: el corazón, en efecto, posee un poderoso campo de energía. El Institute of HeartMath, un grupo de investigación muy reconocido cuyo trabajado ha sido verificado por investigaciones realizadas en la Universidad de Stanford y el Miami Heart Research Institute entre otros, ha descubierto que el corazón genera un campo electromagnético a nuestro alrededor que mide varios metros de diámetro y es cinco mil veces más grande que el campo generado por el cerebro.

Una forma de medir la actividad del corazón que refleja tu estado emocional es la variabilidad del ritmo cardiaco (VRC), que muestra las variaciones en los intervalos entre latidos. En estudios en los que se ha medido la VRC utilizando equipos para electrocardiogramas, el doctor Rollin McCraty y otros investigadores de HeartMath descubrieron que los patrones de ritmo cardíaco son diferentes dependiendo de si el sujeto está feliz, frustrado, enfadado o triste. Observa la diferencia en los patrones de ritmo cardíaco recogidos en los siguientes gráficos:

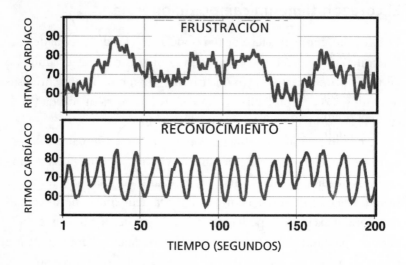

Las emociones negativas provocan patrones erráticos llamados *incoherencias* del ritmo cardíaco. Cuando estás enfadado, frustrado o triste, segregas hormonas del estrés y colesterol, tu corazón empieza a latir más deprisa y sube la presión arterial. En contraste con todo lo anterior, cuando te sientes agradecido, lleno de amor y equilibrado emocionalmente, generas un ritmo cardíaco *coherente*, es decir, regular, con patrones equilibrados.

Según estudios publicados por el Institute of HeartMath, la coherencia del ritmo cardíaco incrementa la producción de hormonas beneficiosas como la hormona antienvejecimiento DHEA, se normaliza la presión arterial, mejora la función cognitiva y se refuerza el sistema inmunológico. Un famoso estudio de la Universidad de Kentucky analizó los diarios que habían ido escribiendo 180 monjas desde que tenían 20 años y descubrieron que las hermanas que expresaban emociones más positivas habían vivido, de media, siete años más que las que expresaban emociones más negativas. Las emociones positivas no sólo producen una sensación agradable, sino que son sanas.

Amor y miedo

Todas nuestras emociones pueden dividirse en dos grandes categorías básicas: Amor y Miedo. Todas las variaciones del amor, tales como la gratitud, el perdón, la compasión y el reconocimiento, expanden el corazón y contribuyen a la coherencia del ritmo cardíaco; por su parte todas las emociones que son variantes del miedo, como por ejemplo la ira, la tristeza, el dolor y la culpabilidad, contraen el corazón y provocan incoherencia en el ritmo cardíaco. A cada momento, el amor o el miedo gobiernan tu vida y eso resultará en felicidad o infelicidad.

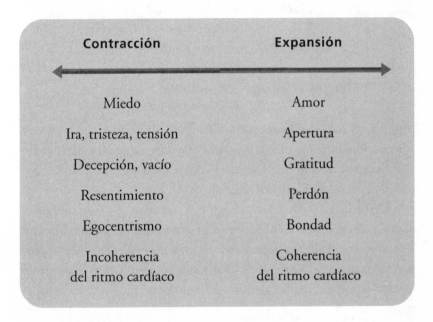

Contracción	Expansión
Miedo	Amor
Ira, tristeza, tensión	Apertura
Decepción, vacío	Gratitud
Resentimiento	Perdón
Egocentrismo	Bondad
Incoherencia del ritmo cardíaco	Coherencia del ritmo cardíaco

Los investigadores del HeathMath han observado que, cuando la gente se concentra en emociones como el reconocimiento, el amor y la gratitud, son capaces de crear patrones más coherentes de ritmo cardíaco *a voluntad*. Eso significa que tú puedes acelerar la expansión de tu corazón en cualquier momento con tan sólo desearlo. Más adelante, te voy a enseñar cómo se hace utilizando las técnicas que he aprendido del Institute of HeartMath.

Hábitos de Felicidad para el Corazón

1. Céntrate en la gratitud
2. Practica el perdón
3. Reparte bondad

Hábito de Felicidad para el Corazón n.º 1
Céntrate en la gratitud

Si la única oración que dijeras en toda tu vida fuera
«Gracias», con eso bastaría.
MEISTER ECKHART, teólogo aleman del siglo XIII.

¿Alguna vez has sentido el corazón henchido de gratitud? ¿Alguna vez has querido abrir los brazos y gritar: «¡Gracias, gracias, gracias!»? En ese caso ya sabes a lo que me refiero cuando digo que la gratitud expande el corazón de manera natural.

Desde luego es fácil dar las cosas por sentadas. ¿Cuánto tiempo al día te pasas realmente enfocado en la gratitud en comparación con el tiempo que dedicas a pensar en los problemas que tienes? Nos comportamos como si la gratitud y el reconocimiento fueran la vajilla de los domingos y el mantel de hilo que sólo se usan en ocasiones especiales.

La gente que es Feliz porque sí no tiene necesariamente más motivos que los demás para sentirse agradecida, es sólo que ellos se centran en la gratitud a lo largo del día: lo que los diferencia es dónde eligen centrar su atención.

La siguiente historia de uno de Los 100 Felices, Rico Provasoli, un escritor y quiropráctico con la energía de diez personas juntas, ilustra el poder de centrase en la gratitud.

La historia de Rico
Gracias por todo

Imagina que estás sentado en una habitación completamente a oscuras excepto por la luz de una vela que está a punto de consumirse. Estás contemplando los últimos estertores de la llama y la mecha que chisporrotea, parece apagarse y luego vuelve a lucir: un destello de tenue luz en medio de las sombras que te rodean. Sabes que sólo es cuestión de minutos que se apague completamente.

Hace unos cuantos años, mi vida era como esa llama: un poco más de tiempo o la más leve brisa y se habría apagado; así de cerca estuve.

Cuando era joven, simplemente no sabía qué quería hacer con mi vida. En la universidad, pese a que mis compañeros de clase constituían la futura élite de empresarios, políticos e incluso jueces del Tribunal Supremo, yo no compartía esas ambiciones. El tercer año de carrera lo hice en Francia y di con un monasterio trapense donde acabé pasándome casi un año viviendo como un monje. Pese a que aquella experiencia me entusiasmó, pronto me di cuenta de que no estaba hecho para la vida monástica. Me marché y comencé a viajar por el mundo, navegando por los siete mares y visitando más de 55 países.

Al cabo de unos años de aventuras acabé de vuelta en Estados Unidos, me casé, tuve hijos, me hice quiropráctico y monté una clínica en la costa de Maine. Mi vida era muy agradable pero no era feliz: sentía una desazón interior que dominaba mi corazón y mi mente. Hasta donde podía recordar, siempre me había sentido así: más consciente de lo que me faltaba en la vida que agradecido por lo que iba bien. Tras un periodo de intensa búsqueda interior, mi mujer y yo decidimos divorciarnos. Me aseguré de que a mi ex mujer y mis hijos no les faltara nada, vendí la consulta y empecé a viajar de nuevo.

Y entonces, en el transcurso de unos cuantos meses del año 1991, mi salud comenzó a resentirse y empecé a encontrarme mal todo el tiempo: ya había estado enfermo antes, pero nada parecido a aquello. La lista de síntomas seguía creciendo y nadie era capaz de descubrir la causa; un amigo mío contrató a un exorcista para intentar curarme —velas, rezos, el paquete completo...— pero no dio el menor resultado. Realmente estaba muy mal, y así siguieron las cosas durante diez años hasta que por fin toqué fondo en 2001.

El día de Nochebuena recibí la llamada de un eminente endocrinólogo cuya consulta había visitado recientemente: habían encontrado un tumor en la glándula pituitaria anterior y tenían que operar inmediatamente. «¡Ah, y feliz Navidad!», añadió el doctor antes de colgar.

Me quedé destrozado: que tengan que abrirte para quitar un tumor nunca es buena noticia, ni en Nochebuena ni ningún otro día. Tras pasar un día de Navidad horrible, fui al médico para hablar de los detalles de la intervención: nada más verme, me dijo que el diagnóstico del tumor en la pituitaria había sido un error, luego me miró a los ojos y añadió: «¿Sabe qué? En realidad no le pasa nada, está todo en su cabeza. Es usted hipocondríaco».

Esa ya fue la gota que colmó el vaso: además de todo lo que sufría, ¿ahora venía aquel médico a decirme que me lo estaba provocando yo mismo? El doctor me recetó unos antidepresivos pero me resistí a tomarlos. Al final, seis meses más tarde estaba tan desesperado por volver a sentirme yo mismo que accedí a probar con las pastillas. A los tres días de haber empezado con la medicación, comencé a sentirme todavía peor y, en un estado de total desesperación, me puse a planear mi muerte.

Mi cuñada, que es psicoterapeuta, luego me explicó que el antidepresivo que me habían recetado puede provocar tendencias suicidas como efecto secundario durante las primeras dos semanas de tratamiento, pero en aquel momento yo lo único que sabía era que no quería seguir viviendo así; que no podía seguir viviendo así. No quería que mi familia cargara con la vergüenza y el estigma del suicidio, así que ideé un plan para tomar un ferri a la ciudad y simplemente cruzarme en el camino de algún autobús: sería una salida limpia, simplemente una de esas cosas terribles que pasan.

Me senté a la mesa de la cocina mientras meditaba sobre mi plan. Me había hecho a la idea, había asumido que era la solución más sensata; no fue una decisión apasionada y cargada de emoción sino bien pensada y razonada. «Bueno, pues ha llegado el final. He vivido plenamente. Ya no quiero más, yo me retiro», me dije a mí mismo; y sentí cierta paz interior.

Y luego llegó el correo.

Era el día del Padre y entre el montón de cartas había un sobre de mi ex mujer, la madre de mis hijos; lo abrí y encontré dentro una tarjeta preciosa que ella misma había hecho para mí; dentro había escrito un mensaje que puso mi mundo patas arriba: me decía que todavía sentía un profundo amor por mí y que verdaderamente se alegraba de que fuera el padre de sus hijos, que pese a los retos a los que habíamos tenido que enfrentarnos, ella había crecido mucho a mi lado y que me deseaba toda la salud, la suerte y la felicidad del mundo.

Me quedé estupefacto. Pensé: «¡Vaya! Un momento... ¿Y yo estoy pensando en quitarme la vida?». Fue como un tiempo muerto de magnitud cósmica: me di cuenta de que había estado empeñado en centrarme en lo que no iba bien en mi vida en vez de estar agradecido por lo que sí marchaba; y ahora aquella fenomenal muestra de afecto y gratitud de mi ex mujer me había hecho detenerme en seco; su cariñoso y sincero reconocimiento reanimaron mi corazón y me abrieron los ojos a todo lo bueno que había en mi vida. Abandoné mis planes de suicidio y, por primera vez en años, experimenté la felicidad.

Esas sensaciones nuevas de gratitud me impulsaron igual que una ola y mi vida comenzó a dar un giro: en las siguientes veinticuatro horas conocí a una persona que me recomendó a un especialista en enfermedades tropicales quien, con sólo echarme un vistazo, supo inmediatamente qué me pasaba. Los análisis indicaban que estaba infectado con siete tipos distintos de parásitos, amebas y duelas, todos ellos huéspedes desagradables que había ido recogiendo por el camino durante mis viajes en el extranjero. Seguí un tratamiento antiparasitario y, para mi gran alivio, me curé. Por fin volvía a sentirme yo mismo. ¡De hecho, me sentía mejor de lo que había estado en mi vieja piel! La diferencia la marcaban los nuevos sentimientos de reconocimiento y gratitud por mi vida. Estaba decidido a mantenerlos y al poco tiempo encontré dos poderosas herramientas que podían ayudarme a conseguirlo.

La primera es un ejercicio diario de risa: simplemente paso diez minutos riéndome todos los días. Tomarse tiempo para sencillamente sentarse a reír puede sonar un poco raro, pero mis sesiones de risa me han transformado: además de los beneficios derivados de las endorfinas adicionales, noto que me limpia emocionalmente y mantiene alto mi nivel de felicidad. No me salto el ejercicio ni un solo día.

Poco después de empezar con mis ejercicios de risa, recibí un fax anónimo con un mantra de un maestro zen: «Gracias por todo. No tengo la menor queja» Decidí incorporar esa expresión de gratitud universal a mi rutina como una renovación diaria de gratitud y gozo.

Esa frase se ha convertido en una verdadera ancla para mí: pase lo que pase, siento que no tengo nada que reprocharle a la vida.

Hace unos años, mi sentido de gratitud tuvo que enfrentarse a una difícil prueba cuando recibí una llamada informándome de que había sido víctima de un desfalco y había perdido todos mis ahorros. No me quedaba nada y tendría que cambiar radicalmente mi estilo de vida. Colgué el teléfono y me puse de pie un momento, tratando de digerir las implicaciones de la noticia. Mi primera reacción fue: «¡Bueno, tampoco es para tanto!», pues los años de salud precaria y mis coqueteos con la idea del suicidio me habían dado otra perspectiva y, en un contexto más amplio, aquello no era tan importante.

Durante los tiempo en que navegaba por el mundo, había aprendido que si surgen problemas lo que hay que hacer es seguir moviéndose —las emergencias requieren acción inmediata—, así que me puse a hacer llamadas: cancelé el contrato de arrendamiento de mi casa, me organicé para mudarme con un amigo, pedí dinero prestado para ir tirando hasta que me diera tiempo a pensar un plan B...

Al cabo de una hora de haberme puesto manos a la obra, por fin tuve tiempo para meditar sobre la situación. Sonreí para mis adentros cuando las familiares palabras surgieron en mi interior: «Gracias por todo. No tengo la menor queja». Sorprendentemente, era cierto. Por supuesto que hubiera preferido que las cosas fueran de otra manera, pero estaba en paz con cómo habían resultado. Entonces me senté y comencé con mis ejercicios de risa.

Ahora, al cabo de los años y pese a los muchos altos y bajos, ¡sigo riéndome! Un corazón agradecido ha marcado la diferencia para mí.

Por qué la gratitud funciona

¿Cómo es posible que algo tan sencillo como la gratitud pueda ser una herramienta tan poderosa a la hora de generar más felicidad en nuestras vidas? La respuesta nos remite a la Ley de la Atracción. Recuerda el tercer principio de los Tres Inspiradores: aquello que aprecias, se aprecia. Si quieres más cosas buenas en tu vida, centra tu atención en lo que ya es bueno, lo que funciona. Eso atraerá más cosas buenas automáticamente.

No estoy sugiriendo que uses la gratitud para negar, ignorar, suprimir o endulzar los sentimientos dolorosos, sino que la gratitud es el camino para predisponer tu *corazón* a la alegría. Todos tenemos retos y bendiciones en nuestras vidas, pero centrar la energía del corazón en las bendiciones te hará más feliz.

Las buenas vibraciones de la gratitud

La gratitud no sólo es fundamental para ser Feliz porque sí, además es buena para la salud. Un reciente estudio realizado por el doctor Michael McCullough de la Universidad de Miami muestra que la gente que se confiesa agradecida tiende a tener más vitalidad y optimismo, sufrir menos estrés y experimentar menos episodios de depresión clínica que la población en su conjunto.

Así mismo, de otro experimento realizado por el doctor Robert Emmons de la Universidad de California-Davis se desprende que las personas que llevaban un «diario de gratitud», un registro semanal de las cosas por las que estaban agradecidos, disfrutaban de mejor salud física, eran más optimistas, hacían ejercicio con mayor regularidad y se describían a sí mismos como más felices que los miembros del grupo de control que no llevaban ningún diario.

Estos estudios confirman que la gratitud genera una energía específica que afecta al cuerpo de manera positiva. El fascinante trabajo del doctor Masuru Emoto proporciona algunas pistas sobre qué es lo que ocurre.

La primera vez que oí hablar del doctor Emoto y sus increíbles fotografías fue en la película *¿¡Y tú que (s)abes!?* El doctor Emoto utiliza la fotografía de alta velocidad para mostrar cristales de agua helada que presentan estructuras claramente distintas dependiendo del tipo de energía a que haya sido expuesta el agua. En algunos de sus experimentos, el doctor Emoto hacía que un grupo de personas se pusiera en círculo en torno a un contenedor de agua y proyectaran distintos tipos de sentimientos hacia la misma. «Amor y Acción de Gracias» es el título de la bella estructura de cristales que se forma cuando se dirigen sentimientos de amor y gratitud hacia el agua.

«Amor y Acción de Gracias»

En cambio «Me pones enfermo, te odio» es la estructura que resulta cuando los sentimientos que se dirigen hacia el agua son el odio y la negatividad.

«Me pones enfermo, te odio»

Nuestros cuerpos son agua en un 70-80 %. ¿Qué patrón preferirías que creara tu cuerpo?

Agradecido porque sí

¡Si existiera una sección VIP dentro de Los 100 Felices, el hermano David Steindl-Rast tendría que ocupar el primer lugar! El hermano David, un increíble y juvenil monje benedictino que ya ha cumplido los ochenta, ha escrito varios libros sobre la importancia de la gratitud y es el fundador de Network for Grateful Living (Red para una Vida de Gratitud), una organización sin ánimo de lucro comprometida con ayudar a la gente a despertar a la gratitud como «la inspiración fundamental para el cambio personal». Llevo oyendo hablar del hermano

David durante años, y hace poco me uní a un grupo mensual de gratitud inspirado en su trabajo. Cuando él accedió a asistir a una de las reuniones del grupo, nuestro anfitrión me preguntó si quería entrevistar al hermano David para mi libro, y yo no dejé escapar la oportunidad.

Sentada en el sofá junto a este maravilloso sabio mientras daba sorbos de mi taza de té, no pude evitar maravillarme del amor y el gozo que irradiaba. Empecé con mis preguntas típicas y, en cuestión de minutos, tenía los ojos llenos de lágrimas mientras escuchaba las penalidades que había sufrido durante la Segunda Guerra Mundial y cómo había dirigido su corazón hacia la gratitud.

Desde su perspectiva de adolescente en su Austria natal ocupada por los nazis, el hermano David nunca albergó grandes esperanzas de llegar a los veinte: la comida escaseaba —en muchas ocasiones su familia subsistía a base de sopa hecha con hierbas y maleza— y creía que en cualquier momento lo reclutarían y moriría en el frente. Pero me contó que había sido feliz, a pesar de todos los peligros y las dificultades porque, en medio de la atmósfera de muerte que reinaba, había visto la vida como el regalo que era. Ese profundo sentimiento de agradecimiento nunca lo ha abandonado.

El hermano David ofrece una perspectiva única sobre la gratitud. A mí me impresionó en particular que dijera que la gratitud no es cuestión simplemente de ser agradecido por la larga lista de cosas que tenemos: «Tanto si tienes mucho como si tienes poco en la vida —me dijo—, siempre puedes estar agradecido». Para el hermano David, la gratitud significa experimentar una «mayor plenitud», sentirse pleno en todo momento, apreciar completamente el momento. A eso llamo yo ser Agradecido porque sí. Él dice que «la felicidad no es lo que nos hace agradecidos sino que la gratitud es lo que nos hace felices».

El hermano David me enseñó un ejercicio maravilloso para incrementar el sentimiento de gratitud en nuestras vidas: todos los días, elije un «tema del día» en el que se centra; por ejemplo, si es el agua, cada vez que se lava las manos, friega los platos, riega las plantas o se lava los dientes, se fija en el agua y reconoce su valor, y eso le sirve de recordatorio para estar plenamente presente en el momento y lleno de gratitud. Al día siguiente, puede que elija centrarse en los sonidos del tráfico y al siguiente en cualquier otra cosa. Cuando probé este poderoso ejercicio, me encantó y lo añadí al repertorio de técnicas de gratitud que practico regularmente para mantener alto mi nivel de felicidad.

La gratitud en acción

Marc Bekoff es otro de Los 100 Felices que se despierta contento todas las mañanas: salta de la cama, se acerca a la ventana y les da los buenos días a las montañas, al sol, a los pájaros y los árboles que ve por la ventana. En una ocasión, un invitado que tenía en casa lo oyó y le preguntó:

—¿Con quién hablas?

—¿Con quién va a ser? ¡Con el día! —le respondió él.

Podría parecer cursi, pero Marc, como todas las personas que tienen un alto nivel básico de felicidad, verdaderamente se deleita en las cosas buenas que hay en su vida. Como todos nosotros, tiene que enfrentarse a sus propios retos, pero aun así recibe cada nuevo día como acabo de describir, y eso marca la pauta para el resto de la jornada.

La felicidad de Marc siempre está presente. Tal y como ya explicaba en el Capítulo 1, el estado de Felicidad porque sí es como un decorado permanente, incluso en medio de situaciones difíciles desde un punto de vista emocional. Por ejemplo, cuando la madre de Marc se estaba muriendo, él viajó hasta Florida para estar con ella; su madre había sufrido varios derrames cerebrales y estaba paralizada desde el cuello, no podía hablar y era difícil saber si entendía lo que oía.

Para permanecer centrado, Marc daba largos paseos o salía a correr. Un día volvió de correr con un precioso ramo de olorosas flores de color rosa para su madre, cuyo segundo nombre era Rose y a la que siempre le habían encantado las flores. Cuando Marc entraba en la casa de sus padres con una sonrisa de oreja a oreja, una vecina que estaba de visita lo miró sorprendida y le dijo:

—¿Cómo puedes estar tan contento cuando tu madre se está muriendo en la habitación de al lado?

—Porque hace un día tan bonito; y además estoy seguro de que si mi madre estuviera mejor y pudiera darse cuenta, a ella le encantaría el día que hace —le respondió Marc.

Fue hasta la habitación de su madre y el puso las flores en el regazo. Ella las miró y, pese a que no podía responder, a Marc le gusta creer que su madre disfrutó del delicioso aroma que desprendían. Incluso cuando su madre se moría, Marc fue capaz de estar agradecido por el regalo de su presencia y supo ver las cosas buenas que había en el mundo.

Durante la entrevista, le pregunté a Marc cómo había conseguido permanecer feliz mientras estaba pasando por un momento de profunda tristeza. «La felicidad es simplemente una parte de quién soy yo. En lo más profundo de mí, siempre soy feliz, aunque haya veces en que también esté profundamente triste. No son mutuamente excluyentes, la tristeza no arrebata la felicidad», me respondió.

¡Ante todo dar las gracias!

Hace cosa de un año, vi a mi vieja amiga Therese Gibson en una reunión de compañeras de la universidad. Therese había sido una de las chicas más divertidas de la clase: siempre estaba riéndose y dispuesta a emprender una aventura. Cuando se enteró de que yo estaba escribiendo este libro, me contó el ritual diario de gratitud que practicaba con su padre de noventa y cinco años, Charlie; lo llaman «ante todo dar las gracias» y los mantiene sonrientes y sintiéndose bien. Therese se mudó a vivir con Charlie, que seguía gozando de una excelente salud, cuando ambos pasaban por un mal momento: la mujer de Charlie y madre de Therese había muerto recientemente y Therese pasaba por la última fase de un divorcio traumático. Tenían poco dinero y por lo que cuenta Therese ambos estaban terriblemente abatidos. Pero habían oído que la gratitud era una forma excelente de sentirse mejor, así que decidieron sentarse juntos unos minutos todas las mañanas antes de que ella se marchara a trabajar y contarse el uno al otro las cosas por las que estaban agradecidos.

«Al principio íbamos muy lentos—me contó Therese—, la primera vez que lo intentamos, yo estaba tan desanimada que me costaba trabajo pensar en tan siquiera una única cosa por la que me sintiera agradecida». Al final, ella paseó la vista por la habitación y vio un jarrón que le gustaba. «Doy las gracias por lo bonito que es ese jarrón», dijo. Sonaba tonto, pero era lo mejor que podía ofrecer. A Charlie tampoco se le daba mucho mejor y a menudo esperaba a que Therese le diera una pista sobre qué decir. Pero los dos se dieron cuenta de que, incluso si sus agradecimientos se referían a cosas superficiales, el efecto era positivo.

Al poco tiempo, la decisión de centrarse en lo que tenían sus vidas de positivo empezó a dar resultados. Tanto Therese como Charlie comenzaron a sentirse más felices y se dieron cuenta de que cada vez más cosas les salían como querían, hasta su situación económica mejoró. Tres agradecimientos se convirtieron en cinco, luego en diez, y al cabo de poco tiempo tenían que dejar de enumerar todo lo que les iba bien en la vida antes de llegar al final de la lista porque si no Therese habría llegado tarde al trabajo.

Un día se sentían tan ligeros y felices después de haber compartido sus listas de cosas buenas que Charlie, a quien siempre le había encantado el musical *¡Oklahoma!* empezó a cantar una de sus canciones —*Oh, What a Beautiful Mornig* (Qué mañana tan hermosa)— y Therese se le acabó uniendo. Aquello fue la expresión perfecta de cómo te hace sentir ser agradecido. Incluyeron la canción en el ritual y ahora «ante todo dar las gracias» y cantar esa canción se ha convertido en uno de los mejores momentos del día para ellos.

De aquello por lo que estás agradecido, recibes aún más. Cuando reconoces la felicidad y el amor que ya tienes, te llegan aún más felicidad y más amor.

Yo he podido comprobar por mí misma lo poderosa que es la gratitud. Tras el desengaño amoroso del que ya he hablado al principio del capítulo, una amiga me sugirió que, durante tres semanas seguidas, escribiera todos los días antes de irme a la cama cinco cosas por las que estuviera agradecida. Yo sabía que los psicólogos dicen que lleva veintiún días cambiar un hábito, así que accedí a hacer lo que me decía. Al principio me costó mucho, pero los resultados me animaron a seguir. De hecho, este pequeño ejercicio simple me funcionó tan bien que continué haciéndolo todas las noches durante tres años y, con el tiempo, el dolor que sentía en el corazón empezó a desaparecer.

Te sugiero que tú también intentes hacer el ejercicio de gratitud: todas las noches, antes de acostarte, haz una lista de cinco cosas por las que estés agradecido y fíjate en cómo te sientes cuando te despiertes a la mañana siguiente.

Las herramientas de los expertos de HeartMath

El reconocimiento y la gratitud son absolutamente necesarios si eliges convertirte en el arquitecto de una felicidad creciente y tu propia realización personal.
Doc CHILDRE, fundador de HeartMath

En varias ocasiones he hecho el viaje de dos horas de coche desde mi casa para visitar las instalaciones del Institute of HeartMath en medio de un bosque de secuoyas, y charlar con su increíble y visionario fundador, Doc Childre y algunos de sus principales investigadores. El Institute of HeartMath es uno de los centros de investigación y tecnología punteros en el campo de la influencia del corazón en la salud y la felicidad. Incluso han desarrollado un programa informático y un dispositivo de mano llamado el emWave que te van proporcionando información en tiempo real sobre el ritmo de tu corazón para ayudarte a adquirir el hábito de un ritmo cardíaco coherente. Yo utilizo estas tecnologías con regularidad y encuentro que me ayudan a tener el corazón más abierto, radiante y lleno de calidez.

Puedes usar la siguiente Técnica de Coherencia Rápida que han desarrollado en HeartMath en cualquier momento que quieras centrarte en el amor y la gratitud que hay en tu corazón.

Ejercicio

La Técnica de Coherencia Rápida

La Coherencia Rápida es una técnica poderosa de reenfoque de la emoción que te conecta con el poder del corazón para ayudarte a eliminar el estrés, equilibrar las emociones y sentirte mejor más rápido. Una vez hayas aprendido la técnica, sólo lleva un minuto ponerla en práctica.

Paso 1 Enfocarse en el corazón
Centra tu atención poco a poco en la zona del corazón. Si quieres y te ayuda, puedes ponerte la mano en la zona. Si notas que te distraes, simplemente vuelve a concentrarte en la zona y el corazón.

Paso 2 Respirar de corazón
A medida que vas centrando tu atención en el corazón, haz como si tu respiración fluyera a través de esa zona de tu cuerpo. Eso ayuda a que tu mente y tu energía permanezcan centradas y a que la respiración y el ritmo cardíaco se sincronicen. Respira lentamente y con suavidad hasta que tu respiración sea fluida y equilibrada, no forzada. Continúa respirando con tranquilidad hasta que encuentres un ritmo interno natural que te resulte cómodo.

Paso 3 Sentir de corazón
Mientras continúas respirando como en el paso anterior, recuerda un sentimiento positivo, una ocasión en que te hayas *sentido* bien por dentro. Ahora trata de volver a vivir esas sensaciones: podría tratarse de una sensación de agradecimiento o de cariño hacia una persona especial, una mascota,

un lugar que te guste, o una actividad que te divierta. Permítete *sentir* esa sensación positiva de agradecimiento o cariño. Si no consigues sentir nada, no te preocupes, simplemente trata de encontrar una actitud sincera de agradecimiento o cariño. Una vez hayas encontrado ese sentimiento o actitud positivos, serás capaz de mantenerlo si sigues enfocándote en el corazón, respirando de corazón y sintiendo de corazón.

Publicado con autorización del Institute of HeartMath.

Hábito de Felicidad para el Corazón n.º 2
Practica el perdón

Perdonar es la forma más sublime y bella de amor.
A cambio recibirás paz y felicidad inusitadas.
ROBERT MULLER, antiguo Subsecretario General
de la Organización de Naciones Unidas

A veces es difícil dejarse llevar por el amor, sobre todo cuando alguien nos ha hecho daño. Pero tanto si la herida es grande como si es pequeña, no puedes ser verdaderamente feliz hasta que no perdonas. Es innegable que a veces la gente hace cosas terribles o actúa de formas crueles y malvadas, pero incluso en esos casos, el perdón es posible.

Mucha gente cree que sentir odio, ira y resentimiento hacia la persona que les hizo daño es una manera de castigar a ésta, pero ¡ES EXACTAMENTE AL REVÉS! Aferrarse a esas emociones es como tomar veneno y pretender que le haga daño a otro. Es a ti a quien hace daño. Cuando perdonas, consigues superar tu propia ira y curar tus heridas, y así vuelves a ser capaz de dejarte guiar por el amor de nuevo. Es como una buena limpieza general del corazón.

Durante mi búsqueda de Los 100 Felices, una de mis colegas de *Sopa de pollo para el alma* me habló de Mary Lodge, a quien había conocido a través de su trabajo con reclusos y sus familias. Cuando entrevisté a Mary, su fuerza y su valentía me inspiraron tremendamente, y su historia me resultó de gran ayuda para examinar de nuevo los límites que yo ponía a mi propia capacidad de perdonar.

La historia de Mary
Libre

Durante años, mi vida no fue lo que se dice fácil: me vi obligada a defenderme en muchas ocasiones, incluido mi divorcio, y aprendí a ser toda una luchadora. La verdad es que en muchas ocasiones me llevaba disgustos, tanto con las personas como con las situaciones. Por desgracia, eso me creó mucho resentimiento y deseo de venganza.

Y entonces, una noche de 1996, ocurrió algo que hizo que todos mis disgustos anteriores juntos parecieran un mero contratiempo en comparación: me despertó el teléfono a las tres de la madrugada; respondí, llena de aprensión; era mi hijo mayor, Jay que me decía que le habían disparado a mi hijo pequeño de dieciocho años, Robbie. «Mamá, está muerto».

En ese momento creí que mi vida se había acabado. El dolor de perder a Robbie era abrumador; quería esconderme en un agujero y no salir nunca más. Pero sabía que tenía que reponerme, debía hacerlo por mis otros hijos, y además había que hablar con la policía; así que dejé mis emociones a un lado por el momento.

Detuvieron a Shawn, el joven que había matado a mi hijo, y se presentaron cargos de homicidio contra él. Shawn conocía a Robbie y le disparó mientras los dos discutían. Se había declarado culpable, así que no habría juicio, sólo una vista en la que se establecería la pena y se dictaría sentencia. Tuve que esperar tres largos meses hasta que llegó el día en que se celebraba esa vista. No me permitieron ver a Shawn ni hablar con él en todo ese tiempo, lo que seguramente fue algo muy sensato si se tiene en cuenta que, dadas la desesperación y la furia desbordadas que sentía yo, si hubiera tenido oportunidad de acercarme seguramente lo habría estrangulado con mis propias manos. ¡Había matado a mi niño!

Por fin llegó el día de la vista y vi por primera vez a Shawn: lo llevaban hacia el interior del juzgado tenuemente iluminado y él iba con la vista clavada en el suelo; las sombras se cubrían el rostro y distorsionaban sus facciones dándole un aspecto sombrío. Sentí que una ola abrasadora de ira me inundaba. ¿Por qué lo había hecho? Temblando de emoción, decidí no subir al estrado pero le dejé bien claro al juez que quería hablar con Shawn cuando acabara la vista.

Como Shawn se había declarado culpable, el veredicto no fue ninguna sorpresa y tampoco lo fue la sentencia: de veinte a cuarenta años en una cárcel del estado. Tal y como había prometido, el juez me convocó a su despacho para que viera a Shawn. Seguí al alguacil por el pasillo, con el corazón latiéndome más rápido a cada paso que daba mientras me preparaba para conocer al joven que había acabado con la vida de mi hijo. Había esperado mucho tiempo aquella oportunidad de decirle a Shawn cómo me hacía sentir lo que había hecho pero, en ese momento, rebosante de rabia y de odio, no tenía ni idea de qué iba a decirle, aunque sí sabía que quería darle un buen repaso.

Me cachearon y luego me condujeron hasta una pequeña oficina de paredes recubiertas con paneles de madera. Shawn estaba de pie en un rincón, temblando, con grilletes en las manos y los pies y el consabido uniforme naranja de los reos. Tenía la cabeza baja y, pese a que tenía veinte años, estaba llorando como un niño pequeño, sollozando como loco. Me quedé mirando a aquel chico desamparado —sin padres, sin amigos, sin ningún apoyo— y todo lo que vi fue al hijo de alguna otra madre.

Le pregunté al alguacil si podía acercarme a Shawn y, al oír aquello, él alzó la vista y vi su rostro aniñado surcado por las lágrimas. De repente me sorprendí a mí misma preguntando: «¿Puedo darte un abrazo, Shawn?». Él dijo que sí con la cabeza. El alguacil me indicó con un gesto que me acercara al prisionero y yo caminé hasta Shawn y lo rodeé con los brazos. Se deshizo en lágrimas sobre mi hombro: aquella era la primera muestra de compasión que había recibido de nadie durante mucho tiempo. Mientras estaba allí abrazándolo, sentí que la ira y el odio se desvanecían.

Pero, aun así, las palabras que salieron de mi boca después sorprendieron a todo el mundo, incluida a mí: «Shawn, te perdono por esa cosa horrible que hiciste. —Nuestras miradas se cruzaron durante unos instantes—. Prefiero que mi hijo Robbie esté donde está que imaginármelo en la cárcel. Rezaré por ti todos los días». Le pedí a Shawn que se pusiera en contacto conmigo de vez en cuando y luego el alguacil me acompañó a la salida.

Al poco tiempo, Shawn fue enviado a prisión para empezar a cumplir su condena y la verdad es que aquello no me produjo la menor satisfacción. Robbie se había ido para siempre y ninguna sentencia podría traerlo de vuelta, pero la vida de este otro muchacho también estaba siendo destruida.

Sus padres dijeron que no querían saber nada de él, así que Shawn y yo comenzamos a escribirnos y, durante los cinco primeros años de su estancia en prisión, yo fui la única persona que lo visitaba. Hace cinco años, trasladaron a Shawn a otra cárcel en la que no se permiten las visitas de los familiares de las víctimas, pero nos seguimos escribiendo a menudo.

Hay gente que no entiende cómo soy capaz de hacerlo, pero he aprendido que perdonar algo no significa que lo apruebes. Creo que la compasión que sentí aquel día en el despacho del juez fue un regalo de Dios. Sé que no podría haber conseguido que se curaran el odio y el deseo de venganza que anidaban en los profundos recovecos de mi alma y mi corazón si no hubiera personado al asesino de mi hijo. El perdón me hizo libre, me dio la paz que necesitaba para seguir con mi vida y llegar a asimilar la muerte de Robbie.

Después me hice ministro de Stephen, un tipo de ministro laico, a través de mi iglesia: ayudo a la gente que está pasando una crisis o que ha sufrido una pérdida en su vida, simplemente escuchando y estando ahí; lo único que hace falta es compromiso y compasión, dos cualidades que he descubierto en mi corazón en grandes cantidades desde el día en que perdoné al asesino de mi hijo.

He aprendido que cuando nos aferramos a la ira y el resentimiento sólo conseguimos hacernos daño a nosotros mismos. Ahora, pese a lo que ha ocurrido, me siento verdaderamente en paz y feliz.

El odio y la venganza no me devolverán a mi querido Robbie, pero Shawn también es el hijo de alguien. Hay que parar el odio en algún punto y ¿qué mejor lugar para empezar que yo misma?

¿Por qué perdonar?

Pocos de nosotros nos hemos enfrentado a una situación tan devastadora como la que vivió Mary, pero he elegido incluir su historia en el libro precisamente por eso. Si Mary pudo perdonar al asesino de su hijo, entonces tal vez nosotros podemos perdonar a la gente que nos ha hecho daño.

¿Por qué es tan difícil perdonar? Estas son cinco de las razones fundamentales. ¿Alguna te suena familiar?

1. Creemos que perdonar significa aprobar el comportamiento incorrecto.
2. Creemos que perdonar significa que tenemos que volver a aceptar a esa persona en nuestras vidas.
3. Creemos que sentir odio hacia esa persona, de alguna manera, nos da poder, control o fuerza.
4. Sentimos que si perdonamos podrían hacernos daño otra vez.
5. Queremos castigar al que nos hizo daño.

Pero resulta que todas esas razones son equivocadas: el perdón no gira entorno a la persona o personas que lo reciben, sino que más bien se trata de **un regalo que te haces a ti mismo y que permite que tu corazón deje de estar en contracción**. Cuando perdonas, eliminas las sustancias tóxicas del resentimiento y la ira que albergas en el corazón, y por fin te liberas y puedes seguir con tu vida. Hay una historia muy conocida de los monjes budistas tibetanos que ilustra este concepto perfectamente:

> *Dos monjes tibetanos se encontraron al cabo de algunos años de haber salido de prisión, donde sus carceleros los habían torturado:*
> *—¿Los has perdonado? —preguntó el primer monje.*
> *—¡Nunca los perdonaré! ¡Nunca! —respondió el segundo.*
> *—Bueno —dijo el primero—, en ese caso supongo que todavía te tienen prisionero, ¿no?*

También ayuda recordar que el perdón no equivale a borrar de la mente lo que pasó ni a dejar que el que haya cometido la falta se vaya de rositas. Eva Kor, una superviviente de Auschwitz, perdonó públicamente a los nazis que habían matado a su familia y utilizado a Eva y su hermana gemela como conejillos de indias en sus experimentos médicos. Aquel acto de perdón no significaba que absolviera a los nazis de su culpa, simplemente eliminaba la carga de dolor y odio que ella había estado arrastrando durante tanto tiempo. Éstas son sus palabras sobre el perdón:

> *Creo con todo mi ser que todos los seres humanos tienen derecho a vivir sin cargar con el dolor del pasado. La mayoría de la gente se enfrenta a un gran obstáculo a la hora de perdonar porque la sociedad espera venganza… Necesitamos honrar a las víctimas, pero siempre me he preguntado si mis seres queridos que murieron habrían querido que viviera con el dolor y la ira hasta el final de mis días.*
>
> *[…] Lo hago por mí misma. Perdonar no es más que un acto de autocuración y autoempoderamiento. Yo lo llamo la medicina milagrosa: es gratis, funciona y no tiene efectos secundarios.*

El perdón como medicina

Hace tres años, estaba sentada en un auditorio, fascinada mientras escuchaba al director y cofundador del Forgiveness Project (Proyecto sobre el perdón) de la Universidad de Stanford, el doctor Fred Luskin, mientras éste hablaba del trabajo que realiza en el campo del perdón. El doctor Luskin, que viaja por todo el mundo investigando, había reunido recientemente a un grupo de madres de Irlanda del Norte que habían perdido a sus hijos en bandos opuestos del conflicto. Rebosante de amor y compasión, compartió con los asistentes los milagros que el perdón es capaz de producir.

Sus historias, que hicieron llorar a todos los presentes, demostraban que la gente que perdona a los demás es más feliz, tiene relaciones más fuertes y afectivas, y declaran tener menos problemas de salud y menos síntomas de estrés. La comunidad médica está empezando a reconocer que el papel más importante que la ira y el resentimiento desempeñan es el de generar enfermedad y adicciones. Las investigaciones del doctor Luskin sugieren que, no perdonar, albergar odio en el corazón, es de hecho uno de los factores de riesgo de ataque al corazón. Lo interesante es que Luskin se ha encontrado con gente que, tras pasar por todo el proceso *interno* de perdonar a quien les ha hecho daño, han experimentado una mejoría inmediata de los sistemas cardiovascular, muscular y nervioso. Ni siquiera hace falta que le digas a la persona que la has perdonado para cosechar los beneficios de hacerlo.

En su libro ¡*Perdonar es sanar!*, el doctor Luskin describe a Dana, alguien que siente que lo que le han hecho es imperdonable: el doctor le dice que se imagine a alguien apuntándole con una pistola a la cabeza; su única posibilidad de sobrevivir reside en dejar de aferrarse a la ira y el resentimiento que siente hacia la persona que le hizo daño: ¿y ahora está dispuesta a perdonar? En pocas palabras: Dana dice inmediatamente que no merece la pena morir por el dolor que siente y al final se da cuenta de que se ha estado matando a sí misma poco a poco al negarse a perdonar.

Pese a que nadie nos está apuntando con una pistola a la cabeza para conseguir que dejemos de aferrarnos al dolor y la ira, nuestras vidas —y nuestra felicidad— verdaderamente dependen de si aprendemos a dejar ir el dolor y somos capaces de perdonar.

La compasión es la clave

Tal y como descubrió Mary, si puedes dejar a un lado tu dolor durante el tiempo suficiente como para analizar la situación verás que, irremisiblemente, la gente que te ha hecho daño se lo hace a sí misma.

Una vez tuve una vecina que siempre estaba gritando por algo: mis contenedores de la basura estaban demasiado cerca de la entrada donde dejaba ella el coche, la gente aparcaba justo delante de su casa, los perros de los vecinos escarbaban en su jardín... Como puedes imaginarte, no era precisamente uno de mis personajes favoritos... Una tarde oí una ambulancia avanzar por nuestra calle, miré por la ventana y vi que iba a casa de la vecina: la subieron a la ambulancia y, con las sirenas a todo volumen, se la llevaron al hospital. Ese día descubrí que aquella mujer estaba muy enferma: tenía una grave enfermedad hepática y problemas crónicos de espalda que hacían que sufriera terribles dolores constantes, todos los días. La furia que me inspiraba desapareció de inmediato y, desde el día que volvió del hospital hasta el día de su muerte año y medio más tarde, no sólo cambiaron mis sentimientos hacia ella, sino que me encontré a mí misma haciendo cuanto estuviera en mi mano para ayudarla.

Cuando entiendes el sufrimiento de los demás, tus sentimientos negativos se transforman en compasión como por arte de magia, y eso prepara el camino para que pueda producirse el perdón.

Si crees que todo eso suena muy bien pero te preguntas cómo dejar de aferrarte a esos sentimientos y perdonar, ya has superado un gran obstáculo. A veces el mero hecho de estar dispuesto a considerar el perdón es el paso más difícil.

A continuación te propongo un ejercicio que te guiará a través del proceso de perdón:

Ejercicio

El proceso de perdón

Siéntate en un sitio donde no te moleste nadie.

Cierra los ojos y piensa en alguien hacia quien sientas ira o resentimiento en tu corazón.

Respira hondo un par de veces y permite que tus sentimientos afloren sin que por ello tengas que hacer nada al respecto. Limítate a reparar en ellos.

Ahora asume que las acciones de esa persona que te hicieron daño no se pueden cambiar, son parte del pasado y no hay nada que puedas hacer al respecto. Siente la rotundidad de los hechos.

Date cuenta también de que esa persona podría no cambiar nunca, de que es como es. Respira hondo unas cuantas veces mientras vas aceptando esa verdad.

Ahora considera que esa persona es como es —e hizo lo que hizo— porque hay algún dolor, alguna carencia, alguna herida en su interior. Tal vez ni siquiera se da cuenta, pero está ahí. La gente hace daño a otras personas sólo porque ellos mismos están heridos. Mira a esa persona con los ojos de la compasión por su sufrimiento, imagina que es un niño pequeño al que le han hecho daño y lo paga con los demás porque le duele. ¿Eres capaz de sentir compasión por esa persona?

Quédate sentado en silencio durante un par de minutos, simplemente sintiendo la expansión —sea mucha o poca— que la compasión provoca en tu corazón.

NOTA: No pasa nada si todavía estás enfadado con esa persona; el propósito de este ejercicio es comenzar a dejar ir el

dolor que llevas en el corazón, no excusar las acciones inco-
rrectas de los demás. Repite este ejercicio hasta que sientas
que se produce un cambio —por pequeño que sea— en tu
corazón. Tu capacidad de perdonar irá aumentando a medida que sientas más compasión.

Hábito de Felicidad para el Corazón n.º 3
Reparte bondad

Los que traen la luz del sol a la vida de los demás
no pueden evitar que también brille sobre ellos.
J. M. BARRIE, novelista escocés del siglo XIX.

Cuando el amor fluye en tu corazón no puedes evitar sentirte más feliz.
Pero ¿qué pasa con esas ocasiones en que no sientes nada de amor en tu
interior? Seguramente no resulta demasiado difícil que tu corazón em-
piece a cerrarse: cuando un hijo adolescente huraño, un compañero de
trabajo molesto o una dependienta poco espabilada te disgustan, ¿cómo
ingeniárselas para seguir viviendo en el fluir del amor entonces?

Puedes hacer que el amor vuelva a brotar si proyectas bondad hacia todas y cada una de las personas que veas: no tiene que ser nada
dramático, a veces basta con simplemente desearles bien, y se resta-
blece el bombeo y el fluir del amor en tu corazón, consigues crear una
fuerte corriente de amor y felicidad porque un corazón rebosante de
amor recibe constantemente más amor.

Les envié un cuestionario a Los 100 Felices y, cuando recibí las
respuestas, me conmovió mucho la de CJ Scarlet; luego la entrevisté
y descubrí que su historia es un claro ejemplo del increíble impacto
que puede tener compartir el amor —ya sea en silencio o con palabras y
hechos— sobre los demás y sobre nosotros mismos.

La historia de CJ
El fluir del amor

Tenía cuarenta años pero me sentía igual que una anciana. Durante doce años había convivido con el lupus y el escleroderma, ambas enfermedades autoinmunes que causan discapacidad. Los esteroides que tenía que tomar me habían hinchado igual que un globo, necesitaba un andador o un bastón para llegar hasta la puerta de casa y a veces no me quedaba más remedio que subir las escaleras a gatas. Muy a menudo era incapaz de conducir y dependía de mi familia para ir a cualquier sitio.

Los médicos me dijeron que podía tener un ataque al corazón en cualquier momento, así que me aterrorizaba sentir el menor pinchazo en el pecho, pero a veces también deseaba que la muerte viniera rápido a por mí y se acabara mi sufrimiento. Casi todas las noches tenía pesadillas en las que un tenebroso tornado me arrastraba o me encontraba en un avión en llamas que había entrado en barrena.

Los libros de autoayuda y la terapia me habían ayudado un poco, pero seguía estando muy mal. Los libros del escritor budista Thich Nhat Hanh me habían conmovido profundamente, así que cuando surgió la oportunidad de conocer a un lama (profesor) budista que vivía en la misma ciudad que yo, no me lo pensé dos veces.

Apoyándome en un bastón, me arrastré como pude hasta su casa y le conté mi desgraciada historia, esperando que él me mirara con ojos compasivos y se compadeciera de mí. Pero, en vez de eso, me contestó tajantemente aunque con amabilidad:

—Deja de compadecerte de ti misma y concéntrate en la felicidad de los demás.

—Pero —repliqué yo— estoy demasiado enferma, si casi ni puedo ayudarme a mí misma.

«No me entiende», pensé llena de desconsuelo.

Yo creía firmemente que estaba demasiado cansada como para ayudar a nadie pero, aun con todo, empecé a rezar por la felicidad de los demás, comencé a pensar en gente que conocía, amigos y familiares, y me los imaginé felices, sanos y en paz. Luego empecé a centrarme en la felicidad de completos desconocidos: cuando me cruzaba con alguien miraba a la persona y le deseaba bienestar y prosperidad. Al final, hasta llegué a ser capaz de hacer extensivos mis buenos deseos y ayuda a gente que no me caía bien.

Un día estaba sentada en mi silla con motor, esperando en la caja del supermercado, y la mujer que vino a colocarse detrás de mí en la cola claramente no tenía buen día: parecía apresurada y contrariada, como si todo el mundo la irritara; llevaba el carrito lleno hasta los topes y estaba claro que quería salir de allí lo antes posible.

En circunstancias normales, yo habría tratado de mantenerme lo más alejada posible de sus vibraciones y energía negativa, de hecho, lo primero que pensé fue: «¡Pero qué mujer tan desagradable, no veo el momento de perderla de vista!».

Y entonces recordé el consejo del lama. «Está bien —pensé—, debe de estar teniendo un mal día, y yo sé mucho de eso. Voy a pensar en su felicidad, a ver si eso la hace más feliz».

Me volví hacia ella y le dije:

—Parece que tiene usted prisa.

—Sí, la verdad es que sí —me respondió ella muy desconcertada y con tono brusco—, llego tarde.

—¿Por qué no pasa antes que yo entonces? —le respondí.

—No, no gracias —me contestó negando con la cabeza tras haber lanzado una mirada a las cuatro cosas que llevaba yo.

—De verdad que no tengo prisa, pase usted antes —insistí yo.

La transformación fue increíble: la mujer pasó de ser una persona llena de ira que irradiaba negatividad y seguramente iba a engullir a la pobre cajera de un bocado a convertirse en alguien que sentía que se la tenía en cuenta, que se la valoraba y cuidaba. Empujó el carrito hasta colocarlo delante de mí al tiempo que me daba las gracias con profusión, también dio las gracias a la cajera y, una vez tuvo toda la compra en sus correspondientes bolsas y estuvo lista para marcharse, salió del supermercado con una sonrisa en los labios.

Yo me sentí maravillosamente y me di cuenta de que todo el mundo a mi alrededor sonreía amablemente y charlaba con los demás: «Ha sido usted muy amable al dejarla pasar». «Que pase un buen día.» Aquella interacción nos había afectado a todos.

Empecé a buscar más formas de pensar en la felicidad de los demás: sonreía y me apresuraba a ayudar a cualquiera que viera apurado por algo —desde dar dinero a los vagabundos hasta ayudar a una mujer a comprar un coche que le hacía falta para poder optar a un puesto de trabajo, pasando por pagarle la gasolina para llenar el depósito a otra señora que no tenía dinero y había trabajado como voluntaria con la Cruz Roja tras el huracán Katrina—, todos los momentos del día parecían ofrecerme una oportunidad de facilitar la vida de los demás y me encantaba ver que tenía la capacidad mental, física y económica de hacerlo.

Yo había trabajado como voluntaria en el pasado —sobre todo con grupos que trabajaban en defensa de los derechos de los niños y de las víctimas de delitos— pero siempre había algo de egocentrismo en lo que hacía, en el hecho de que viera a las personas a las que ayudaba como víctimas y yo como su rescatadora. Entonces me había sentido bien conmigo misma por ayudar, pero ahora era distinto.

Ahora se trataba de ellos y sólo de ellos, me estaba centrando en su felicidad directamente, y cuando les deseaba felicidad sentía como si proyectara una ola de amor hacia esas personas que a veces me llevaba a actuar y otras se materializaba en una simple oración o un deseo sincero de que fueran felices. En muchas ocasiones ellos no eran siquiera conscientes de cuál era mi intención, pero se creaba una corriente de amor en mi interior que crecía y crecía.

Cuando dejé de fijar mi atención en si otras personas me hacían feliz o no, en si daban respuesta a mis necesidades, y comencé a pensar en lo que los haría felices a ellos, empecé a ver la belleza en todas las personas; entendí que cada uno libraba sus propias batallas con heroísmo mientras intentaban encontrar el camino en la vida y mi corazón se llenaba de compasión. Cuanto más me centraba en contribuir a la felicidad de los demás, mejor me sentía yo; y cuanto mejor me sentía, más feliz era. Las pesadillas habían desaparecido y ahora soñaba con fiestas alegres.

En cuestión de un año, mi salud dio un gran cambio: el dolor que había atenazado mi cuerpo día y noche desapareció; podía respirar bien de nuevo y me sobraba energía para reanudar mi vida normal. Hoy por hoy, dos años después, me siento mejor de lo que jamás me sentí en los veintinueve años anteriores a caer enferma. Para sorpresa de los médicos, los dolores no han vuelto, hasta hago ejercicio al gimnasio del barrio y voy perdiendo el peso que había ganado por culpa de los esteroides.

Vi al lama otra vez un año después de mi primera visita, y cuando le conté cómo había cambiado mi vida desde que había empezado a centrarme en la felicidad de los demás, tomó mis manos entre las suyas y me dedicó una amplia sonrisa: «¡Muy bien, muy bien!, repetía una y otra vez.

Sus sabias palabras habían detenido mi vertiginoso descenso y me habían puesto de nuevo en contacto con la fuerza más poderosa que existe: el amor compasivo que llevamos en el corazón. Fue esa corriente de amor la que curó mi cuerpo y hoy se ha convertido en un manantial fresco y burbujeante de felicidad en mi vida.

Desear el bien

¡Qué concepto tan sencillo y sin embargo tan poderoso para cambiar vidas! He comenzado a poner en práctica la técnica de CJ y me ha dado excelentes resultados. Yo solía detestar tener que hacer cola o que me pillara un atasco en la carretera, pero ahora paso ese tiempo mirando a mi alrededor, deseando felicidad, tranquilidad, confort y paz en silencio a los que me rodean. En vez de ponerme de los nervios, me dedico a sonreír y me siento mejor.

A veces incluso voy más allá de desear el bien a la gente. Hace poco estaba en un aeropuerto comprándome un burrito: el chico que me atendía estaba de un humor de perros y refunfuñaba y estuve tentada de pagarle con la misma moneda pero, en vez de eso, pensé que ese pobre muchacho debía llevar todo el día de pie, sirviendo burrito tras burrito a pasajeros impacientes que se marchaban a destinos exóticos mientras él seguía allí, cocinando burritos bajo las luces achicharrantes del puesto: un trabajo de los más desagradecido. Lo miré a los ojos: «¡Debe de ser muy cansado hacer esto todo el día!».

Se quedó completamente desconcertado: ¡alguien se había molestado en conectar con él!; eso lo desarmó completamente y me valió que me dedicara una inmensa sonrisa y ¡además salí ganando un paquete extra de patatas fritas!

Creo que todos subestimamos el poder que tenemos de alegrarle el día a alguien, simplemente ofreciendo un rayito de luz y amor. Te sugiero que pruebes la técnica de CJ. Además también puedes dedicar un rato todos los días a hacer el siguiente ejercicio de bondad. Se trata de una adaptación de una práctica budista para cultivar el *metta*, que se define como un fuerte deseo de bienestar y felicidad para otros. Este concepto no es exclusivo del budismo: el cristianismo llama a este amor incondicional «ágape»; el judaísmo habla de *rachamim*, el amor que nos lleva a dar a los demás e incluye la empatía y el interés por otros; este mismo ideal de amor también está recogido en el islam con la palabra *mahabba*, que significa amor espiritual hacia otros y hacia lo divino.

Si eliges sentir amor y desear el bien a los demás —un hábito natural de la gente feliz—, eso te ayudará a experimentar más felicidad en tu propia vida.

Ejercicio

La práctica de bondad

Al guiarte a través de un proceso en el que deseas bien tanto a los demás como a ti mismo, este ejercicio expande tu capacidad para la compasión.

1. Busca un lugar tranquilo y siéntate cómodamente. Cierra los ojos.
2. Respira hondo y lentamente, concéntrate en el aire que entra y sale de tu cuerpo. Deja que tus pensamientos fluyan libremente.
3. Repite las siguientes frases en silencio:

> Que (yo) me sienta protegido.
> Que sea feliz.
> Que tenga salud.
> Que viva plácidamente.

Continúa experimentando estos sentimientos hacia ti mismo durante un minuto o dos, hasta que tengas una sensación de paz interior.

4. Ahora pasa a tus amigos y familiares; imagínatelos y proyecta los siguientes deseos hacia ellos en silencio:

> Que (él/ella) se sienta protegido.
> Que sea feliz.
> Que tenga salud.
> Que viva plácidamente.

Continúa proyectando esos sentimientos hacia ellos hasta que notes una corriente de amor en tu corazón.

5. Ahora proyecta esos sentimientos a todos los seres humanos que hay en el mundo. Sigue haciéndolo hasta que notes la expansión en tu corazón.

RESUMEN Y PASOS EFECTIVOS HACIA LA FELICIDAD

Te dejas llevar por el amor cuando centras tu atención en la gratitud, practicas el perdón y repartes bondad. Al reforzar el pilar del corazón, verás que sientes más paz y compasión. Utiliza los siguientes pasos efectivos para poner en práctica los Hábitos de Felicidad para el Corazón:

Juega al Juego de la Gratitud. Antes de irte a la cama, piensa en cinco cosas por las que estés agradecido. Escríbelas en un diario si quieres.

Prueba el Ejercicio de «Mayor Plenitud» del hermano David. Elige un tema todos los días, por ejemplo el agua, y cuando algo te recuerde al agua, que eso te sirva para experimentar gratitud porque sí en ese momento.

Igual que Rico, asegúrate de reír unos cuantos minutos todos los días.

Haz los ejercicios de Coherencia Rápida de HeartMath para adquirir el hábito de un ritmo cardíaco coherente.

Prueba el Proceso de Perdón. Busca en tu corazón la compasión que te hará más fácil perdonar.

Realiza la Práctica de Bondad todos los días y reparte bondad a través de tus pensamientos y tus acciones estés donde estés.

El Pilar del Cuerpo: haz felices a tus células

Una mente sana en un cuerpo sano es la breve pero completa
descripción de lo que nos conduce a la felicidad en este mundo.

JOHN LOCKE, filósofo inglés del siglo XVII.

Ser feliz no es sólo un estado mental, sino también corporal. De hecho, nuestros cuerpos estás diseñados para sustentar nuestra felicidad. La reconocida neurofisióloga Candace Pert documentó este trinomio mente-cuerpo-felicidad en su número uno de ventas *Molecules of Emotion*, en el que explica que, cuando somos felices, nos sentimos vivos y cargados de «fluidos de felicidad», es decir, las sustancias químicas que segrega nuestro cuerpo y nuestra mente y que constituyen la base de nuestras experiencias positivas.

¡No hay sustancia más potente que la que tienes en tu propia cabeza! En un segundo, se producen más de 100.000 reacciones químicas en tu cerebro, éste contiene una verdadera farmacopea de sustancias naturales que potencian la felicidad: entre otras, las endorfinas (el analgésico del cerebro, tres veces más potente que la morfina), la serotonina (que calma la ansiedad y combate la depresión de manera natural), la oxitocina (la hormona de la conexión emocional), la dopamina (que estimula la atención y un sentimiento de gozo)... Y están todas listas para segregarse a cada órgano y célula de tu cuerpo. Debido a que la farmacia del cerebro está abierta las veinticuatro horas, puedes generar tu propio suministro de cualquiera de estas sustancias químicas que proporcionan felicidad siempre que quieras. Y cuando tus células son felices, tú también lo eres.

En los dos capítulos anteriores hemos visto cómo los pensamientos y sentimientos influyen en el nivel básico de felicidad. En este capítulo, vamos a ver cómo lo que comes, el ejercicio que haces, tu respiración, el descanso e incluso la expresión facial pueden modificar en tu favor el preparado que hay en tu cerebro de sustancias químicas que te hacen sentir bien y ayudarte a superar la infelicidad.

Recuerda que cuando hablo de infelicidad en este libro me refiero a ese tipo de infelicidad que cultivamos nosotros mismos y no a la depresión clínica, que es una afección médica que requiere atención profesional. Si te han diagnosticado una depresión, es importante que te atienda un profesional de la salud para corregir los desequilibrios químicos que tal vez estén contribuyendo a tu dolencia. No obstante, reforzar el pilar del cuerpo practicando los hábitos que describo en este capítulo puede ser extremadamente útil como un complemento al tratamiento común de la depresión.

Los ladrones de felicidad del cuerpo: el estrés y las toxinas

Si nuestros cuerpos están diseñados para sustentar la felicidad, entonces ¿por qué no somos felices? Simplemente piensa por un instante en nuestras vidas: la mayoría de nosotros vamos por ahí como motos, como con un chute de cafeína, haciendo veinte cosas a la vez y sin sentarnos a comer caliente casi nunca. Nuestro estresante estilo de vida, que incluye la mala alimentación y la falta de ejercicio y descanso suficiente, merman nuestra capacidad de hacer felices a nuestras células.

El estrés es uno de los principales ladrones de felicidad y salud. La evidencia científica muestra que más del 90 % de todas las enfer-

medades están ligadas al estrés. Hay tanta gente estresada y agotada... Y sin embargo ignoramos los síntomas y seguimos sin parar un
minuto hasta el final del día, nos medicamos para mitigar el dolor sin
atacar la verdadera causa.

Además existen toxinas medioambientales a las que estamos ex-
puestos a diario: las sustancias químicas que contienen los alimentos
procesados, las hormonas presentes en la carne y la leche, los conta-
minantes del aire y el agua... ¡Aj, qué asco! Cuando nuestras células
no reciben el apoyo que necesitan, en vez de entonar una melodía de
vitalidad y bienestar se ven privadas del alimento que les hace falta y
al final se mueren, lo que resulta en bajos niveles de energía y en infelicidad. Por suerte, hay muchas maneras en las que podemos volver
a activar ese coro de trinos celulares de bienestar.

Animar al personal

Hay muchas maneras de hacer felices a nuestras células: podemos dejar de obligar al cuerpo a seguir cuando estamos agotados o no nos
encontramos bien, eliminar las toxinas acumuladas, reducir la adqui-
sición de otras nuevas, y usar la farmacia del cerebro para experimentar más felicidad en nuestras vidas.

Numerosos estudios muestran cómo actividades ordinarias —tales como cantar, oír música relajante, acariciar a nuestra mascota, que
nos den un masaje o un fuerte abrazo o cuidar el jardín— aumentan
los niveles de las sustancias químicas de la felicidad. Incluso sonreír
aumenta esos niveles.

Mona Lisa llevaba razón: usar los músculos faciales para expresar
emociones estimula unos neurotransmisores específicos en el cerebro.
Los científicos que estudian los efectos del Botox han descubierto que
cuando se trataba a pacientes abatidos con Botox para eliminar las
arrugas de la frente provocadas por fruncir mucho el ceño, el abatimiento también desaparecía. Los estudios realizados por el psicólogo
francés Israel Waynbaum muestran que fruncir el ceño hace que se se-
greguen hormonas del estrés tales como la hidrocortisona, la adrena-

lina y la noradrelina, sustancias químicas que incrementan la presión sanguínea, debilitan el sistema inmunológico y nos hace más proclives a sufrir depresión y ansiedad. Sonreír, en cambio, disminuye los niveles de esas sustancias y produce las sustancias químicas de la felicidad tales como las endorfinas y los linfocitos reguladores NKT que estimulan el sistema inmunológico, relaja los músculos, reduce el dolor y acelera la curación.

Si quieres multiplicar los beneficios de sonreír, échate unas buenas risas. Hay docenas de estudios que confirman que la risa es verdaderamente la mejor medicina, puesto que también mantiene bajo control las hormonas del estrés y estimula las hormonas de la felicidad.

La felicidad: justo lo que te ha recetado el médico

Ser feliz es bueno para la salud: durante las últimas dos décadas, un buen número de estudios han mostrado que estar contento refuerza el sistema inmunológico previniéndose así las enfermedades:

- La gente feliz es un 35 % menos propensa a resfriarse y produce un 50 % más de anticuerpos en respuesta a la gripe que la media.
- Los individuos que obtienen mayores puntuaciones en lo que a felicidad y optimismo se refiere presentan un menor riesgo a sufrir enfermedades cardiovasculares, hipertensión e infecciones.
- La gente con mucho sentido del humor —un indicador de felicidad interior— viven más que los que no poseen esa cualidad, y esto es particularmente cierto en el caso de pacientes con cáncer. Existe un estudio que revela que el sentido del humor reduce la probabilidad de muerte prematura de pacientes de cáncer en un 70 % aproximadamente.

La felicidad y la salud producen un bucle positivo de retroalimentación: mejorar una lleva a la mejoría en la otra y así sucesivamente.

Los hábitos físicos pueden provocar que nuestra energía se contraiga haciendo que nos sintamos cansados o enfermos, o se expanda, sustentando así nuestra felicidad y bienestar.

Contracción	Expansión
Sentirse estresado	Sentir bienestar
Comer alimentos procesados	Comer alimentos frescos e integrales
Sufrir desequilibrios químicos y hormonales	Tener un sistema equilibrado
Respirar superficialmente desde el pecho	Respirar profundamente desde el abdomen
Estar deshidratado	Beber mucha agua
Estar siempre echado en el sofá	Tener un estilo de vida activo
Fruncir el ceño	Sonreír
Ignorar las señales del cuerpo	Escuchar lo que el cuerpo necesita y quiere

Pese a que puede que estés haciendo todo lo que está en tu mano para gozar de buena salud, aun así puede que tu cuerpo te esté dando problemas, pero se puede ser Feliz porque sí en cualquier caso: un buen número de Los 100 Felices que he entrevistado tienen problemas de salud —incluso enfermedades terminales— y, sorprendentemente, el dolor y el gozo parecen convivir en ellos y la felicidad —un estado de paz y bienestar sobre el que se asienta toda su existencia—

hace su aparición de inmediato. Practicar los siguientes Hábitos de Felicidad para hacer felices a tus células te ayudará a reforzar ese mismo estado de felicidad inquebrantable en tu interior.

Hábitos de Felicidad para el Cuerpo

    1. Alimenta tu cuerpo
    2. Infunde energía a tu cuerpo
    3. Sintoniza con la sabiduría de tu cuerpo

Hábito de Felicidad para el Cuerpo n.º 1
Alimenta tu cuerpo

Dime lo que comes y te diré quién eres.
ANTHELME BRILLANT-SAVARIN,
escritor francés del siglo XVIII y epicúreo

Durante años, mis células no eran felices porque las alimentaba mal. Cuando era muy joven, mi dieta consistía fundamentalmente en beicon frito, jugosas hamburguesas, bizcochitos de chocolate (el regalo semanal de Poppa), galletas saladas con una misteriosa sustancia que según la etiqueta era «producto alimenticio de queso americano procesado» y pan blanco —como la nieve, lo más alejado del concepto «integral» que pueda imaginarse— de molde; en cuanto a las frutas y verduras, mi repertorio se reducía a tres sabores —zanahoria, apio y manzana—, de los que comía lo mínimo con el objetivo de dejar todo el hueco posible para las patatas fritas y los batidos de McDonald's. Siempre estaba agotada, así que me subía el ánimo con las ingentes dosis de azúcar resultantes de mis incursiones en el congelador en busca de helado a cualquier hora del día o de la noche. No hace falta ni mencionar que, por supuesto, los combinados de helado y refresco me los hacía con Tab (aquella marca de cola *light*): ¿quién quería las calorías extra de la Coca-Cola normal?

Alimenté tan bien mi cuerpo durante aquellos años de crecimiento que desde luego crecer, crecí: diez kilos de sobrepeso, que es mucho si mides un metro cincuenta y dos y tienes dieciséis años. Lo que me molestaba no era sólo estar gordita, sino que además me sentía cansada, apática e infeliz todo el tiempo. A los subidones temporales de azúcar siempre seguían unos bajones pronunciados que me dejaban aún más exhausta.

Cuando me marché a la universidad, decidí que iba a comer sano: me bebí la última lata de Tab a los diecisiete, me desenganché del azúcar y me hice vegetariana. Cuando pasé de los hidratos de carbono refinados a los alimentos integrales, me sorprendió muchísimo descubrir que, de hecho, hay un montón de frutas y verduras deliciosas.

Al principio ese arrebato de virtud vino motivado por la preocupación de llevar pantalones cortos en público, pero pronto descubrí que cualquiera de los triunfos cosechados en términos de pérdida de peso palidecían en comparación con los desmesurados niveles de energía que empecé a disfrutar una vez abandoné la comida basura: me sentía mucho más ligera, más feliz y con la mente más despejada; me sentía más yo misma. Ahora que entiendo la relación que hay entre energía, humor y comida, no quisiera por nada del mundo volver a «los años de la hamburguesa» y el cansancio constante que sentía entonces.

La causa de la infelicidad de las células no es siempre una mala alimentación sino que a veces los desequilibrios químicos u hormonales pueden ser un factor también. Ese era el caso de mi querida amiga, la actriz Catherine Oxenberg, quien a primera vista puede parecer que lo tiene todo: belleza, inteligencia, un marido estupendo, unos hijos maravillosos, y una carrera de éxito; ésa es la razón por la que la gente se sorprende tanto cuando descubren la lucha que mantiene con la fatiga constante, la enfermedad y los episodios recurrentes de decaimiento que describe en la siguiente historia.

La historia de Catherine
Se acabó lo de estar enferma y cansada

La mayoría de las niñas sueñan con ser princesas, pero hablo por experiencia propia cuando digo que no siempre es tan maravilloso. Pese a que nací princesa, pues pertenezco a una larga estirpe de la realeza europea, de niña no fui feliz. Cuando tenía seis años, mi madre, Su Alteza Real la Princesa Isabel de Yugoslavia, se divorció de mi padre, un hombre de negocios neoyorquino, y nos llevó a mi hermana y a mí a vivir con ella a Londres. En una ocasión, recuerdo que me dijo: «Catherine, ¿podrías por favor dejar de andar por ahí con esa cara de funeral?».

Eso era precisamente lo que yo quería, pero no podía evitar sentirme mal. Ahora creo que mi «andar por ahí con cara de funeral» podría haber sido el resultado de unos niveles muy bajos de serotonina, una hormona que afecta a la felicidad. Al cabo del tiempo, cuando ya era una adolescente, descubrí que la comida podía hacerme sentir mejor; a simple vista, todo para ir como la seda: sacaba muy buenas notas, me admitieron en Harvard, me convertí en una modelo y luego actriz de éxito, hice películas y participé en series de televisión como *Dinastía*... Pero me pasé todos esos años automedicándome con atracones de comida —que luego vomitaba— para calmar el dolor interior que sentía. El horrible círculo vicioso de la bulimia me hacía sentir incluso peor y llegó un momento en que, en un intento de ayudarme, el médico me recetó antidepresivos.

Las pastillas no resultaron ser la receta mágica que yo esperaba pero sí que me sentía algo mejor. Entonces me enteré de que estaba embarazada y mi médico y yo acordamos que debía dejar de tomar la medicación. Cuando nació mi hijo, no volví a los antidepresivos y seguí luchando con la bulimia de manera intermitente durante años. Con gran esfuerzo por mi parte, al final conseguí librarme de las garras terribles de la bulimia, pero seguía teniendo tendencia a caer en el abatimiento fácilmente y con frecuencia.

Poco después conocí al actor Casper Van Dien, me enamoré de él y nos casamos; pero al cabo de un año empezó a dolerme todo el cuerpo, era como si tuviera una ligera gripe constantemente: me diagnosticaron fibromialgia, una dolencia crónica que se caracteriza por un dolor generalizado de los músculos, ligamentos y tendones. Me pareció que aquello tenía sentido: en vez de sentirme fatal mentalmente, había transferido mi infelicidad al nivel físico. Creo que, en mi caso, la fibromialgia era la forma que tenía mi cuerpo de manifestar la depresión, y resultó que cuando me daban una pequeña dosis de antidepresivos el dolor disminuía considerablemente.

Pese a que Casper y yo ya teníamos tres hijos entre los dos, también sabíamos que queríamos tener más juntos, y cuando decidimos ir a por un bebé dejé de tomar la medicación. Al cabo de un mes estaba embarazada y la fibromialgia había desaparecido.

No obstante, con el tiempo, después de que naciera nuestro segundo hijo, la realidad ineludible de que era una madre de cuarenta y tres años con cinco hijos, dos de ellos menores de tres años, empezó a pasarle factura a mi ya bastante frágil salud y mi maltrecha felicidad: siempre estaba agotada y enferma, no podía concentrarme ni fijar la atención en nada. ¡Y mi memoria! Estaba convencida de que padecía alzhéimer prematuro.

Las mañanas eran particularmente horribles: incluso después de haber dormido de un tirón toda la noche seguía cansada, así que Casper era el que se levantaba y hacía el desayuno para los niños y los llevaba al colegio. Recuerdo una mañana en que India, mi hija mayor, entró en mi habitación a despertarme: quería que viniese a desayunar con todo el mundo.

—Cariño —le dije—, estoy agotada, de verdad que me encuentro fatal.

Ella me miró con expresión triste.

—Mamá, siempre te encuentras fatal —dijo y luego se dio la vuelta y salió de la habitación.

Completamente destrozada, me acurruqué en la cama y me puse a llorar: India llevaba razón. Yo sabía que me pasaba algo grave, pero ningún médico había sido capaz de dar con el problema: los análisis de sangre parecían completamente normales y lo único que me recomendaban era que empezara con los antidepresivos otra vez, pero yo no quería saber nada de los desagradables efectos secundarios. Tenía que haber una manera de sentirme mejor de forma natural, pero no tenía la menor idea de cómo. Estaba a punto de tirar la toalla cuando me llegó la ayuda que necesitaba de un modo que nunca habría imaginado.

Eran las tres de la madrugada y yo iba en un avión camino de Florida para visitar a mis suegros por Navidad. Aquel vuelo nocturno había resultado un completo desastre: dos de los más pequeños se negaban a dormirse y llevaban todo el viaje berreando, peleándose y siendo insoportables para resumirlo en una palabra. Al final todos se habían tranquilizado y yo respiré hondo y cerré los ojos también. Sentía una sensación de agotamiento y desesperación que me aplastaba como una losa.

No podía dormir, así que me puse a hojear la revista que había en el respaldo del asiento de delante: me llamó la atención un titular inmenso al principio de una página: «¿ESTÁS CANSADA DE ESTAR SIEMPRE CANSADA?». Me entraron temblores inmediatamente y sentí que se me ponía el pelo de punta. Seguí leyendo por encima: «¿Estás cansada de que el médico te diga que no te pasa nada y que tus análisis de sangre estén «perfectos» pese a los síntomas de fatiga, apatía y falta de claridad mental? ¿Estás cansada de no disfrutar de la vida?».

Se me llenaron los ojos de lágrimas: estaba tan convencida de que mis problemas no existían más que en mi cabeza que me sentía profundamente avergonzada por ello, ¡y ahora experimentaba tal sensación de alivio al darme cuenta de que yo no era la única persona en el mundo que se sentía así! Seguí leyendo.

El artículo hablaba de una clínica especializada en equilibrar cuerpo y mente con métodos naturales, utilizando suplementos nutricionales, hormonas naturales y una alimentación adecuada. Cuando empecé a leer la historia de una mujer de cuarenta y cinco años que había optado por aquel tipo de tratamiento me quedé boquiabierta: podría haber sido yo perfectamente, pues presentaba todos y cada uno de los síntomas que mencionaba la revista. Siguiendo las recomendaciones de la clínica, aquella mujer había pasado de ser una persona terriblemente desgraciada a sentirse mejor de lo que nunca había estado antes en toda su vida. Arranqué la página y la metí en mi bolso, y luego me recosté en el asiento y recé en silencio dando gracias por lo que me pareció un caso claro de intervención divina; al final me quedé profundamente dormida.

Cuando llegamos a casa de mis suegros concerté una cita con el médico que mencionaba el artículo de la revista. Descubrí que lo que me pasaba era muy común en mujeres de todas las edades y también en hombres. El resumen era que mis hormonas estaban desequilibradas, lo que había dado lugar a un desastroso efecto dominó que afectaba a las glándulas tiroidea y adrenal y ponía mi salud en serio peligro. Empecé a tomar suplementos nutricionales y hormonas bioidénticas (no sintéticas).

Mi dieta también estaba contribuyendo al problema, así que el doctor Hortze me recomendó que eliminara el azúcar, los lácteos, el alcohol y los cereales durante un mes. Durante ese tiempo comí cantidades moderadas de grasas saludables —como por ejemplo los frutos secos, el aguacate, el aceite de oliva y de coco—, muchas verduras y gran variedad de proteínas como carnes orgánicas, huevos y pescado.

Al principio no noté mucha diferencia, pero al cabo de tan sólo dos semanas dejé de tener el bajón de las tres de la tarde (para entonces yo ya había aprendido que esa es la hora a la que el cuerpo deja de producir serotonina en preparación para el descanso de la noche). Al final de aquel primer mes, yo estaba muy animada por la mejoría experimentada y decidí seguir con mi nueva dieta, los suplementos y el plan de hormonas. Al cabo de otro mes, no me quedó más remedio que admitir que los resultados eran milagrosos: me sentía transformada en cuerpo, mente y espíritu.

Hoy, pese a que he incorporado unas cuantas cosas de vuelta en mi dieta, sigo limitando las cantidades de azúcar e hidratos de carbono procesados porque noto mucho la diferencia cuando los tomo. En pocas palabras, ahora simplemente me siento tan sana... Ya no experimento esa fatiga, al contrario, me noto llena de energía y pienso con mucha más claridad; he recuperado las fuerzas y hasta los kilos de más han desaparecido. Y, lo mejor de todo, ahora sí que puedo cuidar bien a mis hijos. Recuerdo el día, aproximadamente un mes después de haber empezado con el programa, en que mi hija pequeña vino a mi habitación a primera hora de la mañana a pedirme que me levantara y les hiciera el desayuno; yo aparté las mantas de golpe y salí inmediatamente de la cama camino de la cocina. Estaba alargando la mano hacia la taza de *chai*, un té con especias y cafeína que siempre me ha hecho falta para despertarme de verdad, ¡y me di cuenta de que ya estaba despierta! Me sentía despejada y llena de energía. Desde entonces, no me pierdo el desayuno ni una mañana y no estoy segura de a quién le hace más ilusión, si a mí o a los niños.

¡Qué irónico que aquel «viaje infernal en avión» haya resultado ser el principio de mi salida del purgatorio! Ahora, con la química cerebral y las hormonas equilibradas, soy capaz de experimentar la felicidad natural que veo en las caras de mis hijos. Para mí, un cuerpo sano y equilibrado fue la llave para abrir la puerta a una vida feliz.

El poder del plato

Tal y como descubrió Catherine, una forma fundamental de sentirse mejor es conseguir que la química natural del cuerpo esté equilibrada. Lo que comes puede tener mucha importancia. *Feliz porque sí* no pretende ser un libro sobre dietas (si deseas más información sobre libros excelentes que tratan el tema de la nutrición y los suplementos nutricionales naturales que contribuyen a la felicidad, consulta la sección de Recursos recomendados). Aun así, me gustaría mencionar algunas pautas generales sobre cómo puedes comer de una manera que no sólo mejorará tu salud, sino que además hará felices a tus células.

Descubrir el dramático efecto acumulativo que la dieta ha tenido en mi felicidad ha sido una de mis mayores motivaciones para continuar practicando este Hábito de felicidad.

Guía para una alimentación que hará felices a tus células

1. **Come alimentos que contribuyen a la felicidad: frescos e integrales.** Una dieta equilibrada de alimentos integrales y frescos le proporciona a nuestro cerebro la materia prima necesaria para garantizar que producimos suficientes «fluidos mentales de felicidad» todos los días. Si nos faltan esos ladrillos, la bioquímica se desmanda y el resultado son altos niveles de azúcar, fatiga adrenal y escasez de hormonas que son fundamentales para servir de colchón al estrés diario.

   Comer alimentos integrales significa dar al cuerpo comida en un estado lo más cercano posible a cómo se encuentra ésta en la naturaleza. Evita la «comida falsa» presentada en una caja o en una lata, que muchas veces ha sido procesada, tratada con conservantes y empaquetada con materiales sintéticos que la alejan de ese estado natural. Compra en la sección de productos frescos del supermercado donde se encuentran la carne y pescado frescos y evita los pasillos de las latas y similares. Consume cereales integrales, productos orgánicos y carne, lácteos y volatería sin hormonas. Sí, ya lo sé, esos alimentos suelen ser más caros, pero lo compensarás con creces con menos visitas a la consulta del médico y una vida mucho más sana.

2. **Asegúrate de que fluya el agua.** La deshidratación no les sienta nada bien a las células. *¡Necesitamos* agua porque el cuerpo *es* agua en una alta proporción! Para asimilar plenamente los nutrientes de los alimentos, el cuerpo necesita el hidrógeno y el oxígeno que se encuentran en el agua (H_2O), algo que aprendí en la clase de biología del instituto y que rápidamente procedí a olvidar. A menudo la gente siente hambre cuando lo que verdaderamente necesita su cuerpo es *agua*. La próxima vez que te apetezca picar algo, da un par de tragos de agua primero; aún mejor, haz lo que recomiendan los expertos: adopta el hábito de beber, como mínimo la cantidad

equivalente a dividir por 30 tu peso (por ejemplo, una persona de 60 kg debería beber 2 litros de líquido al día).

3. **Elimina los alimentos que roban felicidad:**
   - **Corta con el azúcar.** ¿Sabes lo difícil que es que los expertos en salud estén de acuerdo en algo? Sin embargo, resulta que todas las personas que he entrevistado coinciden en que el mayor ladrón de felicidad de toda nuestra dieta es el azúcar blanco: es poderosamente adictivo y además crea el caos en el cerebro llegando incluso a poder causar depresión, ansiedad y ese estado de agotamiento apático y falta de energía que te invade cuando llegan las tres de la tarde y te entran ganas de apoyar la frente en la mesa de la oficina y echar una cabezadita. Los sustitutos sintéticos del azúcar, por desgracia, tampoco son mucho mejores, de hecho hay muchos estudios que señalan que, potencialmente, podrían tener efectos secundarios. Si tomas azúcar en estado natural, por ejemplo en la fruta, el cuerpo puede procesarlo más fácilmente.
   - **Controla los hidratos de carbono.** En cuanto a las cosas que hay que controlar, la palabra clave en este caso es «integral». Si tomas cereales procesados como por ejemplo el pan o el arroz blancos, o pasta o bollería hechas con harina blanca, haces que se active la alarma hiperglucémica, lo que provoca que los niveles de azúcar de la sangre se disparen para luego caer en picado, y eso altera tus estados de humor y tus niveles de energía. La Dieta Estándar Americana (SAD en sus siglas en inglés, lo que no deja de ser muy apropiado en vista de que «sad» significa «triste») se centra demasiado en las féculas y los hidratos de carbono procesados. Pasarte al arroz integral, la quinua y el mijo es un truco simple pero efectivo para sentirte más sano y feliz rápidamente.
   - **Elimina la cafeína.** Cuando necesitamos algo que nos entone, la mayoría de nosotros buscamos el chute de cafeína en el café o los refrescos que la contienen. La cafeína bloquea la transmisión de la adenosina del cerebro, y como resultado hay una mayor afluencia de adrenalina a la sangre. Después de tomar un café

o un refresco con cafeína te sientes alerta, motivado, estimulado, pero el subidón llega a su cota máxima al cabo de entre 30 y 60 minutos y luego viene la bajada. Te sugiero que pruebes el té verde sin cafeína (el té normal lleva cafeína), que no solamente es un poderoso antioxidante que hará felices a tus células sino que además te proporciona un nivel de energía más sostenible.

Superalimentación que promueve la felicidad de la mente y el cuerpo

Para hacer felices a las células a veces resulta útil echarle una mano al cuerpo alimentándolo de un modo específico. La experta en psicología nutricional Julia Ross, autora de *The Mood Cure* cree que gran parte de nuestra infelicidad se debe a «necesidades nutricionales fundamentales no satisfechas» y ha desarrollado un programa basado en investigaciones que vinculan nuestros estados de humor con los cuatro neurotransmisores básicos del cuerpo que producen felicidad. El combustible de esos neurotransmisores son unos nutrientes denominados aminoácidos; si el nivel de aminoácidos es suficiente y los niveles de esos cuatro neurotransmisores clave están altos, por lo general te sentirás bien. Si el nivel de cualquiera de ellos es bajo, podrías empezar a presentar los síntomas específicos de una deficiencia en ese neurotransmisor.

Los cuatro neurotransmisores de la felicidad y tu cerebro

Si tienes la serotonina alta eres positivo, seguro, flexible y relajado.

Si la serotonina está bajo mínimos, tenderás a volverte negativo, obsesivo, preocupado e irritable, y te costará trabajo dormir.

Si los niveles de las catecolaminas son altos (la norepinefrina, la dopamina y la adrenalina pertenecen a este grupo), tienes mucha energía y estás bien despierto y alerta.

Si las catecolaminas están muy bajas, podrías caer en un estado anodino, letárgico y timorato.

Si los niveles de ácido gamma-aminobutírico (GABA) son altos, estás relajado y sin estrés.

Si hay una carencia de GABA, estarás alterado, estresado y abrumado.

Si tienes buen nivel de endorfinas, estás lleno de pensamientos agradables y te sientes bien, a gusto, pletórico.

Si estás casi a cero de endorfinas, podrías andar por ahí llorando con los anuncios de la tele y reaccionando a cualquier cosa que te digan como si fuera la mayor afrenta.

Fragmento de *The Mood Cure* de Julia Ross

Al final de esta sección encontrarás un Cuestionario sobre Tipos de Estado de Humor de Julia Ross que te puede ayudar a establecer con mayor precisión si tus niveles de aminoácidos son los adecuados.

Limpieza general

Mucha gente tiene el cuerpo sobrecargado de «porquería tóxica» que bloquea la corriente de felicidad. A veces lo mejor que puedes hacer por tu cuerpo es darle una buena limpieza general y eliminar toda la porquería. Esa limpieza a fondo es una vía rápida garantizada hacia la meta de hacer felices a tus células, pero tienes que limpiar bien, lo que por lo general significa un cambio temporal de tu alimentación (incluso el ayuno en algunos casos), baños y productos herbales de desintoxicación... Según la medicina china, cada órgano de nuestro cuerpo está ligado a una emoción específica —el hígado se relaciona con la ira, los riñones con el miedo, los pulmones con la tristeza y el bazo con las preocupaciones— y cada órgano se limpia de un modo específico. Algunos expertos recomiendan limpiezas regulares coincidiendo con los cambios de estación. NOTA IMPORTANTE: consulta siempre a tu médico antes de emprender una limpieza ya que ciertas dolencias podrían hacerla desaconsejable.

Hormonas y felicidad

Otro componente fundamental del programa de salud y felicidad de Catherine fueron las hormonas. Ésta es una cuestión que afecta más a las mujeres que a los hombres, pero en cualquier caso es un factor importante a tener en cuenta cuando se es infeliz. Las hormonas alimentan a las células y esto afecta al funcionamiento de todos los órganos, pero sobre todo al cerebro, así que los desequilibrios hormonales pueden tener un profundo impacto en el estado anímico y la felicidad.

No todos los sustitutivos hormonales son iguales: hay mucha gente que prefiere tomar hormonas bioidénticas, compuestos que tienen exactamente la misma estructura molecular y química que las hormonas que produce el cuerpo humano. Según la doctora Christiane Northrup, experta en salud femenina, «debido a que las hormonas bioidénticas son como las que nuestro cuerpo ha sido diseñado para reconocer y utilizar, sus efectos son más... consistentes con nuestra bioquímica normal y, para dosis de sustitución bajas, los efectos secundarios impredecibles son menos probables que con hormonas sintéticas no bioidénticas». Si tienes algún problema hormonal, asegúrate de que acudes a un experto que no sea de los que creen que hay soluciones universales que sirven para todo el mundo.

Merece la pena invertir tiempo explorando las formas en que puedes alimentar el cuerpo, es algo que te reportará muchos beneficios medidos en niveles de felicidad.

Ejercicio

Cuestionario en cuatro partes sobre estados de humor

Anota el número escrito junto a cada uno de los síntomas siguientes con que te identifiques. Haz la suma total para cada sección y compara el resultado con el nivel máximo establecido para la misma. Si has obtenido una puntuación por encima de ese nivel máximo o si tan sólo presentas algunos de los síntomas pero estos aparecen con regularidad, infórmate más sobre los aminoácidos en el libro de Julia Ross *The Mood Cure* o consulta su página web: www.moodcure.com. La buena noticia es que puedes conseguir los aminoácidos que tu cerebro necesita fácilmente por medio de suplementos nutricionales y notarás en seguida que tu humor mejora cuando los neurotransmisores vuelvan a recibir el combustible que necesitan.

Parte 1. ¿Te sientes abatido? Si es así, tal vez tus niveles de serotonina están bajos.

3) ¿Tienes tendencia a ser negativo, a ver el vaso medio vacío en vez de medio lleno? ¿Tienes pensamientos oscuros y negativos?

3) ¿A menudo te sientes preocupado y ansioso?

3) ¿Tienes la autoestima baja y te sientes inseguro? ¿Caes rápidamente en la autocrítica y el sentimiento de culpabilidad?

3) ¿Te comportas a menudo de modo un poco —o muy— obsesivo? ¿Te cuesta pasar por transiciones o ser flexible? ¿Eres perfeccionista, te obsesiona el orden y quieres estar siempre en control de la situación? ¿Eres adicto al ordenador, la televisión o el trabajo?

3) ¿Dirías que verdaderamente odias el mal tiempo o que claramente te deprimes en otoño/invierno?

2) ¿Tienes tendencia a estar irritable, tenso o enfadado?

3) ¿Tiendes a ser tímido o timorato? ¿Te ponen nervioso o te dan pánico las alturas, volar, los espacios cerrados, las actuaciones en público, las arañas, las serpientes, los puentes, las multitudes, salir de casa o cualquier otra cosa?

2) ¿Has sufrido ataques de pánico o ansiedad (se te acelera el corazón, te cuesta respirar)?

2) ¿Sufres de síndrome premenstrual o SPM (lágrimas, ira, depresión)?

3) ¿Odias que haga calor?

2) ¿Eres de los que trasnochan o te cuesta conciliar el sueño por más que quieras dormir?

2) ¿Te despiertas por la noche, duermes mal, tienes el sueño ligero o te despiertas demasiado pronto por las mañanas?

3) ¿Sueles tomar cosas dulces o féculas o vino por la tarde o la noche o en mitad de la noche (pero no a otras horas del día)?

2) ¿Encuentras que el ejercicio alivia cualquiera de los síntomas anteriores?

3) ¿Has sufrido fibromialgia (dolores musculares sin causa aparente) o problemas con la articulación temporomaxilar (dolor o tensión en la mandíbula o apretar demasiado los dientes?

2) ¿Alguna vez has pensado en el suicidio o lo has planeado?

Puntuación total _____ Si has obtenido una puntuación superior a 12 en la Parte 1, tal vez sufras una carencia de serotonina.

Parte 2. ¿Andas decaído? De ser así, puede que tengas los niveles de catecolamina bajos.

3) ¿A menudo te sientes deprimido (en el sentido de estar apático, aburrido)?

2) ¿Notas que tienes poca energía física o mental? ¿Te sientes cansado a menudo o tienes que obligarte a hacer ejercicio?

2) ¿Dirías que tus cotas de vigor, entusiasmo y motivación son más bien bajas?

2) ¿Te cuesta trabajo centrar la atención o concentrarte?

3) ¿Enseguida tienes frío? ¿Se te quedan las manos o los pies fríos?

2) ¿Tiendes a ganar peso con demasiada facilidad?

3) ¿Sientes la necesidad de despejarte la cabeza y motivarte tomando café u otros estimulantes como dulces, los refrescos sin azúcar o la efedrina?

Puntuación total _____ Si has obtenido una puntuación superior a 6 en la Parte 2, tal vez tengas lo niveles de catecolaminas demasiado bajos.

Parte 3. ¿El estrés es un problema? Si la respuesta es sí, quizá tengas bajos los niveles de GABA.

3) ¿Con frecuencia te sientes explotado en el trabajo, bajo presión, esclavo de los plazos?

1) ¿Te cuesta relajarte?

1) ¿Por lo general tiendes a tener el cuerpo tenso y agarrotado?

2) ¿Tienes tendencia a enfadarte, disgustarte o saltar con facilidad si estás estresado?

3) ¿Enseguida tienes frío? ¿Se te quedan las manos o los pies fríos?

2) ¿Tiendes a ganar peso con demasiada facilidad?

3) ¿A menudo te sientes desbordado o como si simplemente no pudieras con todo?

2) ¿Alguna vez te sientes débil o inestable?

3) ¿Eres sensible a la luz potente, el ruido o los gases de naturaleza química? ¿Necesitas llevar gafas de sol a menudo?

3) ¿Te sientes mucho peor si te ves obligado a saltarte una comida o pasas demasiado tiempo seguido sin comer?

2) ¿Utilizas el tabaco, el alcohol, la comida o las drogas para relajarte o calmarte?

Puntuación total _____ Si has obtenido una puntuación superior a 8 en la Parte 3, tal vez tengas lo niveles de GABA demasiado bajos.

Parte 4. ¿Eres demasiado sensible al «dolor de vivir»?
De ser así, tal vez tus niveles de endorfinas sean bajos.

3) ¿Te consideras —o te consideran otros— muy sensible? ¿Te afecta mucho el sufrimiento emocional o físico?

2) ¿Se te saltan las lágrimas o lloras con facilidad, por ejemplo viendo los anuncios de la tele?

2) ¿Tiendes a evitar las cuestiones dolorosas?

3) ¿Te resulta difícil superar las pérdidas o pasar por el periodo inmediatamente posterior a éstas?

2) ¿Has pasado por mucho dolor físico o emocional?

3) ¿Dirías que apaciguas tu deseo de placer, comodidad, gratificación, disfrute o alivio con el chocolate, el pan, el vino, las novelas románticas, el tabaco o los capuchinos?

Puntuación total _____ Si has obtenido una puntuación superior a 6 en la Parte 4, tal vez tengas las endorfinas bajas.

Publicado con autorización de Julia Ross.

Hábito de Felicidad para el Cuerpo n.º 2
Infunde energía a tu cuerpo

Hay una vitalidad, una fuerza de vida, una energía,
un avivamiento que se traducen en acciones a través de ti...
Mantén el canal abierto.
Martha Graham, bailarina y coreógrafa del siglo XX.

No esperaríamos que el coche funcionara bien si nunca apagáramos la llave de contacto ni le pusiéramos gasolina, pero en cambio descuidamos el cuerpo de manera similar y, aun así, esperamos que éste siga funcionando igual que el «conejito de la pilas Duracell». Para acceder a nuestros niveles naturales de alegría y mantener el equilibrio en nuestras vidas, necesitamos infundir energía al cuerpo a través del descanso, la respiración y el ejercicio adecuados.

Los sistemas orientales de salud y bienestar hace ya mucho tiempo que reconocieron la presencia de una fuerza vital o energía en el cuerpo. En China, esa fuerza vital se denomina *chi* o *qi*, y en la India, *prana*. Cuando la fuerza vital del cuerpo aumenta, infunde energía a todo el sistema, moviliza las fuerzas de curación y elimina los bloqueos que impiden la felicidad.

Yo había oído hablar del *qigong*, una forma de gimnasia china que cultiva la energía vital del cuerpo, pero nunca lo había probado, así que decidí tomar una clase con el maestro de *qigong* Chunyi Lin.

Su energía, alegría y vitalidad me impresionaron desde un principio: el maestro Lin está a punto de cumplir los cincuenta, pero no aparenta más de treinta y tantos años. Lo entrevisté y, de inmediato, lo añadí a mi lista de Los 100 Felices. Su historia muestra cómo mover el cuerpo libera la energía vital y nos hace más felices.

La historia del maestro Lin
Mover la energía, sentir el gozo

Nací en las montañas de China. Mis padres tenían buenos trabajos y, aunque no éramos ricos, ellos eran amables y cariñosos y vivíamos felices.

Cuando yo tenía ocho años comenzó la Revolución Cultural: el presidente Mao, líder del Partido Comunista, quería deshacerse de todo aquel que tuviera opiniones políticas distintas a las suyas; mucha gente buena acabó en la cárcel, se obligó a profesores y catedráticos a trabajar el campo en zonas rurales y cientos —o miles— de personas honestas y bien preparadas fueron asesinadas. El país entero se sumió en un terrible caos.

Una noche, mientras mi familia estaba cenando, unos hombres armados entraron en nuestra casa: agarraron a mi padre, le ataron las manos a la espalda y lo sacaron de la casa a empujones: lo detuvieron con unas acusaciones que al final se descubrió que eran falsas. No pudimos visitarlo hasta que no pasaron más de seis meses; lo enviaron a prisión y luego a un campo de trabajo.

Y entonces, una noche, mi madre desapareció. No supimos hasta después que había tenido que huir para salvar la vida. Fue así como mis dos hermanos, mi hermana y yo quedamos al cuidado de nuestra niñera, una anciana viuda que mis padres habían acogido. Aún no nos habíamos sobrepuesto a la desaparición de nuestra madre cuando, al cabo de unos días, un grupo de nuestros vecinos, gente a la que mis padres apreciaba y a los que habían ayudado, irrumpieron en nuestra casa armados y nos ordenaron que saliéramos a la calle: lo hicieron para mostrar su lealtad a los líderes locales del partido y evitar correr la misma suerte que mi padre.

Aquella noche, mientras observábamos cómo nuestros vecinos precintaban nuestra propia casa, llovía y soplaba un viento gélido, así que nos acurrucamos los unos contra los otros: cuatro niños pequeños y su anciana niñera, caminando en medio de la noche y de la lluvia por una callejuela estrecha tratando de encontrar cobijo.

Pasamos tres días en la calle, sin comida: nadie se atrevía a acogernos ni a darnos nada de comer. A la tercera noche, estábamos en la esquina de una calle, abrazados los unos a los otros para darnos calor, cuando estalló un enfrentamiento a punta de pistola entre dos facciones rivales. Las balas volaban a nuestro alrededor y se sucedían las explosiones por todas partes.

Aterrorizados, corrimos de casa en casa, tratando desesperadamente de encontrar un lugar donde escondernos, pero nadie nos dejaba entrar. Nos apretujamos en el umbral de una puerta temblando de miedo y entonces una mujer muy anciana abrió: reconocimos que era una terrateniente —que según el gobierno nos había dicho equivalía poco menos que a ser el mismísimo diablo—, así que yo me asusté y fui a esconderme detrás de nuestra niñera de un salto.

La anciana nos miró y dijo: «¡Pobres niños! Es demasiado peligroso que andéis por la calle con todo lo que está pasando, por favor, entrad, aquí estaréis seguros».

Aquella anciana maravillosa, sin reparar en el riesgo que ella corría, nos acogió, nos dio de comer y luego nos escondió, junto con muchos otros, en una despensa que había en la parte trasera de su casa. Durante semanas permanecimos allí sin atrevernos a salir por miedo a ser descubiertos hasta que al final nuestros padres dieron con nosotros.

Enviaron a un amigo de la familia a buscarnos y acompañarnos en el largo y peligroso viaje hasta la casa de mi abuela, en el campo. Vivimos con la abuela durante más de un año, hasta que mis padres decidieron que ya no era peligroso que volviéramos a vivir con ellos.

Mis experiencias durante la Revolución Cultural afectaron profundamente a mi vida durante años; todo había acabado patas arriba: los antiguos —supuestos— buenos amigos habían resultado ser los que querían matarte, y personas que supuestamente eran malvadas resultaban ser ángeles en realidad. Yo ya no me fiaba ni de mis padres: en mi mente de niño, pura y simplemente nos habían abandonado; me sentía traicionado por todo y todos, y me aparté de mis amigos y mi familia.

Empecé a estudiar *qigong* en el instituto; se trata de un antiguo sistema de curación que se enseña por toda China y consiste en equilibrar la energía del cuerpo a través del movimiento. Yo había oído muchas historias de maestros de *qigong* y sus curaciones milagrosas cuando era niño y siempre me habían encantado, siempre había deseado, algún día, convertirme en un maestro sanador como ellos. Sin embargo, durante la Revolución Cultural el *qigong* estaba prohibido: cualquiera que fuera sorprendido estudiándolo o enseñándolo sería arrestado ya que el gobierno comunista no lo aprobaba, así que mi profesor, un famoso maestro de *qigong*, me enseñó en secreto. Empecé a aprender los movimientos más básicos del *qigong* y me di cuenta de que cuando los practicaba me sentía en paz.

Al acabar los estudios de secundaria, muchos jóvenes como yo éramos obligados a alistarnos en el ejército y nos enviaban a granjas en las zonas rurales. Durante cinco años, trabajamos como esclavos y la comida escaseaba a menudo; el trabajo era muy duro y sufrí varias lesiones y enfermedades durante aquel periodo; a menudo me escapaba de noche para practicar *qigong* a escondidas: era el único momento del día en que me sentía bien y aquello me ayudaba a seguir adelante.

Al final el presidente Mao murió, purgaron a la «banda de los cuatro» que lo había sucedido en el poder expulsándolos del partido, y las cosas empezaron a volver a la normalidad en China. Yo pude ir a la universidad y mi vida fue mejorando, pero seguía siendo un joven muy deprimido y lleno de ira: no quería hablar con nadie, no tenía amigos y, pese a que no lo demostraba, en realidad odiaba a la gente; de hecho lo odiaba todo. A veces lo único que quería era acabar con mi vida y dejar este mundo y comencé una intensa búsqueda, tratando de averiguar cómo ser feliz en la vida.

Y entonces un buen día, mientras jugaba al baloncesto, tuve un accidente que me causo serios daños en los cartílagos de ambas rodillas: sufría constantemente unos dolores horribles, casi no podía andar y nada —ni siquiera los analgésicos— me calmaba el dolor.

Oí que un reconocido y poderoso maestro de *qigong* iba a venir a la ciudad a impartir un seminario y que había mucha gente que con tan sólo asistir a sus seminarios había sido curada de sus dolencias; yo no me lo creía, pero pensé que no perdía nada con intentarlo. Y, además, necesitaba un milagro...

Quince mil personas asistieron a aquel seminario que se celebró en un estadio de fútbol. Empezó al medio día: el maestro enseñó una forma muy potente de *qigong* y guió a los asistentes en la realización de muchos ejercicios y meditaciones. Yo tuve unas experiencias increíbles durante aquellas horas: la energía que sentía era como un volcán, mi cuerpo se mecía y temblaba a medida que la *qi* comenzaba a fluir a través de los canales de energía en mi interior. Al principio lloré como un niño y luego comencé a reírme de forma descontrolada: me reí y me reí hasta que me dolían los músculos del estómago; sabía que era una reacción a la *qi* que al cabo de media hora aproximadamente fue remitiendo poco a poco dejándome placenteramente exhausto.

Y entonces sentí un cosquilleo que subía desde la punta de los dedos de los pies avanzando a lo largo de todo mi cuerpo; no era sólo una sensación en la piel, también la sentía en los músculos y los huesos, era como si mi cuerpo hubiera estado helado y estuviese empezando a derretirse con los rayos del sol de primavera; aquella sensación era tan apacible, tan bella, tan enriquecedora... La sensación de mi propia fuerza vital fluyendo libremente por mi cuerpo era como una brisa que me recorría los huesos; me sentía relajado y feliz, y no era una felicidad como la que te produce un regalo de cumpleaños o que te asciendan en el trabajo; aquella felicidad salía de lo más profundo del corazón. A las siete y media de la noche, el maestro por fin nos guió a través del último ejercicio. Al finalizar me puse de pie y me di cuenta de que ¡se había producido el milagro!: la hinchazón de mis rodillas había desaparecido y el 80 % del dolor también; empecé a correr y a saltar por el césped del campo igual que un chiquillo.

Seguí practicando los movimientos sencillos que había aprendido durante el seminario y al cabo de dos meses, el dolor desapareció por completo y, lo que es más, además de conseguir que la energía o *qi* fluyera por mi cuerpo, también había comenzado a fluir en mi interior una sensación de paz y belleza y todo empezó a ir mejor en mi vida.

Esa corriente de energía vital me permitió sentir el bloqueo que se había producido en mi corazón y que había me provocado los sentimientos de depresión, ira y dolor emocional durante tantos años: siempre que notaba ese bloqueo en mi corazón fijaba la atención en experimentar perdón; a lo largo de los meses y años que siguieron, las impresiones de todas aquellas vivencias difíciles del pasado que yo había enterrado en mi interior fueron liberándose, empecé a sentir la felicidad en cada célula de mi cuerpo y me fui convirtiendo en una persona amable y relajada. Fui capaz de perdonar a toda la gente que me había hecho daño y a mi familia, la práctica diaria de incrementar y equilibrar mi energía a través del movimiento me curó por completo, tanto física como espiritualmente.

Evidentemente, quería enseñar el *qigong* a otras personas para que pudieran experimentar en sus vidas el mismo gozo que yo estaba sintiendo, así que desarrollé mi propio sistema de *qigong* y con el tiempo empecé a enseñar esta hermosa práctica, primero en China y luego en Estados Unidos. He visto cómo cuando la gente mueve el cuerpo de manera consciente consigue ser más feliz.

Ya han pasado casi veinte años desde aquel día en el estadio de fútbol en que por primera vez experimenté plenamente el poder de la *qi* y hoy soy una persona próspera, tengo una familia maravillosa y un emocionante trabajo lleno de sentido en el que ayudo a miles de personas a curarse a sí mismos. Todos los días son un buen día; pase lo que pase.

Movimiento con significado

¡La clase de deportes debería haberse llamado Formación para la Felicidad! Los estudios coinciden en demostrar de manera abrumadora que la gente que hace ejercicio es más feliz. Al igual que el maestro Lin, puedes transformar tu vida convirtiendo en un hábito diario alguna forma de ejercicio o movimiento, como por ejemplo caminar, correr, nadar, bailar, el *qigong*, el yoga... Cuando haces ejercicio, el cerebro se oxigena y, lo que es aún más importante, tu cuerpo produce sustancias químicas muy importantes y hormonas que tienen un efecto en tus niveles de energía, tu humor y tu salud. En un estudio reciente realizado con atletas, el psiquiatra de la Universidad de Harvard John Ratey ha descubierto que los niveles de dopamina, serotonina y norepinefrina —las valiosas sustancias químicas de la felicidad— son más altos después de hacer ejercicio. De hecho, hay docenas de estudios que indican que a menudo el ejercicio es tan efectivo como la medicación tradicional a la hora de luchar contra la depresión.

El ejercicio también puede ayudar a aliviar o prevenir la ansiedad, pues tiene un efecto calmante que dura unas cuatro horas. Trata de pelearte con alguien justo después de haber ido al gimnasio: ¡poco probable! Hacer ejercicio así mismo eleva los niveles de endorfinas —los neuroquímicos de la «dicha absoluta» responsables de ese subidón maravilloso que provoca hacer ejercicio—, en aproximadamente un 500 %.

El doctor Henry S. Lodge, catedrático adjunto de medicina de la Universidad de Columbia y coautor de *Más joven cada año*, explica cómo el ejercicio incide a nivel celular haciendo que nos mantengamos más vitales y sanos, y dice que cada día reponemos aproximadamente un 1 % de las células, con lo que al cabo de tres meses todo nuestro cuerpo se ha regenerado. Si se hace ejercicio, los músculos segregan sustancias específicas que envían a las células la orden de crecer; si estás todo el día sentado sin hacer nada, los músculos producen un goteo regular de sustancias químicas que envían a las células la señal de que mueran. ¡Es un motivo de peso para hacer algo de ejercicio!, ¿no? Si empiezas a hacer ejercicio en enero, podrías tener un flamante cuerpo de células nuevas, fuertes y felices para abril.

Si quieres meter el turbo a los efectos de hacer ejercicio, hazlo de forma consciente: moverse con la intención consciente de hacerlo es una de las razones por las que el *qigong* es tan efectivo, y lo mismo es aplicable a cualquier tipo de ejercicio. Por ejemplo, la próxima vez que salgas a dar un paseo, el maestro Lin recomienda que te digas a ti mismo: «Durante el paseo, todos los canales de energía se despejarán, abriré mi corazón a la naturaleza y para cuando esté de vuelta mi energía será mucho más intensa». El maestro dice que esa intención expresa refuerza de forma ostensible el impacto del movimiento en la felicidad.

Incluso puedes imbuir energía a tu cuerpo sin levantarte de la silla. Brian Siddhartha Ingle, un osteópata especializado en un programa de educación neuromuscular llamado Hanna Somatics, me contó que él ve cada día cómo la postura de la gente afecta a sus niveles de energía y felicidad. La próxima vez que te sientas estresado, ansioso o abatido, fíjate en si estás encogido de hombros. En vez de bajarlos inmediatamente, el doctor Ingle sugiere que exageres ese movimiento ascendente de los hombros llevándolos hacia tus orejas y que luego, LENTAMENTE, comiences a bajarlos. Haz esto tres o cuatro veces al día y verás cómo los niveles de estrés y ansiedad bajan.

El aliento vital

Puedes pasarte semanas sin comer y unos cuantos días sin agua, pero sólo aguantarías unos pocos minutos sin respirar. La respiración es el combustible más importante que tenemos a nuestra disposición para infundir energía a nuestros cuerpos. Durante milenios, muchas tradiciones han comprendido la importancia de esa habilidad y han prestado gran atención a la respiración con el objetivo de mantener unos niveles óptimos de salud y bienestar. En los últimos treinta años, cientos de estudios clínicos con miles de participantes muestran cómo las técnicas de respiración pueden aliviar la ansiedad, la depresión y la fatiga crónica y aumentar la claridad mental. Hoy por hoy, incluso la

Administración de Drogas y Alimentación de los Estados Unidos reconoce el aprendizaje de técnicas de respiración como tratamiento para la hipertensión.

Para un instante y fíjate en cómo estás respirado en estos momentos poniéndote la mano en el estómago. Observa si tu mano se aleja cuando inspiras y se acerca cuando expiras. Si eres como la mayoría de la gente, respiras sólo desde la cavidad torácica y tu mano no se mueve en absoluto. Durante mi entrevista con él, el doctor John Douillard, médico ayurvédico y autor de *Body, Mind and Sport*, me dijo: «La respiración superficial te mantendrá con vida, pero el oxígeno no llega hasta los niveles celulares más profundos donde es necesario para limpiar los conductos celulares y abrir camino para que fluyan las sustancias químicas potenciadoras de la felicidad. Respirar profundamente desde el estómago es una de las técnicas más poderosas de eliminación de residuos de que disponemos: aumenta la *prana* o *qi* del cuerpo y ayuda a generar felicidad y un estado de bienestar físico. Tenemos 26.000 oportunidades al día, cada vez que respiramos, para dar apoyo a nuestra felicidad».

La manera en que respiramos está íntimamente ligada con nuestras emociones. Cada estado emocional tiene su propio patrón de respiración: cuando experimentamos ansiedad la respiración es rápida y superficial; cuando estamos tristes suspiramos profundamente; y cuando estamos enfadados respiramos en ráfagas cortas y violentas. Pero esa conexión también funciona en sentido inverso: si empezamos a respirar como si sintiéramos ansiedad, tristeza o ira, estimulamos la zona del cerebro asociada con esas emociones y pronto empezamos a experimentarlas. La próxima vez que te sientas agitado o notes ansiedad, trata de respirar desde el estómago cinco o diez veces seguidas y fíjate en el inmediato efecto calmante que eso tiene sobre tu cuerpo.

Camina hacia la felicidad mientras duermes

El sueño es la forma natural de recargar las pilas. Todos sabemos que estamos de mejor humor cuando dormimos bien, pero prueba a preguntar a la gente si duerme ocho horas todas las noches y la mayoría te responderán con una sonrisa burlona. ¿Quién tiene tiempo de dormir tanto —dicen—, cuando ponen tal o tal cosa en la tele, hay que hacer las cuentas de la casa, bañar a los niños, problemas de los que preocuparse...?

Cuando trabajaba como consultora de empresas de la lista Fortune 500, siempre me sorprendía cómo la gente hablaba de dormir como si aquello fuera un concurso: un ejecutivo decía: «Yo me arreglo con dormir cinco horas» y su colega le respondía: «¿De verdad? Yo nunca duermo más de cuatro» y así seguían, alardeando de que si sus listas de tareas se hacían demasiado largas podían robarle un par de horas al sueño para seguir sacando trabajo adelante... Ganaba el que menos dormía.

El hecho es que no dormir lo suficiente no es algo de lo que se pueda presumir. Según los Centros para el Control y la Prevención de Enfermedades, hay una intensa correlación entre la cantidad de horas que duerme una persona y su nivel de felicidad. Me quedé de piedra cuando leí un estudio de la revista *Science* de diciembre de 2004 en el que se hablaba de que la calidad de las horas de sueño tiene más efecto que los ingresos familiares o el estado civil sobre nuestra capacidad de disfrutar las horas del día que pasamos despiertos. ¡Quién iba a imaginarse que las cabezaditas son más importantes que el sueldo o la pareja!

No puedo estar más de acuerdo con la creencia ayurvédica (Ayurveda es una antigua medicina tradicional de la India) de que «una hora de sueño antes de la media noche vale por dos después de la media noche». Una vez fui a ver a un médico ayurvédico, un anciano menudo que no era más alto que yo y debía de tener —por lo menos— cien años: estaba arrugado como una pasa pero conservaba todo el pelo, una sonrisa amplia y los ojos más brillantes que jamás he visto. Me dijo que si alguna vez me sentía desgraciada o abatida debía tratar de irme a la cama antes de las diez de la noche, a poder ser a las nueve, durante tres noches seguidas, que ya vería cómo eso me ayudaba. Lo cierto es que, cada vez que lo hago, ¡para cuando llega el tercer día el mundo me parece diferente, vuelvo a ser una persona llena de energía, alegre y descansada! Es lo que llamo «tomar el tren de los angelitos de las diez de la noche», y desde luego es uno de los Hábitos de Felicidad que más me gustan. A lo largo de los años, he ido recomendándolo a mucha gente, y todo el mundo que lo ha puesto en práctica me ha agradecido el consejo tremendamente.

Como experimento, durante los próximos siete días prueba a tomarte como una prioridad el dormir bien todas las noches. Los programas de la tele seguirán en antena aunque tú no los veas y serás mucho más feliz.

Para infundir energía al cuerpo, vuelve a este principio básico: mantén el cuerpo en movimiento, respira hondo y descansa lo suficiente. A continuación encontrarás un ejercicio sencillo de *qigong* que puedes utilizar para elevar tu nivel de felicidad a través del movimiento consciente, independientemente de que estés sentado en la cima de una montaña o haciendo un descanso en el trabajo.

Ejercicio

Qigong Spring Forest: la respiración del universo

No te dejes engañar por la aparente simplicidad del ejercicio. Como el maestro Lin (en la foto) dice: «Lo mas poderoso es siempre lo más sencillo». Este ejercicio es sutil, pero extremadamente eficaz para despejar los bloqueos en el cuerpo, sobre todo en los pulmones.

1. **Relájate en la posición correcta**: ponte de pie dejando entre los pies una distancia ligeramente superior a la que hay entre tus hombros, flexiona ligeramente las rodillas y mira hacia delante. Sonríe y relájate. Alza ligeramente la barbilla para poner la columna bien derecha. Baja los hombros y mueve los codos un poco hacia afuera. Abre las manos y separa los dedos.

2. **Respira hondo**: respira hondo por la nariz tres veces lentamente. Imagina que usas todo el cuerpo para respirar. Visualiza la energía entrando y concentrándose en tu vientre. Cuando sueltes el aire, visualiza el dolor o enfermedad transformándose en humo y saliendo de cada una de tus células para disiparse en el universo.

3. **Di en silencio estas frases**: cierra los ojos y di para tus adentros: «Yo soy el universo. El universo es mi cuerpo. El universo y yo estamos unidos». Date un momento para sentir la tranquilidad, la quietud del universo.

4. **Mueve las manos**: toma aire, mueve las manos lentamente separándolas hacia los lados (utiliza las fotografías como guía); cuando sueltes el aire, junta las manos lentamente, sin que lleguen a tocarse. Cuando abras los brazos, siente la energía que se expande en el espacio que hay entre tus manos; cuando cierres los brazos, siente la energía que se comprime en el espacio que hay entre tus manos.

Haz este ejercicio durante cinco o seis minutos. Cuando hayas acabado, respira hondo, lentamente y con suavidad dos o tres veces y relájate durante un par de minutos más.

Publicado con autorización de Spring Forest Qigong

Hábito de Felicidad para el Cuerpo n.° 3
Sintoniza con la sabiduría de tu cuerpo

*Sólo estaremos sintonizados con nuestros cuerpos
si los amamos y honramos de verdad.
Uno no tiene buena comunicación con el enemigo.*
HARRIET LERNER, Ph.D., psicóloga clínica y escritora.

Mis entrevistas con Los 100 Felices revelaron que todos ellos sintonizaban con la sabiduría contenida en sus cuerpos de manera consistente cuando se enfrentaban a decisiones que afectarían a su salud. Saber cuándo es momento de descansar, cuando beber más agua, darse un baño o hacer algo de ejercicio —las actividades que contribuyen al mantenimiento del equilibrio— es un hábito que todos podemos desarrollar.

El cuerpo sabe exactamente lo que nos conviene en todo momento aunque a menudo no lo escuchamos, pero cuando empezamos a quererlo y a confiar en su sabiduría, eso marca «el inicio de una gran amistad», una que hace a nuestras células inmensamente felices.

Durante la entrevista con otro distinguido miembro de la lista de Los 100 Felices, el escritor y pionero en el campo de los estudios de la consciencia Gay Hendricks, éste me contó la siguiente historia que ilustra a la perfección el efecto que tiene vivir sintonizado con lo que nuestro cuerpo verdaderamente quiere.

La historia de Gay
La llave mágica

Estaba gordo prácticamente desde que había nacido. Durante toda mi infancia y hasta bien entrado en la edad adulta, creí que estar gordo era una maldición y culpaba de ello a la Fortuna, a Dios, a mis padres... A veces le echaba toda la culpa a la apetitosa comida que devoraba, pero la mayor parte del tiempo me la echaba a mí mismo: a mi apetito insaciable, a mi total carencia de fuerza de voluntad, a mi debilidad por la comida pesada... En los días verdaderamente malos, llegaba a pensar que dentro de mí había un agujero negro, un pozo tan profundo que casi podía decirse que no tenía fondo. No estoy seguro de si ser gordo me hacía infeliz, o si ser infeliz era la causa de que fuera gordo, pero en realidad no importaba: el hecho era que, a fin de cuentas, era gordo e infeliz.

Así siguieron las cosas hasta que tenía veintitantos años y entonces un día, durante un ejercicio de la clase de psicología en la universidad, un compañero llamado George me miró a los ojos y me preguntó:

—¿De qué va todo este tema de tu gordura?

Me pilló tan desprevenido que sólo alcancé a responder:

—¿Q-q-qué quieres decir?

George me lo puso todavía más claro:

—Que por qué eres gordo. ¿Por qué haces tantos esfuerzos por matarte siendo todavía tan joven?

Yo estaba horrorizado: me estaba preguntando sobre el tema que jamás debía mencionarse. Mi familia me había llevado a una buena media docena de especialistas en un intento vano por hacer algo sobre mi problema de peso, pero nunca se hablaba del tema delante de mí. Mi compañero de clase acababa de hacer lo impensable, lo que nunca nadie había hecho: me miró a los ojos y me preguntó por qué era gordo.

Me quedé paralizado, aparté la mirada y murmuré algo entre dientes sobre tener un problema glandular y antecedentes de obesidad en la familia. Él me miró con pena levemente teñida de asco y dijo: «¿Eso es todo? ¿No vas a decir nada más?».

Al ver que no le respondía, lanzó un suspiro y, para mi gran alivio, seguimos con el ejercicio que nos había encargado hacer el profesor. Pero aquella noche no pude dormir. Debí de repetirme aquella pregunta mentalmente cientos de veces sin encontrar la respuesta.

Durante toda la semana siguiente fui incapaz de quitarme la pregunta de la cabeza: cada vez estaba más agotado, no rendía en los estudios, y discutía constantemente con mi mujer y entonces, un frío día de invierno, salí a dar un paseo por una carretera rural desierta.

Imagínate a un tipo de ciento cincuenta kilos con cuerpo en forma de pera avanzando trabajosamente por la carretera enfundado en un anorak de color naranja. Hacía sol y se respiraba una calma total a mi alrededor; sólo se oía el crujir de las pisadas de mis botas sobre la nieve mientras avanzaba por la carretera absorto en mis pensamientos.

De repente, mis pies salieron disparados hacia el cielo y caí al suelo: había pisado una capa de hielo oculta bajo otra de fina nieve polvo y me había resbalado. En el momento en que mi cabeza golpeaba contra la carretera helada vi como una explosión de millones de estrellas y una ola de dolor me recorrió el cuerpo.

Al instante siguiente el dolor desapareció y me encontré en medio de la experiencia más extraña que jamás haya tenido: ¡de repente estaba en dos sitios a la vez!, suspendido en el aire, contemplando mi cuerpo desde arriba, y a la vez tendido en el suelo boca arriba mirando al cielo.

Desde esta única e irrepetible perspectiva doble, pude ver hasta lo más profundo de mi interior por primera vez: vi que mi mente, mi cuerpo, mi corazón y mi alma no estaban tan separados como yo siempre había creído. A cámara lenta, en un peculiar estado de consciencia, vi todas las defensas emocionales que había estado erigiendo a diario para protegerme. De repente tenía la respuesta a la pregunta de George: ¡comer era la forma que tenía mi cuerpo de evitar el dolor!, me había creado una defensa de grasa que me aislara de los sentimientos de temor, tristeza, pérdida y vergüenza. El problema que tenía esa estrategia era que me dejaba dolorosamente vacío por dentro y eso incrementaba aún más mi deseo de comer. Era el círculo vicioso perfecto.

Tendido en aquella carretera, ahora podía ver cómo aquel sufrimiento me abandonaba a medida que me relajaba en la espaciosa plenitud que descubrí que era mi alma: esa plenitud cubría todo mi ser —mi mente, mi cuerpo, mis emociones— y me colmaba de un agradable sentimiento de satisfacción. Tuve una sensación muy extraña: ¡me sentí completamente saciado, tal vez por primera vez en mi vida!

Aquella era la sensación de plenitud que yo buscaba en las chocolatinas, los bocadillos y los refrescos. Me sentía más que pleno, me sentía alimentado. Me di cuenta de que, al parapetarme tras una muralla para no dejar entrar a los sentimientos dolorosos, había perdido el contacto con la sabiduría de mi propio cuerpo y condenado mi espíritu a la inanición. ¡No era de extrañar que sintiera un hambre que ningún alimento era capaz de saciar!

En ese momento abrí los ojos y volví a la realidad. Me levanté del suelo, me sacudí la nieve y miré a mi alrededor. Experimenté una certidumbre tonificante y cantarina en mi interior mientras todas y cada una de las células de mi cuerpo tomaba una decisión al unísono. «De ahora en adelante —dije—, estoy decidido a escuchar la sabiduría de mi cuerpo y alimentarme de verdad desde dentro». Y entonces, sonriendo lleno de una alegría recién encontrada, volví a casa.

Durante los siguientes doce meses perdí más de cuarenta y cinco kilos. No te voy a mentir: no fue fácil, pero también te diré que fue sencillo porque mi caída en el hielo me había dado la llave mágica, que no era más que una acción simple: antes de llevarme algo a la boca, siempre sintonizaba con la sabiduría interior de mi cuerpo y hacía la pregunta «¿Me va a alimentar esto verdaderamente?».

Durante años, había sido un experto en proteínas, hidratos de carbono, calorías y dietas, pero no sabía nada en absoluto sobre cómo alimentarme desde dentro. La llave mágica lo cambió todo, incluida mi relación con la comida. La mañana siguiente a mi caída, pensé un momento sobre lo que solía desayunar: cereales con leche y una cucharada de azúcar; lo que más me gustaba era, cuando ya me había acabado los cereales, tomarme la leche con azúcar no disuelto que quedaba en el fondo del cuenco; me encantaba ese sabor de leche dulzona, aunque sabía que me haría sentir como inflado e me volvería irritable al cabo de una hora.

Esa mañana, la fuerza de la costumbre me arrastró hasta el armario donde guardábamos los cereales, pero esta vez me detuve un momento y me recordé a mí mismo la promesa que me había hecho de escuchar a mi cuerpo y dejar que me dijera lo que verdaderamente quería. Miré la caja de cereales y pregunté: «¿Me va a alimentar esto verdaderamente?». Inmediatamente mi cuerpo me respondió: «No». Fue como pisar el freno a fondo y oír el chirrido de los neumáticos sobre el asfalto.

Abrí la nevera y miré a ver qué había; mis ojos se posaron de inmediato en una bandeja de arándanos: eran la típica cosa que nunca se me habría ocurrido comer pero, ese día, la bandeja de arándanos llamó mi atención poderosamente; la verdad es que eran preciosos; saqué la bandeja y examine los arándanos de cerca, tomé uno entre los dedos y repetí la pregunta: «¿Me va a alimentar esto verdaderamente?». Mi cuerpo dijo «sí» al tiempo que sentía por dentro una sensación expansiva de espacio y ligereza. Me metí el arándano en la boca y lo mastiqué despacio. Era delicioso. Aún hoy recuerdo aquella explosión fresca de energía en el interior de mi boca. ¿Podría ser que todo lo que me alimentara verdaderamente supiera así de bien?, pensé.

Me llevé otro arándano a los labios y estaba a punto de comérmelo cuando me di cuenta de que iba a hacerlo simplemente porque el primero me había sabido tan bien. Volví a hacerme la pregunta: «¿Me va a alimentar verdaderamente este arándano en particular?». Mi cuerpo dijo «sí» y me lo metí en la boca. Para cuando hice esa misma pregunta por cuarta vez, la respuesta de mi cuerpo fue «no», así que la primera mañana de mi nueva vida desayuné tres arándanos; ¡y me sentía estupendamente! Cuando me entró hambre una hora más tarde, simplemente repetí el proceso. Parecía cosa de magia: mi estómago y todo mi ser se sentían saciados.

La llave mágica me simplificó la vida de una manera increíble, me enseñó qué comer, cuándo necesitaba salir a dar un paseo y cuándo era hora de apagar la luz e irme a dormir; me enseñó qué amigos debía dejar de frecuentar y con cuáles seguir viéndome, me mostró los cambios que debían producirse en mí para poder tener éxito en mi carrera... La he usado para todo y siempre me ha funcionado.

Viéndolo ahora en retrospectiva, creo que estar gordo ha sido lo mejor que me ha pasado en la vida. La lucha por controlar mi peso me llevó a una especie de despertar que me aclaró lo que siempre había querido saber: cómo vivir en armonía con todas las cosas, incluida aquélla con la que nunca había estado en armonía: yo mismo. Hoy, estar en comunicación con la sabiduría de mi cuerpo se ha convertido en un acto reflejo que me mantiene lleno de energía y gozo.

La llave mágica transformó completamente mi cuerpo y mi vida enseñándome a alimentarme desde dentro. Mi matrimonio, mi carrera, mis libros y mis clases, todo se basa en ese alimento. Me hizo falta un verdadero mazazo en la cabeza para entrar en razón, pero eso me llevó a la vida de mis sueños.

Lenguaje corporal

Puedes sintonizarte con tu cuerpo en cualquier situación con tan sólo preguntarte: ¿Es esto lo que mi cuerpo quiere o necesita *verdaderamente*? También puedes hacer preguntas específicas: ¿De qué tengo hambre exactamente? ¿Estoy escuchando cómo mi cuerpo clama pidiendo descanso y alivio para el estrés? ¿Qué necesito para recargar las pilas?

Si escuchas con atención, tu cuerpo te dirá qué es lo mejor para tu salud y tu felicidad en todo momento. A veces, como en el caso de

Gay, el mero hecho de formular la pregunta mentalmente te proporcionará una respuesta inmediata en forma de sensación física.

Este es un momento perfecto para utilizar el GPS interno y comprobar si lo que estás a punto de hacer te expandirá o te contraerá. Cuando eliges de manera consistente las cosas que te producen un estado de expansión, esto incrementa dramáticamente el nivel de felicidad y bienestar que experimentas.

Aprender un nuevo lenguaje

¿Quieres revertir el proceso de envejecimiento? Según la *coach* de vida y escritora Martha Beck, Ph.D., cuando la gente conecta con sus cuerpos comienza a «envejecer en dirección contraria»; la doctora Beck dice que esa conexión llega cuando aceptas todo lo que ocurre en tu cuerpo, incluso lo que no te gusta. Mucha gente no escucha al cuerpo porque tienen sentimientos muy negativos hacia el mismo. Durante la entrevista que le hice, la doctora Beck me dijo que cuando experimentamos una compasión profunda por lo que estamos sintiendo en vez de rechazarlo, entramos en armonía con el cuerpo y entonces podemos oír lo que éste dice que quiere. Imagínate sintiendo por tu cuerpo la misma ternura y preocupación que experimentarías ante un bebé o un animal de compañía muy querida. Aceptar así tu cuerpo activa las áreas del cerebro que están asociadas con la felicidad, el enamoramiento y la sensación de ser uno con todo lo que te rodea.

Cuando aprendemos el lenguaje de nuestro cuerpo y comenzamos a tratarnos con cariño, nos sentimos cada vez más cómodos en nuestra propia piel, lo que a su vez sustenta la experiencia de ser Feliz porque sí.

Ejercicio

Sintoniza con la sabiduría de tu cuerpo

1. Siéntate en un lugar tranquilo con los ojos cerrados. Respira hondo por la nariz unas cuantas veces al tiempo que relajas el cuerpo.
2. Fíjate en cualquier lugar de tu cuerpo donde sientas molestias o tensión. No trates de hacer nada al respecto, simplemente repara en lo que sea que está ocurriendo en tu cuerpo. El malestar es un mensaje que éste nos envía pero que a menudo ignoramos y apartamos a un lado o simplemente tratamos de hacer desaparecer mediante la ingesta de analgésicos. (Si no sientes ningún malestar continúa el ejercicio centrándote en las sensaciones agradables de tu cuerpo).
3. Pregunta a la parte de tu cuerpo donde está la molestia lo que necesita para sentirse mejor. (O pregúntale a todo el cuerpo qué necesita para gozar de una salud verdaderamente óptima).
4. Ahora simplemente fíjate en qué pasa. Puede ser que oigas una respuesta en tu cabeza, o que tengas una sensación o veas una imagen de lo que tu cuerpo quiere; por ejemplo, podría ser que te vieras a ti mismo dando un paseo, tumbado en la hierba o recibiendo un masaje. Hasta es posible que sientas ganas de llorar o reír.
5. Cuando tengas la sensación de que el proceso ha terminado, envía energía de amor a todo tu cuerpo, especialmente a la parte donde se localiza la molestia y con la que has estado hablando. Da las gracias a tu cuerpo por haberse comunicado contigo.

RESUMEN Y PASOS EFECTIVOS HACIA LA FELICIDAD

Haces a tus células felices cuando alimentas tu cuerpo correctamente, le infundes energía y sintonizas con la sabiduría interior del mismo; todo esto refuerza el pilar del cuerpo y sustenta una felicidad mayor en tu vida. Utiliza los siguientes pasos efectivos para poner en práctica los Hábitos de Felicidad para el Cuerpo:

1. Analiza tus hábitos alimenticios para comprobar si contribuyen a la felicidad de tus células. Decántate por los alimentos que fomentan la felicidad.
2. Durante una semana, elimina la cafeína y el azúcar y controla los hidratos de carbono. Verás los efectos que eso tiene sobre tu cuerpo.
3. Bebe suficiente agua (el equivalente en litros a dividir por 30 tu peso) todos los días para sentirte lleno de energía.
4. Busca consejo profesional para establecer si tus hormonas están equilibradas e investigar si un cambio en los niveles de aminoácidos o un ayuno beneficiarían a tu cuerpo.
5. Experimenta con distintos tipos de ejercicio físico para encontrar los que te dan energía y sigue los consejos del maestro Lin para imprimir consciencia a tus movimientos.
6. Respira profundamente desde el estómago, sobre todo si estás estresado.
7. Toma el «tren de los angelitos de las diez» durante tres días seguidos y verás cómo te sientes.
8. Escucha la sabiduría de tu cuerpo comprobando regularmente si le estás dando lo que necesita.

El Pilar del Alma:
conéctate al espíritu

Sólo hay dos modos de vivir la vida. Uno es como si nada
fuera un milagro. El otro es como si todo fuera un milagro.

ALBERT EINSTEIN

Piensa en algún momento en que sintieras que la vida era milagrosa:
al contemplar cómo la luz de la mañana temprana colmaba el valle de
una montaña, al sostener a tu hijo recién nacido en brazos por vez primera, o tal vez al levantar la mirada al inmenso cielo nocturno tacho-
nado de estrellas. Todos hemos tenido al menos un momento en que
nuestra conciencia de la vida, de tan intensa, se volviera sobrecogedo-
ra. Es en estos momentos de humildad y exaltación cuando uno se
sabe conectado al Espíritu.

Lo llames como lo llames —Espíritu, Poder superior, Origen
universal, Inteligencia creativa, el Campo unificado, Naturaleza o
Dios—, estaremos hablando de lo mismo. Conectarse al Espíritu es sentirte vinculado a una energía mayor que tú. Cuanto más profundamente experimentes este vínculo, más generosa y feliz se te antojará la vida.

Nuestras almas son la expresión individual de este Espíritu mayor.
Cuando sientas que la belleza y el misterio que te rodean también es-

tán en tu interior, tu vida adquirirá otra dimensión. Te darás cuenta de que no te limitas a ir tirando por la vida, de una cosa a otra. Todo —el trayecto al trabajo, la cena, la charla con un amigo, hasta tu reacción ante una mala noticia— se impregna de una sensación de armonía. Al habitar ese lugar de misterio y dicha, se afianza la conexión con el alma, erigiéndose el cuarto y último pilar de tu Casa de la Felicidad.

Aunque todos y cada uno de los 100 Felices me han servido de inspiración, quienes destacan son los que gozan de un mayor sentido de identificación y unidad con el Espíritu. Son de distintas tradiciones: la cristiana, la judía, la budista, la hinduista y la musulmana. Otros, a pesar de no profesar ninguna religión formal, experimentan un sentimiento de unidad con toda la vida. El hilo conductor de todas sus experiencias es un sentimiento de reverencia, asombro y gratitud ante el extraordinario regalo de estar vivos. Brian Hilliard, miembro de los 100 Felices cuyo nivel básico de felicidad supera todas las expectativas, se levanta cada mañana con una gran sonrisa en los labios (¡Su esposa, Arielle, asegura que sonríe hasta dormido!). Como muchas de las personas a las que entrevisté, Brian achaca este estado de bienestar perpetuo a su costumbre de acudir a la Fuente y sentirse agradecido por la vida.

Quienes son Felices porque sí no siempre necesitan entenderlo ni controlarlo todo; se dejan llevar por el flujo de la vida, confiando en la benevolencia y la sabiduría subyacentes de ese Todo superior.

Para muchos, sentirse separado de lo Divino es la causa número uno de la desdicha y el sufrimiento humanos. Al mirar atrás, veo claramente que una de las principales razones de mi infelicidad durante la juventud era sentirme desconectada del Espíritu. Sabía que la vida tenía que ser algo más que mi cuerpo, pensamientos y sensaciones. Mi alma tenía verdadera hambre, pero no sabía cómo saciarla. A los dieciséis años di el primer paso decisivo en el terreno espiritual, cuando aprendí a meditar. Sentí un alivio inmediato de la angustia existencial y la leve depresión que arrastraba desde niña. Cada mañana, me levantaba veinte minutos antes, me instalaba en una silla enorme, perfecta para sentarme con las piernas cruzadas, y meditaba antes de ir a clase.

Al principio, dudaba a menudo sobre si estaba meditando correctamente, pero sentía tal expansión, paz y bienestar, que sabía que lo que hacía estaba bien. En muchas ocasiones tuve la sensación de estar volviendo al hogar.

Me enganché. La meditación se convirtió en una parte de mi rutina diaria tan importante como cepillarme los dientes. Estoy convencida de que la meditación fue lo que impidió que huyera de mi infelicidad por medio de las adicciones y otras conductas perjudiciales que veía entre muchos de los otros chicos. Aunque todavía me faltaba mucho para llegar a ser Feliz porque sí, aquello me puso en el buen camino. Al detectar tal cambio en mí, mis padres también aprendieron a meditar. Hoy la meditación sigue ayudándome a permanecer conectada al Espíritu. De todos los pasos que he dado para ser más feliz, éste es el que más me ha ayudado.

Los estudios recientes demuestran que quienes cuentan con una dimensión espiritual en sus vidas —definida no como una afiliación a ninguna Iglesia u organización religiosa, sino como una sensación interna del significado espiritual y último de la vida— son más dichosos que los que no cuentan en sus vidas con esta dimensión: gozan de matrimonios más felices, son más eficaces como padres y, en general, se sienten más capaces de hacer frente a todo lo que les pase durante la vida. Los jóvenes que se consideran espirituales sacan mejores notas y les interesan menos el alcohol o las drogas.

La espiritualidad también es buena para el cuerpo. Se ha observado que mejora la tensión arterial, fortalece el sistema inmunitario y reduce los casos de infarto, cáncer y enfermedades cardiacas. Estos beneficios se han reconocido hasta el punto de que, actualmente, el 25 % de las facultades de medicina estadounidenses ofrecen cursos sobre espiritualidad y salud.

¿Conclusión? Cuando te sientes conectado a un Poder superior, disfrutas de más felicidad, salud y facilidad para abordar los problemas que surgen a lo largo de la vida.

El mundo es demasiado con nosotros

¿Qué nos impide conectarnos al Espíritu? Si tenemos siempre las almas accesibles, ¿por qué son tantos los que se sienten vacíos e insatisfechos?

En parte, el problema reside en el ajetreado ritmo de vida actual y en la importancia que se da a los triunfos materiales. El poeta William Wordsworth escribió lo siguiente: «El mundo es demasiado con nosotros; tarde o temprano/Tomando y gastando, desperdiciamos nuestros poderes». (Lo escribió en 1888. ¡Imagínate lo que pensaría del mundo de hoy!)

Desde que empezaste a andar y a hablar, te han martilleado la cabeza con esta idea: «¡No te quedes ahí parado! *¡Haz* algo!». Puede que incluso sientas, como tantos otros, que, si no eres constructivo, si no vas de aquí para allá consiguiendo cosas, es que no eres una persona válida.

Por si no bastara con eso, al parecer, tenemos verdadera aversión al aburrimiento. Si no estamos trabajando o tachando de nuestras listas de cosas por hacer, nos estamos divirtiendo: leyendo revistas, libros o periódicos; jugando a juegos de ordenador; haciendo crucigramas o sudokus; escuchando radios y reproductores de MP3, navegando por la Red, viendo la televisión o películas. La lista, como nuestras pantallas de televisión, no deja de crecer. ¡Pobres de nosotros como se nos ocurra tener algún hueco durante la jornada! Nos conformamos con lo que nos mantiene ocupados, en lugar de aspirar a lo que nos realizará plenamente.

Si le añades nuestra nueva obsesión global por estar localizables las 24 horas del día, los 7 días de la semana, estemos donde estemos —¿sabías que una de cada seis personas *del planeta* tiene teléfono móvil?—, verás lo fácil que es perderse en el mundo material y no reservar tiempo para el alma. ¡La vida se ha convertido en un gran espectáculo multimedia, multidimensional y multitarea!

Este nivel frenético de actividad nos desconecta del silencio interior que dota de significado nuestras vidas. Entonces, ¿cómo conectarte?

Podemos conectarnos al espíritu dando prioridad a la sensación de estar conectado al Espíritu. Para ello, se requieren pausas habituales en tu ajetreada vida y la predisposición al mutismo. En ese silencio, puedes escuchar y a la vez hablar con tu Poder superior, que cultiva un sentido más elevado de aceptación, entrega y confianza.

Al conectarnos conscientemente al alma, estamos infundiendo la esencia de ser Feliz porque sí.

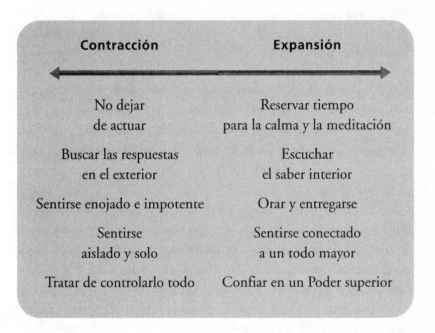

Contracción	Expansión
No dejar de actuar	Reservar tiempo para la calma y la meditación
Buscar las respuestas en el exterior	Escuchar el saber interior
Sentirse enojado e impotente	Orar y entregarse
Sentirse aislado y solo	Sentirse conectado a un todo mayor
Tratar de controlarlo todo	Confiar en un Poder superior

Hay muchas formas de sentirse conectado a la propia alma. Es algo muy personal, pero, a raíz de mi investigación y entrevista con los 100 Felices, he descubierto varias pautas generales. Con la práctica de de los siguientes Hábitos de Felicidad, cualquiera puede conectarse al Espíritu más fácilmente.

Hábitos de Felicidad para el Alma

1. Busca la conexión con tu Poder superior
2. Escucha tu Voz interior
3. Confía en el desarrollo de la vida

Hábito de Felicidad para el Alma n.º 1
Busca la conexión con tu Poder superior

Dios es amigo del silencio. Observa cómo la naturaleza
—los árboles, las flores, la hierba— crece en silencio;
observa las estrellas, la luna y el sol, cómo se desplazan
en silencio... Para poder tocar las almas necesitamos silencio.
MADRE TERESA DE CALCUTA

Nadamos en un mar de belleza y misterio, pero las más de las veces no nos molestamos en *dejar de hacer cosas* y percibirlo. Volverse hacia el interior es una de las formas más poderosas de cultivar una conexión consciente con el alma. Con sólo 15 minutos diarios las cosas pueden cambiar enormemente. Sé que a muchos les parecerá difícil, pero es como mejor puedes invertir tu tiempo, de verdad. Cuando te sientas más fuerte, más feliz y más centrado, saldrán ganando cuantos hay en tu vida, sobre todo tú.

Hay muchos modos de cultivar la conexión con un Poder superior. Puedes adquirir una práctica de meditación formal, salir a pasear por la naturaleza, sentarte en silencio, escuchar una música que te inspire o, a través de la oración, abrir las líneas de comunicación con un Poder mayor que tú. Puedes escoger la práctica que quieras, mientras te funcione y la practiques asiduamente. Todos los 100 Felices han encontrado el modo de mantener fresca su conexión al Espíritu en sus vidas cotidianas.

La actriz Goldie Hawn es una de esas personas «conectadas». Goldie me encantó desde el principio, cuando la vi por primera vez en el programa de humor y variedades *Laugh-In*. El siguiente relato de su apasionada autobiografía, *A Lotus Grows in the Mud*, describe su primera experiencia de meditación. Es una hermosa historia de conexión al alma cerrando los ojos y viajando al interior.

La historia de Goldie
El espacio que hay entre los pensamientos

Disfruto de los espacios que hay entre los pensamientos.

Una hermosa mujer me conduce hasta una silenciosa habitación. La suave brisa californiana sopla a través de la ventana abierta, ondeando las cortinas y revolviéndome el cabello suavemente.

En la habitación hay una sola silla. La mujer me invita a sentarme y me susurra al oído un mantra secreto. Justo antes de salir, me dice: «Repítelo mentalmente, una y otra vez». Cierra la puerta al salir, dejándome a solas con mi mantra secreto.

Siempre me han atraído los poderes ocultos, la mística y la magia de la vida. Con su ayuda, me dispongo a descubrir el poder de mi propia mente.

Al cerrar los ojos, siento el suave roce de la brisa en la piel, sin dejar de repetir mentalmente el mantra, diligente. La habitación huele a incienso quemado y a pétalos de rosa, esparcidos a mi alrededor. Es la primera vez que intento imponer silencio en mi mente.

Al principio, me río entre dientes. Menudo topicazo estoy hecha, sentada en esta habitación, en plenos años setenta, con el movimiento hippy en pleno apogeo, la última famosa en subirse al carro de la meditación trascendental.

¡Alto! Estoy pensando. Chiss. Debo regresar a mi mantra. Me ha dicho que los pensamientos entrarían y saldrían de mi mente. «Limítate a presenciarlos», me ha susurrado. «No los juzgues ni les concedas ningún crédito. Deja que se dispersen y luego regresa a tu mantra».

No es tan fácil.

Cuanto más repito el mantra, una y otra vez, más relajado noto el cuerpo. La respiración se ralentiza hasta un ritmo casi imperceptible. El corazón me late más lentamente, y la sangre que bombea por mis venas pierde presión.

Los pensamientos vuelven a invadir mi mente —llamadas que debo hacer, lugares adonde debo ir— y los ahuyento, esperando un largo periodo de calma antes de la siguiente oleada de pensamientos.

Al escuchar a mi mente pronunciar las palabras del mantra, percibir su ritmo y sonidos primigenios en el interior de la cabeza, me embarga un sentimiento inexplicable.

En mi fuero interno, siento que estoy descendiendo y volviéndome a conectar con algo conocido, como un viejo amigo, ese lugar profundo siempre constante, siempre dichoso, siempre colmado de creatividad. Es la parte más profunda de mí con conciencia. La conexión es tan magnífica, me hace tan feliz, que tengo ganas de echarme a reír.

Venzo la tentación y continúo, deseosa de volver a experimentarlo. Cuanto más repito el mantra una y otra vez, más me suelto. A medida que mis pensamientos entran y salen fluyendo, el silencio de mi mente se vuelve más denso.

Mi conciencia es como una bolsita de té que se sumerge en un vaso de agua caliente y se vuelve a sacar una y otra vez. Siento que, poco a poco, se empapa de la nada. Cuando hablo de la nada, me refiero a una especie de espacio en el tiempo carente de pensamientos.

Cada vez que repito el mantra, el fenómeno se vuelve más intenso, y la bolsita de té pesa más y más, hundiéndose más y más hondo, con sus ricas esencias filtrándose en el agua.

Al cabo de un rato —no sabría decir cuánto—, ya no soy consciente de dónde me encuentro. Visualizo el vaso transparente, lleno de las abundantes bondades de mi vida. Siento que estoy fundiendo mi espíritu con algo que me resulta de lo más familiar, algo muy seguro, que provoca un cosquilleo en mi centro de la dicha.

Se apodera de mí una sensación de pureza, con una claridad que jamás había experimentado. Ya no hay ego, ni yo, ni pensamiento. Estoy aquí y punto, eso es todo. Nada importa. Estoy regresando al estado más puro del ser. Siento verdadera alegría.

No hacer nada puede dártelo todo

No es de extrañar que la felicidad de Goldie provenga de su naturaleza profundamente espiritual. Como maestra de meditación, he visto una y otra vez madurar la felicidad en las vidas de mis alumnos, al meditar asiduamente.

Las prácticas de meditación basadas en las tradiciones espirituales orientales se popularizaron en Occidente en los setenta, aunque lo cierto es que la meditación lleva miles de años siendo parte de las tradiciones judeocristiana y nativa americana. El proceso que consiste en mirar al interior por medio de la meditación está universalmente reconocido como un modo de conectarse al Espíritu.

La meditación puede adoptar muchas formas: concentrarse en un mantra o en la respiración, la contemplación, la visualización, o recurrir al sonido. Es todo proceso que acalle la mente y contribuya a conectarte con tu origen y con tu esencia más recóndita, ese estado de Verdad y Amor puros.

Me encanta esta preciosa historia sobre el funcionamiento de la meditación:

Un sabio maestro, al instruir a sus alumnos sobre cómo meditar, les dijo: «Es como llenar de agua un colador». A todos los discípulos les sorprendió semejante afirmación. ¿Cómo llenar un colador de agua? Algunos pensaron que significaba que la meditación era muy difícil; otros entendieron que la práctica tan sólo les aportaría beneficios pasajeros. Desanimados, dejaron de meditar. Sin embargo, un alumno se acercó al maestro y le pidió que se explicara.

El maestro se lo llevó a la orilla del océano, le dio un colador y le indicó que tratara de llenarlo de agua. El alumno recogió agua con el colador, pero ésta se trascoló de inmediato. El maestro tomó el colador del alumno y le dijo: «Te enseñaré cómo se hace». Tiró el colador al agua, donde se hundió casi enseguida. Le dijo al alumno: «Ahora el colador está lleno de agua y lo estará para siempre. La meditación funciona igual: no se trata de recoger pequeñas cantidades de Espíritu y llevarlas a tu vida individual, sino de sumergirte en el océano del Espíritu y fundirte con ese espíritu cada día más».

La meditación y el Cerebro feliz

Te hayas dado cuenta o no, las hayas reconocido como espirituales o no, seguramente habrás pasado por experiencias de silencio, o trascendencia, o de lo Divino... unos segundos, unos minutos que parecen no tener tiempo; un momento en que lo normal y corriente se ve hermoso, radiante; una profunda sensación de estar en paz, de sentirse feliz porque sí. Cuando surjan estas experiencias... cree en ellas. Reflejan tu verdadera naturaleza.
SRI SRI RAVI RHANKAR, maestro espiritual y humanitario.

La meditación es relajante y agradable, pero su principal virtud es cómo influye en nuestra vida más allá de la meditación. En los últimos cuarenta años, cientos de estudios han demostrado los poderosos efectos de la meditación en el cuerpo, la mente y las emociones. Entre las primeras investigaciones, que datan de principios de los setenta, se encuentran las del fisiólogo Dr. Robert Keith Wallace, que observó las repercusiones de la meditación, en concreto la técnica de la meditación trascendental (MT), y descubrió que aportaba múltiples beneficios físicos y psicológicos, incluyendo la normalización de la tensión arterial, el descenso de la ansiedad y un mejor funcionamiento del sistema inmunológico. Lo siguieron muchos otros estudios sobre distintos tipos de meditación, y hoy la meditación es ya una forma de manejo del estrés mundialmente aceptada.

La meditación no sólo te ayuda a hacer frente al estrés. Es mucho más que eso. Según uno de los proyectos de investigación más fascinantes actualmente en curso, la meditación es un atajo a la felicidad, pues potencia la actividad en las zonas del cerebro asociadas con la dicha y la compasión.

El psicólogo Dr. Paul Ekman, del San Francisco Medical Center de la Universidad de California, tras hacer pruebas con monjes budistas —expertos en meditación—, llegó a la conclusión de que su meditación parecía calmar la amígdala cerebral (el interruptor de adrenalina del que hablábamos en el Capítulo 4). Es más, en las pausas entre meditación y meditación, los monjes se mostraban más serenos. Tenían muchas menos probabilidades de alarmarse o alterarse, les pasara lo que les pasara.

El Dr. Richard Davidson, cuyas investigaciones sobre neuroplasticidad he mencionado en el Capítulo 4, también ha desarrollado una labor pionera con monjes budistas, a quienes el Dalai Lama persuadió a prestarse voluntarios para experimentos destinados al estudio de la relación entre la meditación, la neuroplasticidad y la actividad cerebral. El Dr. Davidson pidió a principiantes en la meditación y a los expertos monjes —que en los últimos treinta años habían dedicado más de 10.000 horas a la práctica de la meditación— que practicaran cinco tipos distintos de meditación, mientras medían su actividad cerebral. La que más repercusiones tenía era una meditación «bondad amorosa», concebida para centrarse en la compasión. El Dr. Davidson descubrió que, durante la meditación, los monjes más experimentados mostraban niveles mucho más elevados de actividad cerebral en la corteza prefrontal izquierda —lo que denotaba felicidad, empatía y otras emociones positivas— que en la corteza prefrontal derecha, la zona asociada a la ansiedad y el abatimiento. Esta pauta positiva de funcionamiento del cerebro también se detectaba fuera del periodo meditativo. En su libro *Train Your Mind, Change Your Brain*, la periodista científica Sharon Begley expone que los efectos duraderos de la meditación se deben a la neuroplasticidad del cerebro: «El circuito cerebral responsable de las emociones negativas se debilita y el [circuito] responsable de la compasión y la felicidad se fortalece».

No te aflijas pensando que no puedes ser feliz porque no has sido monje budista los últimos treinta años. Según las investigaciones del Dr. Davidson, basta con haber meditado tres meses, entre veinte y treinta minutos al día, para experimentar cambios fisiológicos significativos, que reflejen más dicha y salud. Por suerte, no hace falta meditar durante décadas para obtener resultados.

Distintos ritmos para distintas personas

Sentarse entre veinte y treinta minutos diarios y dedicarlos a la meditación es fenomenal para conectarse al Espíritu, pero no es el único modo de meditar. En la entrevista, el lama budista tibetano Anam Thubten Rinpoche, miembro de los 100 Felices, me habló de una práctica meditativa que cualquiera puede practicar, en cualquier momento. Yo la llamo la Práctica de la Pausa: siete veces al día, detente y limítate a «ser». Sé consciente de tu respiración, y concédete un minuto o dos para sentir el momento presente, el único momento en que de verdad puedes experimentar la felicidad. Cuando sigo la Práctica de la Pausa asiduamente, percibo una mayor sensación de paz, amplitud de miras y energía renovada.

Con sólo estar en la naturaleza, también se puede disfrutar de una gran quietud y serenidad. Karen, integrante de los 100 Felices, me confesó que, siempre que da largos paseos por el bosque o la playa, se deja envolver con naturalidad por el ritmo de su respiración. El sonido del viento, las aves y el agua acallan su mente y su corazón. Si no puede salir, a menudo le basta con contemplar por la ventana los árboles o las nubes durante unos minutos, para disipar la tensión y enternecerse profundamente.

Al final de este apartado, encontrarás un ejercicio de meditación al alcance de todos para gozar de más calma interior y relajación.

El poder de la oración

Toda tradición espiritual existente en el mundo incluye la oración. Los humanos llevan miles de años abriendo los corazones a un Poder superior a través de sus rezos, una especie de línea directa con lo Divino.

La oración, al igual que la meditación, puede adquirir formas muy diversas. Cuando hay problemas, rezamos en busca de consuelo, consejo y curación, para nosotros o nuestros seres queridos. En otros momentos, cuando nos inundan la belleza, el amor o la gratitud, nos volcamos en plegarias de agradecimiento y alabanza. Lo importante no es lo que nos conduce a rezar; lo importante es que la propia oración es lo que nos conecta al Espíritu.

Son muchos los estudios que demuestran que la oración tiene importantes repercusiones en la felicidad; miles y miles de personas afirman que al rezar se incrementa su sensación de bienestar, su satisfacción con la vida y su felicidad en general. Las plegarias también pueden influir en los demás, incluso desde la distancia. Según las investigaciones, la oración intercesora favorece los porcentajes de recuperación y curación de los pacientes hospitalizados.

En su libro *Palabras que curan*, el Dr. Larry Dossey, uno de los expertos más destacados en la relación entre espiritualidad y salud, describe los experimentos de la Organización Spindrift de Salem, Oregón, para calcular el efecto de la oración en sistemas biológicos sencillos, como semillas germinantes y cultivos de levadura. Tras estudios diversos y repetidos, se observó que las semillas por las que se rezaba brotaban más rápido que otras semillas idénticas a las que no se dedicaban oraciones, y que la cantidad de plegarias también era un factor importante para su eficacia.

La conclusión más fascinante de la investigación de la Spindrift es que la plegaria *no dirigida*, que se limita a pedir que se haga la voluntad de Dios o que suceda lo mejor, tenía más poder que la plegaria *dirigida*, que pide un resultado específico.

En estas dos fotos de Masuru Emoto, cuyo trabajo he presentado en el Capítulo 5, puedes comprobar el poder de la oración. La de la izquierda muestra los cristales formados en agua del grifo normal. A la derecha, se ve la misma agua después de que hayan rezado por ella desde la distancia.

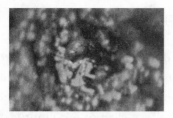 

Agua del grifo antes de la oración   Agua del grifo tras la oración

¡Una excepcional demostración de la hermosa energía desatada por la plegaria!

Al cultivar la relación con tu Poder superior, empiezas a reconocer cada vez más la presencia del Poder que hay tras todo cuanto te rodea. Reservar tiempo a diario para averiguar lo que el poeta T. S. Elliot llamaba «el punto de intersección de lo intemporal con el tiempo» es una pieza fundamental del rompecabezas de ser *Feliz porque sí*.

Ejercicio

Meditación ligera

Este ejercicio te dará una idea de en qué consiste ese lugar de sosiego interno que constituye la base de la paz interior y el bienestar.

1. Siéntate cómodamente en un lugar silencioso y cierra los ojos.
2. Respira profundamente cinco o seis veces, fijándote en el aire al inspirar y espirar.
3. Imagina una columna de luz blanca brillante que desciende desde arriba, se te introduce por la coronilla y te inunda la cabeza de luz.
4. Siente cómo esa luz blanca abandona la cabeza, desciende por el cuello y te desemboca en el pecho, iluminán-

dote el corazón. Siente el calor y la expansión en la zona cardiaca.

5. Sigue observando cómo la luz fluye por tus brazos, torso, columna y caderas, colmándolas de luz. Mira cómo la luz discurre por tus piernas, hasta llegar a los pies e iluminarte las plantas.

6. Siente todo el cuerpo inundado de calor, de luz brillante. En ese estado, quédate diez minutos sentado, dejando que surja cualquier pensamiento y experiencia. No intentes apartar pensamientos ni controlar tu mente: quédate con lo que llegue y punto. Si quieres algo en que centrar la atención, fíjate en tu respiración, al inspirar y espirar.

7. Cuando estés listo para acabar la meditación, sé consciente de la paz y serenidad que sientes. Detente un momento en esta sensación de tranquilidad. Respira profundamente varias veces y saboréala. He aquí la esencia de ser Feliz porque sí.

8. Abre poco a poco los ojos. Proponte llevar contigo esta experiencia al regresar a tus actividades normales.

Hábito de Felicidad para el Alma n.º 2
Escucha tu voz interior

Para escoger bien en la vida, debes contactar con tu alma.
Para ello, hay que experimentar la soledad...
pues en el silencio oirás la verdad y sabrás las soluciones.
Deepak Chopra, *médico, escritor y conferenciante.*

En el capítulo anterior, hemos hablado de sintonizar con la sabiduría de tu *cuerpo*; ahora nos centraremos en escuchar la sabiduría de tu *alma* para que te guíe. Tu voz interior es la parte de ti que sabe qué hacer, en todo momento y situación. Para algunos, es como encontrar a ese padre sabio que siempre quisiste tener. Para otros, la experiencia del saber interior es algo más extenso y cósmico. Suene como suene, los 100 Felices escuchan esa voz interior.

Cuando leí el libro de Elizabeth Gilbert *Comer, rezar, amar*, su descripción de su primera «conversación con Dios» me cautivó e inspiró de inmediato. Al acabar el libro, tenía claro que Liz era uno de los 100 Felices, y la llamé para concertar una entrevista. Por suerte, Liz es tan encantadora en carne y hueso como en versión impresa; nuestra entrevista añadió un material maravilloso a lo que ya había compartido en su libro. El siguiente relato describe la transformación que Liz experimentó cuando aprendió a escuchar la «pequeña voz queda de su interior».

La historia de Liz
Hola, Dios. Me llamo Liz.

Estaba en el baño de la planta superior de la gran casa que había comprado hacía poco con mi marido en las afueras de Nueva York. Eran como las tres de la madrugada de un frío mes de noviembre. Debía ser como la cuatrigésimo séptima vez que me ocultaba en el baño y —al igual que todas las noches anteriores— sollozaba. Lo cierto es que sollozaba con tal intensidad que un gran charco de lágrimas se estaba formando a mis pies, sobre las baldosas del baño, un verdadero lago que contenía toda mi vergüenza, miedo, confusión y dolor.

Ya no quiero estar casada.

Intentaba con todas mis fuerzas no ser consciente de ello, pero la verdad se mostraba tozuda. Durante el día, rechazaba ese pensamiento, pero de noche me consumía.

Qué catástrofe. ¿Cómo podía ser tan imbécil de dedicar ocho años a un matrimonio para luego dejarlo? No hacía más que un año que habíamos comprado esa casa. ¿Acaso no quería esta bonita casa?

¿Acaso no me encantaba? Entonces, ¿por qué ahora andaba cada noche rondando por sus pasillos, berreando cual si fuera Medea? ¿Es
que no estaba orgullosa de todo lo que habíamos reunido? La prestigiosa casa del Valle de Hudson, el piso de Manhattan, las ocho líneas
de teléfono, los amigos, los picnics y las fiestas, los fines de semana
que pasábamos deambulando por los pasillos del hipermercado en
forma de caja de turno, comprando a crédito más y más electrodo-
mésticos... Si había tomado parte activa en todos y cada uno de los
momentos de creación de esta vida... ¿por qué tenía la sensación de
que no se me parecía en nada?

Ya no quiero estar casada.

Mi marido dormía en la otra habitación, en nuestra cama. Lo
amaba y detestaba a partes iguales. Las muchas razones por las que
ya no quería ser la esposa de ese hombre son demasiado personales
y tristes para compartirlas aquí. En gran parte tenía que ver con mis
problemas, pero muchas de nuestras dificultades también estaban re-
lacionadas con sus cosas. Y como no pretendo que nadie me crea capaz de relatar una versión objetiva de nuestra historia, no contaré en
estas páginas la crónica del fracaso de nuestro matrimonio.

Tampoco comentaré todas las razones por las que seguía que-
riendo ser su esposa, ni cuanto tenía de maravilloso, ni por qué lo
amaba, por qué me había casado con él y no concebía la vida sin él.
Baste decir que, esa noche, para mí él aún era faro y escollo a la vez.
Lo único más impensable que marcharme era quedarme; lo único menos posible que quedarme era marcharme. No quería destruir nada
ni a nadie. Lo único que quería era deslizarme en silencio por la parte trasera, sin causar ningún escándalo ni consecuencias, y luego correr sin parar hasta llegar a Groenlandia.

Ya sé que esta parte de mi historia no es alegre. Sin embargo, la
comparto porque sobre esas baldosas del baño estaba a punto de
ocurrir algo que cambiaría para siempre la progresión de mi vida, casi
como uno de esos superacontecimientos astronómicos disparatados,
cuando un planeta da la vuelta sin ningún motivo en el espacio exterior y su núcleo líquido se altera, cambian de lugar los polos y su for-

ma se transforma radicalmente, con lo cual, de pronto, toda la masa del planeta se vuelve alargada en vez de esférica. Algo así.

Lo que pasó es que empecé a rezar.

Ya sabes... esto... a Dios.

Para mí era algo nuevo. Soy cristiana por cultura, aunque no teológicamente. Desde siempre, he respondido a la mística tradicional de todas las religiones. Siempre he respondido con un entusiasmo sin parangón a cualquiera que dijera que Dios no habita en ninguna escritura ni en un trono lejano en el cielo, sino que, de hecho, mora muy cerca de nosotros... mucho más de lo que imaginamos, respirando a través de nuestros propios corazones. Respondo con gratitud a cualquiera que haya viajado al centro de ese corazón, y luego haya regresado con el mensaje para el resto de nosotros de que Dios es una *experiencia de amor supremo*.

Sin embargo, en medio de esa crisis del oscuro mes de noviembre, yo no estaba por la labor de formular mis opiniones sobre teología. Lo único que me interesaba era salvar mi vida. Por fin me había dado cuenta de que, al parecer, había alcanzado un estado de desesperación absoluta que ponía en riesgo mi vida, y se me ocurrió que hay quien, cuando se halla en semejante estado, acude a Dios en busca de ayuda.

Entre sollozos entrecortados, lo que le dije a Dios fue algo así como «Hola, Dios. ¿Qué tal? Me llamo Liz. Encantada de conocerte».

Así es... estaba hablándole al Creador del universo como si acabaran de presentarnos en medio de un cóctel. No obstante, uno actúa a partir de lo que sabe de la vida, y ésas son las palabras que yo siempre utilizo al iniciar una relación. De hecho, no se me ocurría nada más para reprimirme y no soltarle «Siempre he sido una gran admiradora de tu trabajo...»

«Perdona que te moleste a estas horas», proseguí. «Pero ando metida en un buen lío. Y perdona que no haya hablado antes directamente contigo, pero espero haber expresado siempre mi enorme gratitud por todo aquello con lo que me has bendecido durante la vida».

Esta idea aún me hizo llorar más. Pero Dios me estaba esperando. Me recompuse lo suficiente para continuar: «Como ya sabes, no soy experta en esto de rezar. Pero, ¿puedes ayudarme, por favor? Necesito ayuda desesperadamente. No sé qué hacer. Necesito una respuesta. Por favor, dime qué hacer. Por favor, dime qué hacer. Por favor, dime qué hacer...»

Y la oración se redujo a este sencillo ruego —*Por favor, dime qué hacer...*—, repetido una y otra vez. No sé cuántas veces supliqué. Sólo sé que lo hice como quien implora por su vida. Y el llanto seguía sin parar.

Hasta que —bastante en seco— se detuvo.

De pronto, me di cuenta de que ya no lloraba. De hecho, había parado de llorar a medio sollozo. Mi sufrimiento se había absorbido por entero. Sorprendida, levanté la cabeza del suelo y me enderecé, preguntándome si ahora contemplaría a algún Gran Ser que se hubiera llevado mi llanto. Sin embargo, no había nadie. Estaba sola. Aunque tampoco del todo sola. Me rodeaba algo que no sé describir sino como una pequeña cámara de silencio... un silencio tan singular que no me atrevía a respirar, por miedo a ahuyentarlo. Estaba completamente tranquila. No sé cuándo antes había sentido tal tranquilidad.

Y entonces oí una voz. No, no os asustéis... no era como la voz de Charlton Heston como en una película hollywoodiense sobre el Antiguo Testamento. Tampoco era ninguna voz que me dijera que debía erigir un campo de béisbol en el patio trasero. No era más que mi propia voz, hablándome desde el interior de mi propio ser. Sin embargo, nunca antes había oído mi voz de esa manera. Era mi voz, pero dotada de una sabiduría, una calma y una compasión absolutas. Sonaba como sonaría mi voz si durante la vida no hubiera sentido más que amor y seguridad. ¿Cómo describir el cálido afecto que emanaba de esa voz, al darme la respuesta que determinaría para siempre mi fe en lo divino?

La voz dijo:

—*Vuelve a la cama, Liz.*

Respiré.

Estuvo claro de inmediato que aquella era la única opción. No hubiese aceptado ninguna otra respuesta. No hubiese confiado en una gran voz retumbante que me dijera «¡Debes divorciarte de tu marido!» o «¡No debes divorciarte de tu marido!». Y es que eso no es verdadera sabiduría. La verdadera sabiduría proporciona la única respuesta posible en cualquier momento dado, y aquella noche regresar a la cama era la única respuesta posible. «Vuelve a la cama», decía esta voz interior omnisciente, porque no necesitas saber la respuesta final ahora mismo, a las tres de la madrugada, un jueves de noviembre. «Vuelve a la cama», porque te quiero. «Vuelve a la cama», porque lo único que necesitas por ahora es descansar y cuidarte hasta que sí sepas la respuesta. «Vuelve a la cama», y así, cuando llegue la tormenta, estarás lo bastante fuerte para enfrentarte a ella. Y se acerca la tormenta, querida. Llegará muy pronto. Pero esta noche no. Así que:

—*Vuelve a la cama, Liz.*

A lo que pasó aquella noche, yo no lo llamo conversión religiosa, sino inicio de conversación religiosa. Las primeras palabras de un diálogo abierto y preparatorio que, a la larga, me acercaría mucho a Dios.

Durante los años transcurridos desde aquel día, me he reencontrado una y otra vez con esa voz en momentos en que el semáforo de la angustia estaba en ámbar. He aprendido que, para mí, el mejor modo de llegar a esa voz es a través de la conversación escrita. Saco mi cuaderno más privado —que guardo junto a la cama, por si alguna vez me encuentro en una situación de emergencia— y empiezo a escribir. E incluso cuando me encuentro inmersa en el peor de los sufrimientos, esa voz tranquila, compasiva, afectuosa e infinitamente sabia (que tal vez sea yo, o tal vez no exactamente yo), siempre está ahí para mantener una conversación sobre el papel, a cualquier hora del día o de la noche.

Al principio de mi experimento espiritual, no siempre profesaba tanta fe a esta voz interior de sabiduría. Recuerdo una ocasión en que fui a por mi cuaderno privado presa de la furia más amarga, enojada y dolida. Garabateé un mensaje para mi voz interior —para mi confort interior divino— que ocupaba toda una página, en mayúsculas: «¡¡¡¡¡¡¡NO CREO EN TI!!!!!!!!»

Al cabo de un momento, aún jadeante, noté claramente que un puntito de luz se prendía en mi interior, y entonces me sorprendí escribiendo esta respuesta divertida y tranquila a más no poder.

—*¿Y entonces con quién hablas?*

Nunca más volví a dudar de su existencia.

Hoy mi conexión con Dios, con la voz del interior de mi corazón, es la relación más importante de mi vida. Y mi modo de honrar esta relación consiste en llevar una existencia lo más tranquila posible para poder oír la voz. Para mí, es la práctica piadosa principal.

Aun así, tampoco es que la dicha me envuelva constantemente. Cuando llegan las crisis, me afectan y sacuden, como a todo el mundo. Está claro que vivo en el mundo real, donde reacciono frente a todos los acontecimientos inesperados e inexplicables que se producen. Lo que ha cambiado es que ahora intento no reaccionar rebelándome contra lo que pasa; lo que hago es abandonarme a lo que tengo delante.

No es que sea siempre fácil o que cuando mi vida parezca hacerse añicos pueda ir por ahí feliz y contenta. Lo que significa es que mi tarea —y aquí es donde interviene la oración— consiste en permanecer lo bastante conectada y consciente como para formular al universo (o a Dios, o a como sea que decida llamar a este poder en ese momento) la pregunta: «¿Qué es exactamente lo que me pides que haga y que todavía no capto? Ábreme los ojos para que vea cómo representa que debo utilizar esto».

En lugar de orar en forma de lamento, rezo como si se tratara de una consulta con afán de recabar información: «Por favor, ¿me enseñas lo que se supone que debo hacer ahora?». Siempre doy por hecho que hay algo que se supone que debo hacer o comprender, aunque ahora mismo no lo vea.

Por lo general, lo que pasa es que tengo más clara mi reacción. Es como hacerme un TAC que muestre mis focos de resistencia, cuando digo: «No, eso no lo acepto». Hasta dónde soy capaz de esperar y resistir. Cuándo digo: «Estoy del todo de acuerdo con el universo, y definitivamente confío en la Fuerza de lo Divino, pero eso no. Por ahí no paso». Y no significa rendirse.

Cuando deje de resistirme a lo que sucede y me abandone, volveré a ser feliz. Pero ese abandono sólo parece sobrevenirme mediante esa sesión de preguntas y respuestas, esa consulta ferviente.

Desde esa noche del cuarto de baño, cuando me presenté a Dios, mi vida ha dado un vuelco total. Donde antes había neurosis y amargura, ahora hay paz y plenitud.

Hoy esa sabia y tierna voz es definitivamente parte de mí. Cuando estoy preocupada o disgustada, esa voz siempre me pregunta: «¿De veras piensas tragarte esto después de todo por lo que hemos pasado? ¿Es que no das para más? ¿Es que no has aprendido nada?». Sí doy para más y sí he aprendido.

Por eso la oración se ha convertido en una práctica momento a momento, un compromiso contraído sobre cómo pienso vivir. Esta experiencia reiterada de conversar con Dios —a base de preguntar y escuchar, para luego oír la respuesta— es lo que me mantiene en la senda que me conducirá a una felicidad cada vez mayor. La otra noche dije: «¿Cómo agradecértelo, Dios?».

La voz serena y divertida de mi interior me hizo sonreír: «Escribe de vez en cuando».

Abrir las líneas de comunicación

Muchos de nosotros, a la hora de tomar decisiones, tendemos a ir de aquí para allá preguntando a todo bicho viviente lo que deberíamos hacer. Nos olvidamos de que, siempre que nos detenemos a preguntarnos a nosotros mismos, damos con una respuesta fiable. Tal como Liz descubrió, todos poseemos una sabiduría interior conectada al Espíritu, y está a nuestra disposición en todo momento.

Escuchar tu voz interior te conecta con algo mayor que tú. Puedes formular preguntas a esa voz interior acerca de tu propósito en la vida, tus relaciones, tu carrera... todo lo que desees saber. Sabrás que has contactado con ella al experimentar la paz y la audacia más absoluta en relación con las respuestas que recibas.

Hay muchas técnicas que conducen a la escucha interior. He aquí varios modos de plantear una pregunta y ver qué respuestas surgen:

Escribirla. Hay más gente a quien, como a Liz, la escucha interior le funciona mejor sobre papel. Cuando tengas una pregunta, siéntate en silencio, pregunta en tu interior y seguidamente escribe lo que te sobrevenga, *sin censura*. No lo verá nadie salvo tú. Deja que lo más profundo de tu ser fluya a través de ti.

Consultar un libro. Otra forma de buscar orientación consiste en consultar un libro que te atraiga, abrirlo por una página al azar y ver qué mensaje descubres ahí. Tal vez esta técnica te parezca un poco tonta, pero he descubierto que muchas veces resulta sorprendentemente adecuada y útil. A algunos les sirve para liberarse de sus propias ideas fijas sobre una situación y adoptar un nuevo enfoque o perspectiva. Por mi parte, es asombrosa la cantidad de veces en que justo ahí encuentro la respuesta exacta que necesito.

Busca señales. Puede que al leer esto también pongas cara de escéptico, pero, mientras escribía mis libros de *Sopa de pollo*, me dejó atónita la cantidad de gente que enviaba historias sobre la búsqueda de señales. La señal más típica que recibían era en forma de ave, un azulejo o un cardenal. Hasta el punto de que mis coautores y yo designamos un cajón aparte en el archivo para las que bautizamos como las Historias de azulejos/cardenales. A raíz de estos relatos, que ya impresionaban por su número, empecé a ver la búsqueda de señales —y con ella los azulejos y cardenales— de un modo distinto.

Sergio y yo no nos decidíamos sobre alquilar o no cierta casa. Esa casa tenía muchas cosas estupendas, pero estábamos en un verdadero dilema. De modo que pensé: «¿Por qué no?» y busqué una señal. Mientras nos dirigíamos a pie hacia la casa para verla otra vez, vi un pájaro muerto, justo en medio del camino. No era un azulejo ni un cardenal, pero me dio que pensar lo suficiente como para esperar otro día antes de llamar al dueño y quedarnos con la casa.

A la mañana siguiente, lo primero que vi fue un anuncio en el periódico, de una casa que tenía buena pinta. Sergio y yo corrimos a verla. Al cruzar la puerta de entrada, un hermoso ciervo cruzó el camino. El ciervo es mi animal favorito, así que lo tomé como una señal. La casa era perfecta. Firmamos el contrato y allí vivimos felizmente dos años, antes de comprar nuestra actual casa. ¿Sería de verdad una señal? ¡Quién sabe! En este caso, estar abierta a una fuente de sabiduría mayor me ayudó a conectar con mis verdaderos sentimientos con respecto a la casa y me encaminó hacia la mejor decisión.

Cuando sabes que siempre puedes buscar orientación y sabiduría en el interior, llegan una paz y una confianza inquebrantables. El siguiente ejercicio te guiará a través de un proceso de escucha interior.

Ejercicio

Escucha interior

1. Busca un lugar tranquilo y cómodo y siéntate con papel y bolígrafo.
2. En la parte superior del papel, escribe una pregunta o un tema sobre el que desees orientación. Redacta la pregunta o el tema tan claro como puedas.
3. Cierra los ojos y respira hondo varias veces.
4. Formula a tu voz interior la pregunta que has escrito en el papel. Puede que no estés listo hasta al cabo de unos instantes, pero, cuando lo estés, abre los ojos y empieza a

escribir lo que se te ocurra. Tanto da si tiene o no tiene sentido. Sigue escribiendo hasta que sientas que tu mano no puede más, sin leer lo que escribes mientras avanzas.

5. Ahora lee lo que hayas escrito. Tal vez te sorprenda la sabiduría que se revele. Incluso una sola palabra o frase puede ser la clave de la respuesta que buscas.

Hábito de Felicidad para el Alma n.º 3
Confía en el desarrollo de la vida

Los vientos de la gracia no dejan de soplar, pero debes izar la vela.
SRI RAMAKRISHNA, santo indio del siglo XIX.

En mis entrevistas, descubrí que la gran mayoría de los 100 Felices experimenta una sensación de entrega en su vida, sintiéndose profundamente atendidos por un Poder universal. Confían en que el universo conspira a su favor (Principio Inspirador n.º 2).

Nos esforzamos tanto por controlarlo todo en la vida que olvidamos el profundo poder que conlleva depositar nuestra fe en el universo y soltar amarras. Cuando te habitúes a hacer cuanto puedas, para luego entregarte a un Poder superior y confiar en que las cosas saldrán lo mejor posible, tendrás una mayor sensación de paz y bienestar, característica de quien es Feliz porque sí.

El reverendo Michael Beckwith, fundador del Agape Spiritual Center de Los Angeles, es uno de los 100 Felices cuya vida es una entrega. Cualquiera que haya conocido a Michael, asistido a alguno de sus servicios o lo haya visto en la televisión notará su profunda conexión con el Espíritu. Michael, que me acompaña en *El Secreto*, también es un compañero del Transformational Leadership Council, un grupo de 100 líderes transformacionales de primera fila que nos reunimos periódicamente para ser más efectivos y aumentar nuestra contribución al mundo.

Siempre que estoy con Michael, se me eleva tanto el espíritu que sólo tengo ganas de gritar: «¡Amén!». Entrevistar a Michael fue un gustazo, y su historia, que muestro a continuación, jamás me ha abandonado, y me inspira a dejarme llevar y confiar en nuevos senderos.

La historia de Michael
Amor-Belleza

De pequeño, recuerdo que me sentía por naturaleza en sintonía con la divinidad que me rodeaba. Los niños, recién brotados de su Fuente, se sienten a menudo así. Había momentos en que simplemente sabía que estaba cara a cara con mi Yo superior, mi Dios-esencia... aunque por aquel entonces no lo llamaba así.

Un ejemplo de esta conexión tuvo lugar el día de mi undécimo cumpleaños. Estando mi madre y yo de visita en casa de mi abuela, me mandaron a comprar a la tienda de la esquina. De pie en el pasillo del pan, pensando en cuál llevarme, el tiempo se detuvo de pronto. El espacio se disolvió y el panorama dejó de estar limitado por dos marcas de pan rivales. «Vi» que un potito de comida infantil estaba a punto de caer del pasillo contiguo. Doblé la esquina justo a tiempo de cazarlo al vuelo, para sorpresa del hombre que lo había hecho caer del estante.

—¿Cómo...? ¿Cómo lo has hecho? —tartamudeó.

—No sé —respondí, inocentemente—. Lo he visto y ya está.

De regreso a casa caminando, experimenté una unidad expansiva con cuanto había ante mí: los árboles cantaban, la hierba tenía su propio idioma... todo estaba vivo, resplandeciente con una energía vital de frecuencia elevada. Al acercarme a casa, mi madre, mi abuela y mi tío, de pie en la entrada, me sonreían con cariño. Un dolor místico hizo mella en mi corazón, al darme cuenta de que el mucha-cho que veían no era el Michael que yo conocía de antes. En ese mo-mento, apagué conscientemente mi conexión cósmica y empecé a ajustarme a etiquetas que me encajonaban como alguien con quien todo el mundo se sentiría cómodo. El precio que pagué fue perder el contacto con la Divinidad.

Viví en ese cajón durante diez años más. Siempre que surgía una expansión de la conciencia, me las arreglaba para volver a acallarla. Uno de esos incidentes se produjo en mi primer curso de secundaria, cuando me nombraron tesorero de la escuela. Hablar en público me aterraba, y tenía que afrontar una campaña electoral que me lleva-ría de clase en clase, para acabar frente al conjunto del cuerpo estu-diantil, presentando mi programa de cuatro puntos sobre la «Banca con Beckwith». Cuando llegó el gran día, permanecí sentado, teme-roso, a la espera de que me tocara hablar. Al oír mi nombre, subí al estrado, me obligué a abrir la boca y, estupefacto, me oí a mí mismo hablando sobre la excelencia y grandeza que habitaba en cada uno de nosotros, lista para brotar... ¡nada de ello constaba en ninguno de mis cuatro puntos! La sorpresa del público fue tanta como la mía, a juzgar por los centenares de miradas boquiabiertas que me acom-pañaron de vuelta a mi sitio. Me habían sacado del cajón. Para disi-mular el bochorno, durante la semana siguiente rezumé mal com-portamiento por todos los poros —algo impropio de mí— y hasta tuve peleas... lo que fuera con tal de ajustarme a la regla preadoles-cente no escrita de ser majo. Aún no estaba listo para romper mi contrato con la mediocridad.

La afiliación religiosa de mi juventud no me dio ninguna pista sobre esas experiencias místicas. En el instituto, desilusionado por unos pastores que no ponían en práctica lo que predicaban y un dogma impartido que no me cuadraba, anuncié mi ateísmo. Cuan-do empecé a ir a la universidad a Morehouse, mi ateísmo había evolucionado hasta convertirse en agnosticismo. Aún no había co-nocido ningún camino espiritual que encajara con mi experiencia interior.

De Morehouse me trasladé a la University of Southern California para estudiar psicología. Había crecido en una época en que fumar marihuana era en cierto modo la norma, así que, como muchos otros estudiantes, fumaba algo de maría. Para poder hacer frente a ese gasto extra, empecé también yo a vender algo de hierba. Lo que empezó como una sencilla industria casera acabó por convertirse en una red que abarcaba desde Los Angeles hasta Atlanta, Nashville y Nueva York, generando miles de dólares cada semana.

Mientras iba a clase, escribía los trabajos trimestrales y llevaba el negocio, me adentraba en un despertar espiritual. Durante este periodo, tuve visiones y oí voces. Sin embargo, al hacer prácticas con convictos enfermos mentales que también oían voces y tenían visiones, empecé a pensar que mis experiencias eran patológicas.

Mi primer antídoto consistió en dejar de fumar hierba, ¡pero lo único que conseguí fue intensificar las experiencias! Entonces pasó algo que me impediría seguir dándole la espalda a Dios.

Llevaba como un año teniendo un sueño recurrente en que me perseguían tres hombres. Siempre despertaba antes de que me atraparan, pero en cada sueño les faltaba menos. Finalmente, una noche me cogieron.

Al tiempo que me debatía con mis captores oníricos, vi una tienda donde cientos de personas que conocía hacían cola para entrar, pero todas me daban la espalda. Mientras dos de los hombres me sujetaban, el tercero me clavaba un cuchillo en el corazón. El dolor era insoportable. Proferí un grito y morí.

Cuando me desperté de este sueño, la realidad que conocía se había transformado profundamente. Notaba con claridad una presencia luminosa que conectaba todas las personas y todas las cosas. Penetraba mi alma con un amor total e incondicional; no hubiera encontrado las palabras con que describir su belleza, que recorría cuanto ser animado e inanimado me rodeaba. Aún agnóstico, no bauticé esta presencia con ningún nombre; me limité a llamarla Amor-Belleza. Aquel que llevaba tantos años enterrando su conexión con Dios había pasado a mejor vida; en ese cajón ya nunca habría espacio para mí.

Emprendí un voraz estudio de la espiritualidad y el misticismo orientales y occidentales. Descubrí que, al ir al fondo de la cultura y la historia de las religiones del mundo, lo que queda son los principios espirituales aplicables universalmente. Estos estudios conscientes eran lo que me faltaba para acabar de decidirme a dejar de vender maría. Quedaba un último pedido —el primero y el último que guardaba en casa— por cursar. Sin embargo, antes de que pudiera deshacerme de él, me trincaron.

Debido al volumen de la operación, los cargos eran graves, y me enfrentaba a una condena de privación de libertad considerable. Hubo amigos bien intencionados, que quisieron ayudarme con consejos como «Intenta llegar a un acuerdo con el fiscal» o «Coge el dinero y sal del país». Sin embargo, yo ya no me identificaba como narcotraficante. Mi transformación espiritual me había convertido en una nueva persona y sabía, incluso más allá de la fe, que el nuevo yo no iría a la cárcel.

Durante los días del juicio, permanecí sentado en la sala leyendo tranquilamente libros de temática espiritual.

Un día, aparentemente igual al resto, mi abogado se levantó de un salto y señaló algún tecnicismo. El juez suspendió la sesión por tres días. Creo que nunca olvidaré, el día en que se reanudó el juicio, el sonido del mazo del juez en el estrado, al tiempo que pronunciaba las palabras «¡Caso desestimado!». No obstante, aún le quedaba algo que decirme, así que me indicó que me acercara al estrado.

—Ha tenido suerte, joven. Espero no volver a verle en esta sala —me reprendió.

Lo miré a los ojos y respondí:

—Nunca me verá.

Regresé a casa. El viento, que soplaba con fuerza, me hizo levantar la mirada hacia la veleta de mi vecino, mientras emprendía el sendero que llevaba a mi puerta. No pude resistirme a poner a prueba una vez más mi transformación, así que, tras concentrarme en la veleta, dije, con autoridad interior:

—Soy creyente. Sana todo vestigio de mi falta de fe. Si la Presencia es tan real como sé que es, haz que la veleta se mueva en dirección contraria a la del viento, que gire en mi dirección y...

Antes de que llegara a completar la frase, la veleta estaba señalándome directamente, a pesar de que la dirección del viento no hubiera cambiado. Empecé a llorar. En ese momento abandoné completamente mi vida a la Presencia, consciente de que esta Presencia pondría de algún modo mi vida a su servicio

A los veintisiete años, el cuerpo me pedía a gritos la verdad. Siempre que sabía de algún maestro que viviera fielmente la Presencia, ahí estaba yo. Desde retiros silenciosos, hasta largas horas de meditación, hasta discursos espirituales... nada alteraba el ritmo extasiado de mi vida a lo largo de este trayecto totalmente privado. Hasta el día en que, en un tono dulce y a la vez firme, la voz interior dijo: «Es hora de salir a la calle».

Tal vez la mayor prueba de mi transformación fuera aquel «¡Sí!» rotundo. Abandoné el anonimato de mi viaje espiritual en solitario y me matriculé en una escuela de pastores New Thought-Ancient Wisdom, sabiendo a ciencia cierta que mi propósito no era ser pastor, sino hallar un contexto donde honrar mi «Sí» a la Presencia. Además, ¡quería tener libres los fines de semana! Al final, me convertí en consejero espiritual autorizado, y durante muchos años me dediqué a las sesiones de plegaria uno a uno y a la terapia espiritual.

No obstante, mi voz interior seguía espoleándome sin cesar para que saliera aún más. Poco a poco, mi resistencia se disipó.

Al hablar sobre la sabiduría universal a públicos cada vez más nutridos, me di cuenta de que podía permanecer en un lugar interiormente cómodo —la presencia de Dios— y de que, al apartarme, esa presencia podía fluir a través de mí.

En 1985, una visión interior reveló a una comunidad espiritual transconfesional e interreligiosa donde la única religión de Dios —el Amor— se impartía y celebraba. Era la antesala del Agape International Spiritual Center, que fundé en 1986, que ha crecido hasta llegar a contar con miles de miembros.

Hoy el «sí» siempre está ahí. Aunque no siempre sé qué aspecto tendrá el servicio a la Presencia, siempre tengo fe y confianza en ella. Cuando me entrego a la Presencia, siempre sale bien. La Presencia no me dejará en la estacada, porque estoy aquí representándola. La Presencia me ha contratado, como a cada uno de nosotros, para que sea yo mismo.

Tener una mente afirmativa

A veces, cuando acabo agotada y harta de este puesto autoasignado de administradora general del Universo, pienso en Michael y me recuerdo a mí misma que a mí también me asiste Amor-Belleza. Aunque él es uno de los afortunados que nacieron sintiendo esa unidad con el Espíritu, todos tenemos la misma conexión. Nuestra experiencia de ser Felices porque sí crece exponencialmente cuando confiamos lo suficiente en esa conexión como para dejar que rija nuestras vidas.

A lo largo de la historia, los hombres y mujeres más sabios han sabido que su mayor bien procedía de la rendición, no como cuando se pierde una batalla, sino como cuando se dejan las limitaciones personales y uno sintoniza totalmente con una inteligencia superior. ¿Recuerdas los experimentos de Spindrift? Según esos estudios, las oraciones más efectivas son las que se limitan a invitar a la presencia e influencia de un Poder superior, en lugar de pedir un resultado concreto. Eso demuestra el poder de aquella clásica expresión de abandono: «Hágase tu voluntad».

Confiar y soltar amarras de ese modo aporta una paz y una libertad enormes y genera lo que yo denomino «una mente afirmativa». En vez de decir no y resistirse a lo que sucede, uno dice sí. La primera vez que experimenté lo de la mente afirmativa fue al asistir a clases de interpretación improvisada hace muchos años.

Una de las reglas de la improvisación es responder instantánea y entusiastamente —decir sí— a todo lo que te eche otro actor. En mi primera clase, cuando mi compañero de improvisación me dijo que yo era una vieja estrella del rock, empecé inmediatamente a representar el papel: rasgueando una guitarra imaginaria, agarrándome la rabadilla y cantando a grito pelado, sin dejar de bailar desenfrenadamente, como una anciana de ochenta años. Al momento, la escena cambió. De repente, se suponía que yo era una extraterrestre que bajaba a la tierra a robar un banco... y tenía que ponerme a ello. Dije sí sin más. El ejercicio traspasó mis límites y liberó mi energía. Me pareció una práctica estupenda sobre cómo vivir.

Cuando dices sí, es como si fueras un trapecista; puedes soltar el trapecio al que te agarras y surcar el aire en dirección al siguiente. Sin soltarte y confiar en que encontrarás el siguiente trapecio, ese movimiento hacia adelante es imposible. El abandono y la confianza generan un sentimiento de fluidez en todo momento.

La sublime gracia

Uno de mis mayores mentores espirituales es Bill Bauman. Este antiguo sacerdote es una de las personas más centradas y con los pies en el suelo que he conocido. Aunque parezca un hombre tan sencillo —estaría perfecto como encargado de atención al público de una gran superficie—, me gusta llamarle el Michael Landon ilustrado, pues tras esa reconfortante chaqueta late el corazón de un héroe espiritual. Él ha sido el ángel de la guarda de este libro, y Carol y yo le estamos muy agradecidas por su ayuda y consejo.

Bill fue uno de los primeros 100 Felices que entrevisté, pertenecía al puñado de personas Felices porque sí que conocía personalmente cuando empecé el libro. Al pensar en Bill, pienso en una vida repleta de gracia.

La gracia, según Bill, «no es más que una palabra extravagante para referirse al amor infinito, incondicional y totalmente receptivo de Dios que fluye en nuestras vidas». Lo explica mediante la analogía del amor incondicional que una madre siente por su hijo recién nacido. «La madre no ve ningún defecto en el niño, sólo la más pura perfección y todos los méritos; inmersa en su amor, no desea otra cosa que dar, dar y dar más. Ahora traslada ese ejemplo al nivel infinito.

Nuestro Poder superior ve la perfección, la valía, el milagro absoluto de ser quienes somos... y, inmerso en ese amor, no desea otra cosa que dar bienes, dar bendiciones, dar soluciones».

En la entrevista, Bill me contó una experiencia que ilustra el modo en que deja que la gracia fluya en su vida:

> Hace unos años, mi esposa, Donna, y yo decidimos «empezar de nuevo» en una zona completamente nueva del país. Dejamos atrás nuestra antigua vida, incluyendo nuestro antiguo nivel de ingresos. Al cabo de más o menos un año del traslado, andábamos mal de dinero; hacíamos cuanto podíamos, pero todavía no teníamos suficientes ingresos.
>
> Decidimos tomarnos un día libre y pasar por un monasterio trapense cercano, pasar un rato en la iglesia y abrirnos a la gracia.
>
> Cuando Donna y yo nos sentamos juntos en la capilla, no pedimos nada en concreto; no dijimos «Por favor, danos dinero»; nos limitamos a convocar a la gracia. Nos quedamos en silencio, en actitud abierta y receptiva, y nos situamos en presencia de la Gracia divina, en presencia de la Abundancia, en presencia de la expresión materna y llena de amor del Poder universal. Recuerdo que pensé: «No tengo la solución ideal. Tu respuesta siempre será, en cualquier caso, muy superior a lo que se me haya ocurrido. Me pongo totalmente en conexión contigo. Estoy abierto a lo que envíes como respuesta perfecta a esta situación».
>
> Ésa fue la Fase Uno. Al cabo de una hora o así, salimos del monasterio e iniciamos la Fase Dos, que consistía en dejar sencillamente que todo fluyera. Nos ocupamos de nuestros quehaceres, confiando en que llegaría la respuesta perfecta.
>
> Justo al día siguiente nuestro contable nos llamó diciendo que acababa de descubrir un error que había cometido y nos enviaba un cheque por valor de 6.000 dólares. Esa misma tarde llamaron a Donna de la universidad local, ofreciéndole un puesto de profesora para el verano y una plaza a tiempo completo para el curso siguiente.

Dos días más tarde, recibimos por correo un cheque de 3.500 dólares de una compañía aseguradora de la que nunca habíamos oído hablar, en pago por una póliza que no sabíamos que tuviéramos. Al cabo de una hora, volvieron a llamar, ofreciéndome trabajo como consultor.

Aquello me sorprendió sólo en parte. Aunque estaba seguro de que algo sucedería, la generosidad y rapidez de la respuesta fueron increíbles. Será lo que llaman sublime gracia.

Cuando pregunté a Bill cómo podemos todos aprender a vivir en estado de gracia, respondió: «Practicando la rendición. Buscad oportunidades de estar abiertos a las bendiciones, sin definir con demasiada claridad en qué deben consistir, luego tened confianza y soltad amarras».

Para aquellos que nos bloqueamos con posturas ante la vida como «Es mi responsabilidad» y «Debo tomar el control», la rendición empieza con sólo invitarse a creer que nuestro Poder superior responderá a nuestras necesidades y estar abiertos al flujo de la gracia cuando surja. Esta sutil invitación es un recurso estupendo para dejarse llevar y confiar en que la vida se desarrollará... con gracia.

Quienes viven en ese estado perpetuo de abandono y confianza relatan cada vez más experiencias de concomitancia en sus vidas: coincidencias sorprendentes, «golpes de suerte» asombrosos, ayudas inesperadas y una perfecta sincronización: estar en el lugar oportuno den el momento oportuno. Experimentar muchas sincronías es síntoma de estar conectado al Espíritu.

Ejercicio

Convocar a la Gracia

Este sencillo ejercicio potencia el paso *Nada de tensión* de la Fórmula secreta que aprendiste en el Capítulo 2: Intención, Atención, *Nada de tensión*.

1. Siéntate en silencio y redacta una carta a tu Poder superior acerca de una situación de tu vida para la que quieras recibir ayuda (por ejemplo, relaciones, salud, trabajo). Escribe desde el corazón.

2. Pide que las personas, lugares y circunstancias perfectas lleguen a ti para que esa situación se resuelva al máximo. Tal vez desees pedir la debida comprensión o perdón, si procede.

3. Deja la carta en algún lugar significativo para ti, donde nadie vaya a tocarla. Hay a quien le gusta dejarla entre las páginas de un libro especial, en un rincón secreto de la casa, o debajo de una piedra del jardín. Durante un tiempo, no mirarás la carta.

4. Ahora, déjate llevar. Pon la situación en manos de un Poder superior. Relájate, siéntete agradecido y permítete creer que el universo siempre está a tu lado.

5. Observa lo que sucede en los siguientes días o semanas. Al cabo de un mes o dos, tal vez te apetezca echar un vistazo a la carta y ver qué tal ha respondido el universo.

RESUMEN Y PASOS EFECTIVOS
HACIA LA FELICIDAD

Al conectarte al Espíritu tomándote tiempo para el silencio, escuchando tu voz interior y confiar en el desarrollo de la vida, tu experiencia de ser Feliz porque sí crecerá inevitablemente. Conectarse al Espíritu fomenta el pilar final de tu Casa de la Felicidad. Con la ayuda de los siguientes pasos efectivos, practica los Hábitos de Felicidad para el Alma:

1. Incorpora el silencio, la meditación o la plegaria a tu rutina diaria.
2. Recurre a la Práctica de la Pausa siete veces al día durante una semana y comprueba cómo te sientes.
3. Busca orientación planteando preguntas en un diario, abriendo una página de un libro o buscando señales.
4. Practica la rendición: invítate a creer que el universo está ahí para apoyarte, transmite una intención para tu bien superior y *suelta amarras*.

El Tejado:
vive con propósito

Hay dos grandes días en la vida de una persona:
el día que nacemos y el día que descubrimos el porqué.
WILLIAM BARCLAY, teólogo escocés del siglo XX.

Seguro que en algún momento de la vida habrás oído que «Todos estamos aquí por algo». Sin embargo, si preguntaras a las cien primeras personas que te encontraras en la calle cuál es su propósito, seguramente la mayoría respondería, con un suspiro, «No tengo ni idea». Aunque hay quien surca el mar de la vida con la fortuna de saber adónde va y tener las cosas claras, muchos otros sienten que han perdido el tren.

Quienes son felices sienten que están en el planeta por algún propósito. Durante mis entrevistas con los 100 Felices, escuchaba lo mismo una y otra vez: viven inspirados, a cada momento, por una sensación de propósito y significado.

¿Cuál es tu propósito, pues? A diferencia de lo que suele creerse, tu propósito no es tu trabajo ni tu profesión... es mucho más que eso. Es una intención global de hacer lo que para ti vale la pena en la vida. Por ejemplo, mi propósito en la vida es compartir mi amor y energía inspirando a otros para que vivan la vida a tope. Ahora mismo soy conferenciante y escritora transformacional, pero podría dar curso a ese propósito de muchas otras maneras. Podría ser profesora, música, secretaria, médico, jardinera. Una vida con propósito puede adoptar formas muy variadas: la verdadera clave reside en descubrir primero el sentido del significado y el propósito en tu interior.

Los estudios sobre felicidad muestran claramente que quienes están profundamente comprometidos con lo que da sentido a su vida son mucho más felices que quienes no cuentan con esta mayor sensación de tener un propósito en la vida. Según el psicólogo Edward Diener, investigador del bienestar subjetivo en el Departamento de Psicología de la Universidad de Illinois, en Urbana-Champaign, uno de los ingredientes imprescindibles de la felicidad es «tener una razón en la vida... y contar con objetivos arraigados en tus valores a largo plazo por los que trabajes, pero con los que también disfrutes». Los estudios llevados a cabo sobre salud y longevidad demuestran que, cuando se vive sintiendo que se tiene un propósito, sea grande o pequeño, se vive más y se goza de mayor salud.

Propósito, significado y trabajo

Tu propósito en la vida es el tejado de tu Casa de la Felicidad: cuando no sientes ese propósito, es como tener goteras en el tejado; puede llover infelicidad en el resto de aspectos de tu vida. Por desgracia, al parecer, en el mundo actual hay muchos tejados con goteras. Según un estudio del año 2005 publicado por la firma de investigación Harris Interactive, sólo al 20 % de los norteamericanos activos les apasiona su trabajo. Eso significa que cuatro de cada cinco personas no se sienten inspiradas por aquello a lo que se dedican. Esta estadística deja claro por qué el mayor número de ataques al corazón se producen los lunes por la mañana. Se prefiere morir a ir al trabajo.

Son muchos los que tienen un empleo sólo para poder pagar las facturas y creen que no cuentan con la libertad, capacidad o posibilidad de encontrar un trabajo que les guste de verdad. Se resignan a una vida en la que no sienten que tengan un propósito más hondo, sacando lo mejor de una mala situación y viviendo a la espera del fin de semana. Otros se pasan años en busca del trabajo perfecto, como Ricitos de Oro, tratando de encontrar algo *del todo adecuado*. De éstos, unos cuantos con suerte encuentran carreras en que se realizan, pero, como no los mueva la sensación de contar con un propósito interior, esa realización será frágil. Su felicidad depende del trabajo, por lo que, si pierden el empleo o se jubilan, se sienten desorientados y no tardan en perder esa sensación de rumbo y satisfacción en la vida.

Las estadísticas sobre jubilación lo corroboran. Se ha comprobado que los jubilados más felices son quienes siguen sintiendo que tienen un propósito, aunque su carrera haya llegado a su fin. Esas personas suelen trasladar su conjunto de capacidades a otro contexto. Un banquero retirado puede ejercer de voluntario en un centro de formación ocupacional, o un empleado que siempre demostrara ser habilidoso puede convertirse en el manitas del barrio. Lo importante es dejar que tu propósito te guíe.

Trabajo, carrera o vocación

Para ti, tu quehacer cotidiano ¿es un trabajo, una carrera o una vocación? La siguiente historia ilustra la diferencia:

> Un día una anciana se acercó a una polvorienta obra donde tres jóvenes fuertes se afanaban poniendo ladrillos. Se dirigió al primero y le preguntó qué estaba haciendo. El hombre, bastante grosero, respondió: «¿No lo ve? Estoy poniendo ladrillos. Es lo que hago todo el día... poner ladrillos y punto». Entonces preguntó al segundo qué estaba haciendo. Respondió: «Soy albañil y estoy haciendo mi trabajo. Me tomo muy en serio mi oficio, y me alegra que lo que hago alimente a mi familia». Al aproximarse al tercero, se fijó en que tenía los ojos llenos de dicha y el rostro tan radiante como el día. Cuando le planteó la misma pregunta, contestó con gran entusiasmo: «Pues estoy construyendo la catedral más bella del mundo entero».

Lo que define tu sensación de tener un propósito en la vida no es la actividad que desempeñas, sino cómo te la tomas. La psicóloga organizacional Amy Wrzesniewski, de la Universidad de Nueva York, investigó las orientaciones laborales de las personas, a partir de estas tres categorías: trabajo, carrera o vocación. Concluyó que, independientemente del propio trabajo, quienes sienten que están siguiendo una carrera están más satisfechos con su empleo y más contentos con sus vidas.

Si no tienes el trabajo que te fascina, que te fascine el trabajo que tienes

Quienes son Felices porque sí, tanto si se encuentran en su carrera o vocación ideal como si no, sienten que su propósito en la vida los acompaña vayan donde vayan o hagan lo que hagan, hasta la tarea más rutinaria. Tanto si están cambiando el aceite del coche como preparando una comida familiar, sigue inspirándolos un propósito. De hecho, si a una persona feliz le quitaras lo que ahora mismo está motivada a hacer, encontraría sin más otra cosa que la motivara.

Una vez leí una anécdota sobre el gran director de orquesta Arturo Toscanini. Cuando cumplió ochenta años, alguien pidió a su hijo, Walter, cuál era para su padre el logro más importante de su vida. Walter respondió: «Para mi padre las cosas no son así. Cualquier cosa que esté haciendo a cada momento es lo más importante de su vida, ya sea dirigir una sinfonía o pelar una naranja».

Mientras escribíamos este capítulo, Carol me contó cómo, en una ocasión, saber que tenía un propósito la salvó de sufrir en un empleo:

> Cuando acabé la universidad, y me licencié en literatura, en el mercado no había gran demanda de titulados en esa disciplina. Aunque no tenía claro lo que quería hacer con mi vida, había que pagar el alquiler, así que acepté un puesto de recepcionista en una sociedad de inversión en bolsa. El trabajo tenía muchas ventajas,

pero también un gran problema: odiaba hacer de recepcionista. Cuando no me estresaba, atender el teléfono todo el día resultaba aburrido. Al cabo de un mes, me costaba levantarme por la mañana y mi infelicidad laboral empañaba toda mi vida. Sabía que tenía dos opciones: encontrar otro empleo o hallar el modo de que me gustara el que tenía. Decidí hacer ambas cosas. Mientras buscaba otro empleo, busqué el modo de estar más contenta donde estaba.

Me reté a mí misma a convertirme en «la mejor recepcionista del mundo». Y es que siempre he sentido con gran fuerza el deseo de servir a los demás y cambiar las cosas. Escribí la palabra «SERVICIO» en letras grandes en la carpeta de la mesa. Atendía al teléfono con una sonrisa en la voz, aprendí a reconocer las voces de quienes llamaban a menudo y a llamarlos por el nombre.

Había oído la cita de la reina de la cosmética Mary Kay Ash, «haz como si cada persona con la que te encuentras llevara colgado del cuello un cartel que rezara "Hazme sentir importante"» y la puse en práctica. Bromeaba con los *brokers* y otros empleados y, por regla general, convertía mi jornada laboral en una fiesta. No sólo subió como la espuma mi nivel de felicidad, sino que, además, al cabo de un mes, me ascendieron a un puesto más interesante dentro de la empresa. Aunque acabé encontrando un modo de ganarme la vida mucho más acorde conmigo, nunca he olvidado cómo conseguí dar un nuevo rumbo a mi trabajo y a mi grado de felicidad.

Al estar conectado a tu propósito, te expandes y te cuesta menos sentirte motivado a cada momento, lo que por naturaleza desemboca en mayores logros. Como decía Albert Schweitzer, «el éxito no es la clave de la felicidad. La felicidad es la clave del éxito. Si te fascina lo que haces, triunfarás».

Observa los síntomas de contracción y expansión y comprueba si estás bien encaminado en tus propósitos.

Contracción	Expansión
Moverte sin motivación	Actuar con motivación
Estar perdido y aburrido	Estar en la onda y comprometido
Sentirte desorientado y resignado	Sentirte resuelto y apasionado
Actuar únicamente por propio interés	Resultar útil a los demás

Vivir una vida motivada contribuye a tu felicidad y a la de todos aquellos con los que te relacionas.

Hábitos de Felicidad para una vida con propósito

1. Descubre lo que te apasiona.
2. Sigue la inspiración del momento.
3. Contribuye a algo más grande que tú.

Hábito de Felicidad para una vida con propósito n.º 1

Descubre lo que te apasiona

Cuando aprendemos a decir un sí intenso y apasionado a las cosas que de verdad importan, la paz empieza a instalarse en nuestras vidas como la luz dorada del sol derramándose sobre un bosque.
THOMAS KINKAIDE, artista

«Vale», estarás diciendo. «Me has convencido. Quiero vivir inspirado por un propósito. ¿Pero por dónde empiezo?». Tú eres quien debe pedir las pistas que te conduzcan a tu propósito único e individual. Basta con que te detengas.

Eso es: detente.

Tómate un momento para salir de tu ajetreada vida y explorar tu paisaje interior. Con toda la franqueza y sin sombra de miedo, pregúntate: «¿Qué es lo que me apasiona? ¿Qué me encanta hacer? ¿Qué es lo que de verdad me importa?» Las respuestas —tus pasiones— son como un rastro de migas de pan que te conducen a tu propósito.

Hay un modo estupendo de entrar en contacto con tus pasiones: hacer el Test de la Pasión, obra de la integrante de los 100 Felices Janet Attwood. Hace veinticinco años que Janet es una de mis amigas más queridas, y he visto cómo, al usar el Test de la Pasión, se transformaba su vida y la de muchos otros. Ella es un magnífico ejemplo de la dicha que conlleva esa conexión interior con el propósito. Su historia describe el camino que la llevó a descubrir el Test de la Pasión (*The Passion Test*), que ahora se ha convertido en un n.º1 de los superventas, compartiendo la autoría con su ex marido, mejor amigo y socio empresarial, Chris Attwood.

La historia de Janet
Cantando y bailando bajo la farola

Había una vez una niña que amaba a todo y a todos, sobre todo a su mamá. Esa niña y su madre leían cuentos, miraban películas y se pasaban horas cantando juntas. Para ambas, los momentos que pasaban una en compañía de la otra estaban colmados de la dicha más maravillosa.

En esos días felices, la pequeña salía a veces al atardecer y cantaba y bailaba bajo la farola de la acera de su casa. Se imaginaba actuando algún día ante miles de personas, llegándoles al corazón.

La niña tendría unos siete años cuando su madre empezó a beber. Se esfumó aquella voz dulce y tierna que con tanto cariño le cantaba hasta que se dormía y la arropaba en la cama cada noche de su vida. Ahora la niña oía a su madre y su padre discutir a grito pelado. Por muchas promesas que hiciera, la madre de la niña seguía bebiendo. Las cosas no hicieron más que empeorar, hasta que un día internaron a la madre de la niña en una residencia para enfermos mentales.

Cuando al fin salió, no hizo sino volver a beber. Después de eso, la madre de la niña se mudó, y empezó un periplo de centro en centro. La pequeña perdió el contacto con su madre y empezó a leer las esquelas del periódico, aterrada por si encontraba ahí el nombre de su madre. Incapaz de comprender la ira que sentía, la niña lo hizo pagar a cuantos la rodeaban... y a sí misma.

Según pasaban los años, la niña era más y más desgraciada.

A los diecisiete la maltrataron.

A los dieciocho estaba enganchada a las drogas.

A los diecinueve vivía con heroinómanos y salía con los Hells Angels. Su vida se había convertido en una espiral de drogas, sexo y depresión. La niña sabía que, como no cambiara de vida, acabaría exactamente igual que su madre...

Esa niña era yo.

A los veinte, decidida a no correr la misma suerte que mi madre, empecé otra vez de cero. Con la ayuda de mi hermano, encontré un lugar donde vivir, un empleo y aprendí a meditar. Empecé a leer libros transformacionales y a escuchar cintas de crecimiento personal. Mi vida mejoró, pero aún notaba que me faltaba algo. Los trabajos que encontraba estaban bien, algunos mejor que otros, pero apenas pagaban las facturas. Llegó un momento en que me encontré trabajando en Silicon Valley, contratando a ingenieros de sistemas. Aquello no era para mí. Me desanimé todavía más, preguntándome adónde me encaminaba con mi vida.

Un día vi un cartel que anunciaba un seminario en San Francisco, titulado «Sí al éxito», y pensé «Puede que con una pequeña dosis de actitud positiva mi trabajo dé un vuelco».

El día del seminario, observé, intrigada, cómo Debra, una mujer elegantemente vestida de treinta y pocos años, se dirigía al frente de la sala y empezaba a hablar. En cuestión de minutos nos tenía a todos completamente cautivados y entusiasmados.

Debra nos habló de una encuesta llevada a cabo entre cien de los mayores triunfadores de los Estados Unidos, que demostraba que todas esas personas que no dejaban de cosechar logros tenían algo en común.

—¿Alguien adivina lo que era? —preguntó, recorriendo al público con la mirada. Nadie levantó la mano, así que prosiguió—: Todos y cada uno de ellos habían conseguido los cinco elementos más importantes de sus vidas que ellos consideraban necesarios para su propio éxito y realización.

En ese momento, la tierra dejó de girar.

—¿Puede repetirlo, por favor? —le pedí, apenas capaz de contenerme.

—**Lo que todos tenían en común era que todos y cada uno de ellos habían conseguido los cinco elementos más importantes de sus vidas que ellos consideraban necesarios para su propio éxito y realización.**

En el interior de mi cabeza una voz decía a gritos: «¡Eso es! Me basta con saber eso. Sólo tengo que entender cuáles son para mí los cinco elementos más importantes para vivir una vida ideal y podré ser como esos cien triunfadores».

Sentada observando hablar a Debra, pensé en los elementos que consideraba necesarios para crear mi vida ideal... y me di cuenta de que compartir el conocimiento transformacional, tal como Debra hacía, era lo que más deseaba hacer en el mundo. Fue un descubrimiento tan intenso que casi hasta dolía. ¡Me sentía como si estuviera alumbrando una vida del todo nueva! Inmediatamente sentí que me invadía una increíble calma interior, seguida de la sensación de felicidad más tranquila que jamás había experimentado. Llegaba desde el centro de mi ser, al conectarme con lo que de verdad me importaba.

De vuelta a casa en coche, con la radio a todo volumen, cantando a pleno pulmón, fui consciente de que algo milagroso estaba a punto de suceder. Sólo que no sabía el qué.

En tres semanas dejé mi trabajo de selección de personal y convencí a Debra para que me contratase para impartir seminarios de «Sí al éxito». Nunca volví a mirar atrás. Durante los siguientes años, me dediqué a ver cada vez con más claridad los cinco elementos que me aportarían mi vida ideal. Experimenté, a veces, siguiendo los dictados de mi corazón (siempre buenos). Cuando hacía lo que me fascinaba desde el interior, lo del exterior fluía en ráfagas cada vez mayores de éxito y felicidad.

La experiencia de aclarar las cinco cosas que más me importaban fue el origen del Test de la Pasión, el sencillo proceso que creé para hallar tu propósito en la vida, identificando lo que de verdad te fascina y más te preocupa. Creo firmemente que aquello que amas y lo que te depara la voluntad divina son una misma cosa.

Al cabo de unos años, tras someter a cientos de personas al Test de la Pasión y observar los espectaculares resultados que tantos cosechaban, mi mejor amigo, socio empresarial y ex marido, Chris Attwood, y yo escribimos un libro titulado *The Passion Test*, que se convirtió en n.º 1 de los superventas nacionales. También fundamos juntos la *Healthy Wealthy n Wise Magazine*, que ha llegado a ser la mayor revista transformacional en línea del mundo.

En la actualidad, doy a conocer el Test de la Pasión por todo el mundo y trabajo con miles de personas de todas las condiciones. Ahora vivo mis pasiones, y la vida se ha convertido en una aventura mágica. Me di cuenta de hasta qué punto todo aquello había hecho mella hacía unos meses, cuando de paso por Miami, me dirigía a 200 mujeres sin techo. Esas mujeres habían dejado de creer, habían dejado de soñar y se habían dado por vencidas. La mayoría pensaba que estaban acabadas y sólo les quedaba el doloroso proceso de tratar de ganarse a duras penas una prosaica existencia.

Compartí con ellas algunas de las historias de mis primeros años y les hice el Test de la Pasión. Les pedí que empezaran a escoger opciones cada día en pro de lo que más les importara, de lo que más las hiciera vibrar. Les prometí que, si lo hacían, poco a poco, encontrarían la energía para encaminarse hacia una vida más feliz. Encontrarían la grandeza que sabía que residía en el interior de cada una de ellas.

Cuando se pusieron en pie para aplaudirme, entusiasmadas por lo que habían averiguado sobre ellas mismas, se me llenaron los ojos de lágrimas. Pensé en esa pequeña que cantaba y bailaba bajo la farola hace tantos años, que sólo quería llegar a los corazones de la gente. Estaba viviendo los sueños de aquella niña. El viaje me había traído hasta aquí, para brindar el regalo del amor a esas hermosas mujeres, que tanto se parecían a mi propia madre.

Haz lo que ames, ama lo que hagas

> *Lo importante no es pensar mucho, sino amar mucho;*
> *así que haz lo que más te incite a amar.*
> Teresa de Ávila, monja y mística española del siglo XVI.

¿Qué es lo que te expande el corazón? ¿Qué es lo que te hace vibrar? La mayoría de la gente anda tan ocupada en sus quehaceres cotidianos que no presta atención a estas cuestiones. A veces es algo sutil, pero las claves de tu pasión siempre guardan relación con el interés, la atracción y la curiosidad.

El psicólogo y escritor Mihaly Csikszentmihalyi está considerado uno de los principales investigadores mundiales en psicología positiva. Él denomina «flujo» a ese sentimiento de puro gozo que se experimenta cuando se está del todo enfrascado en lo que se hace. El tiempo puede llegar a detenerse, o las horas pueden transcurrir como si fueran minutos. Estás ensimismado de manera natural y cuesta distraerte. Según el Positive Psychology Center de la Universidad de Pensilvania, uno de los centros de investigación de los Estados Unidos sobre la felicidad, tomar parte en una actividad que genere *flujo* es tan gratificante que uno está dispuesto a hacerlo sin más, sin necesidad de incentivos externos como el dinero. La búsqueda de los lugares de tu vida donde experimentes el flujo te ayudará a poner rumbo a tus pasiones.

Según Jane,«una vez identifiques lo que de verdad te importa, escoge en favor de tus pasiones cada día». La vida está hecha de elecciones: escoger una y otra vez hacer las cosas que te importan te conduce a expresar tu propósito en todos los ámbitos y te ayuda a atraer más de lo que deseas a tu vida. ¡Otra vez la Ley de la Atracción!

Aprendí de mi padre a hacer lo que amas y a amar lo que hagas. A papá le fascinaba de todas todas ser dentista. Se jubiló a los setenta y dos, a regañadientes. Como quería una nueva forma de canalizar su talento, analizó qué era lo que tanto le gustaba del oficio. Descubrió que no tenía que ver con poner empastes en la boca de los pacientes, sino que lo que le encantaba era trabajar con las manos cosas pequeñas y difíciles, trabajar de modos que se le antojaban artísticos.

Así que, a los setenta y dos, papá empezó a bordar en cañamazo... y le encantó. Se convirtió en todo un artista y un maestro del bordado en cañamazo, y hasta ganó premios a lo largo y ancho de California. Recuerdo un día en que fui a casa de visita. Mi padre, que por entonces tendría unos ochenta y cinco años, acababa de empezar el proyecto de bordado más complejo que había visto en mi vida, una representación detallada del Árbol de la Vida.

Le pregunté:

—Papá, ¿cuánto tiempo te llevará acabarlo?

—Al ritmo que llevo, cariño, calculo que unos cuatro años —respondió.

Imagínate: un anciano de ochenta y cinco años emprendiendo un proyecto de cuatro años. Sin embargo, gracias a su pasión por expresar su arte, sentía que tenía un firme propósito. ¿Y llegó a acabar el proyecto? ¡Ya lo creo que sí! Fue su mayor obra de todas. Hoy está colgado en la pared del salón de mi madre, en la misma casa que mis padres compartieron durante cincuenta y tres años.

Mi padre me enseñó que sentir que tienes un propósito te ayuda a aportar alegría a todo aquello que hagas.

Ejercicio

Identificar tus pasiones

Este ejercicio ideado por Janet Attwood y Chris Attwood es el primer paso para aclarar lo que de verdad te importa. Cuando respondas al Test de la Pasión entero, sabrás cómo identificar tus cinco pasiones principales y cómo sintonizar tu vida con ellas. Encontrarás el test completo en el libro *The Passion Text*, o en la web www.PassionTestOnline.com.

1. Apunta en un papel al menos diez cosas que harían que tu vida y tu trabajo fueran ideales. Completa la oración: «Cuando mi vida es ideal, yo _____». Por ejemplo, «Cuando mi vida es ideal, yo inspiro a los demás con mi amor por la escritura», o «yo me siento bien de salud, en forma y lleno de energía», o «yo disfruto de relaciones sanas con mis amigos y mi familia».
Si te quedas encallado, piensa en cosas que de ningún modo quieras en tu vida y dales la vuelta. Por ejemplo, si se te ocurre «Cuando mi vida es ideal, yo nunca estoy con quienes mienten, hacen trampas o roban», cámbialo a «Cuando mi vida es ideal, yo siempre estoy rodeado de personas honradas, íntegras y generosas».
2. Ahora piensa en cuatro personas que conozcas a quienes no les apasione lo que hacen en la vida. ¿De qué hablan? ¿Dónde centran su atención? ¿Qué tal tratan a quienes están con ellos? Enumera por lo menos cinco conductas que percibas en esas personas.

¿Ves alguno de esos comportamientos en tu caso? ¿Te das cuenta de cómo alguna de esas conductas puede dar al traste con tu capacidad de vivir una vida con propósito?
3. Enumera cinco cosas que puedas hacer la semana que viene para empezar a cambiar esos comportamientos y cuadrar tu vida con las cosas que has escrito en el Paso 1, para poder vivir la vida apasionada y con propósito que te mereces.

Publicado con permiso de Janet Attwood y Chris Attwood

Hábito de Felicidad
para una vida con propósito n.º 2
Sigue la inspiración del momento

Cuando persigas tu dicha absoluta... se abrirán puertas
donde jamás hubieras dicho que las hubiera;
y donde nadie más encontraría una puerta.
JOSEPH CAMPBELL, estudioso y profesor universitario del siglo XX.

Cuando tienes claras tus pasiones, te ilumina una llama interior que te muestra qué hacer en cada momento. Te conduce a la acción inspirada. Sabes lo que quieres hacer en la vida, pero tal vez no sepas cómo sucederá. La inspiración te mostrará el *cómo*.

Dejarte guiar por tu inspiración no significa limitarse a hacer las cosas fáciles. La inspiración te da el valor y la tenacidad para hacer *cualquier cosa* que deba hacerse con tal de cumplir tu propósito, aunque constituya un reto o te dé miedo. Cuando estás inspirado, actúas en virtud de un sentimiento de propósito interior, no por obligación ni para obtener la aprobación de los demás.

Rhonda Byrne es un magnífico ejemplo de alguien que irradia felicidad y sigue totalmente la inspiración de su alma. Fue lo que la guió a la hora de crear la película y el libro *El Secreto*, que el *New York Times* califica como el mayor fenómeno en la historia de la autoayuda. Rhonda también apareció en la revista *Time* como una de las personas más influyentes del mundo en 2006. Rhonda nos contó su historia en una entrevista, y luego Carol y yo escribimos el siguiente relato de la inspiración que yace tras la extraordinaria revelación del estreno de su película.

La historia de Rhonda
Dar a conocer El Secreto

Siempre había sido una persona feliz. Tenía una familia maravillosa, amigos queridos, una carrera de éxito como productora televisiva de la que disfrutaba intensamente. Sin embargo, en 2004, tras acabar en solo doce meses seis especiales de larga duración para la televisión, estaba agotada. Además, mi padre acababa de fallecer y, por si enfrentarme a mi propio dolor no fuera suficiente, mi madre, que llevaba especialmente mal la muerte de mi padre, me preocupaba enormemente. Una noche, tras hablar por teléfono con ella, me sentía tan desesperada que no podía dejar de llorar.

Mi hija de veintitrés años, al verme tan alterada, me dio un libro, diciendo:

—Creo que esto te ayudará de verdad, mamá.

Era *La ciencia de hacerse rico*, de Wallace Wattles. Me parecía increíble que un libro sobre hacerse rico pudiera ayudarme a lidiar con la tristeza por mi madre, pero lo abrí y empecé a leer.

A cada frase, crecía mi asombro. En efecto, el libro hablaba de hacerse rico, pero el dinero sólo era una parte de él. La ciencia de hacerse rico te explica cómo desbordar alegría y abundancia en todos los aspectos de la vida. Aunque nunca había leído nada del estilo, supe al instante que era absolutamente cierto.

Para cuando acabé de leerlo, yo era una persona completamente distinta. Era como levantar la vista y contemplar el sol por primera vez. Lo veía todo con ojos totalmente nuevos.

En las siguientes semanas, me dediqué exclusivamente a estudiar, a leer libro tras libro siguiendo el rastro, a lo largo de la historia, de las ideas que Wattles me había presentado.

Al final de esas semanas, sabía que había dado con el secreto más valioso del mundo: lo que piensas, sientes, dices y haces lo atraes. ¡Lo cierto es que todos creamos nuestra propia realidad!

Al poner en práctica este principio en mi propia vida, toda mi existencia se transformó. No tardé mucho en saber que quería compartir ese secreto con tantos como pudiera. Con mi experiencia en el mundo televisivo y cinematográfico, pensé que el mejor modo de hacerlo sería mediante una película.

Dediqué casi todo el año siguiente a trabajar con mi productora para filmar *El Secreto*, que es como decidí titular la película. Toda la experiencia constituyó una aventura fabulosa. Aplicamos los principios de la Ley de la Atracción que presentábamos en la película a cada etapa de su gestación y desarrollo: para los guiones, el atrezo, las entrevistas y hasta la distribución.

Al principio de todo, mi idea era distribuir la película por los canales convencionales: en los cines o cadenas televisivas. No obstante, cuando aún no habíamos ni tan siquiera acabado de grabar, la vía televisiva se cerró por completo y ya no era una opción. Más tarde, ya acabado el proyecto, también se cerró la vía cinematográfica. Habíamos hablado con cadenas de televisión y estudios de cine de todo el mundo, pero nos encontrábamos en un callejón sin salida. Ahí estábamos, con una película en nuestras manos que queríamos hacer llegar al mundo y sin saber cómo hacerlo.

Estuve encallada hasta darme cuenta de que estaba atrapada en el cómo, tratando de entender cómo se desarrollaría mi intención. La Ley de la Atracción me había enseñado que mi tarea era permanecer centrada en qué deseaba crear; sentir la gratitud y la dicha que surgirían cuando lo lograra y confiar y tener fe en que se me mostraría el camino. Así que aparqué todos mis temores y planes con respecto a la distribución. Con ello me quedé totalmente a oscuras, incapaz de ver la ruta que tenía por delante. Aun así, seguí fiel a mi propósito, sin dejar de sentir la alegría en el corazón.

En cuanto me libré del cómo, una extraordinaria secuencia de acontecimientos trajo a nuestras vidas a una empresa llamada Vividas. Por aquel entonces, Vividas era pionera en el sector de la videodifusión a través de Internet, una tecnología rompedora que permitía a los usuarios ver vídeos en el ordenador sin descargar primero el material. Hasta entonces, sólo se había utilizado para vídeos breves como los trailers de películas que Vividas producía para estudios cinematográficos. Nunca antes se había hecho una película entera de ese modo, pero en Vividas iban a por todas. Sorprendentemente, tras haber buscado por todo el mundo canales de distribución, ¡acabamos trabajando con una empresa situada a sólo dos manzanas de nuestras oficinas en Australia! Colaboramos con sus especialistas, y *El Secreto* fue la primera película de la historia emitida por Internet. Lo más sorprendente aún fue que esta nueva tecnología nos permitió estrenar la película mundialmente en veinticuatro horas, algo con lo que yo había soñado y sabía que pasaría, aunque me habían dicho que era imposible.

El Secreto abrió todo un nuevo camino para los estrenos cinematográficos. Por lo general, las películas pasan primero por las salas de cine o los puntos de venta, pero *El Secreto* se convirtió en un fenómeno a raíz de la videodifusión en la Red y la venta de los DVD por Internet, para luego pasar a los establecimientos y otros puntos de venta convencionales. Tras ese éxito, vinieron a vernos estudios de cine y compañías distribuidoras, en busca de nuestra plantilla, para estrenar una película por esa vía. Creían que sabíamos exactamente por dónde íbamos, pero no era así. Todo había sido fruto de la confianza y de sentir cuál era el camino mediante la dicha interior.

Al descubrir la Ley de la Atracción, vi con claridad cuál era mi propósito: estar contenta y, con cada acción y palabra, compartir esa dicha con millones de personas. He aprendido a prestar una atención especial a mi propósito interior... estar contenta.

A veces doy un paso en una dirección determinada y me encallo en seguida. Es como si el Universo me dijera: «Alto ahí, nena. ¿Adónde crees que vas?». Y entonces me embarco de nuevo en la confianza, la dicha y la gratitud y digo: «Vale, tú me llevas». Aguardo y, desde ese lugar dichoso, no tardo en ver abrirse un camino del todo distinto.

Me pasó este año. Me moría de ganas por hacer otra película, estaba de lo más entusiasmada con todas las cosa que quería incluir. Rebosante de pasión y entusiasmo, di un paso adelante y me encallé al instante. En seguida supe que el Universo estaba diciendo: «Rhonda, debes cuidar de esta criatura... antes de dar a luz a otra. Deja que *El Secreto* crezca y se haga mayor y primero dale cuanto puedas a esta criatura. Te estás precipitando». Lo sabía con certeza, con todo mi ser. Así que mi atención dio un paso atrás.

La «nueva criatura» sigue ahí, y arde en mis entrañas, pero no altera mi paz ni mi serenidad. Ya no me planteo cuándo se hará realidad. Estoy segura de que, cuando llegue el momento, lo sentiré en el corazón, y sabré exactamente —en aquel preciso instante— cuándo conviene ponerme con ello.

Mientras escribía el libro *El Secreto*, esperaba notar el empujoncito interior que me dijera que era el momento. No anoté ni una palabra hasta sentir que ya se había completado todo el proyecto. No dejaba de percibir una y otra vez los resultados: más dicha, más claridad y más amor. Cuando noté que empezaba el verdadero empujón, nunca me senté ante el ordenador sin que antes me corrieran por las mejillas lágrimas de gratitud, amor y alegría. Cada día mi corazón era una auténtica bomba de relojería y, cuando eso pasaba, mi mente se hacía a un lado y el poder creativo fluía a través de mí. Esa dicha se manifestaba a través de la dicha, para poder hacer partícipe de ella al mundo.

Preocúpate por el qué, no por el cómo

Cuando estás inspirado por un propósito, como Rhonda, basta con que no dejes de seguir lo que estás empujado a hacer. Puedes confiar plenamente en que la inspiración te hará avanzar un paso tras otro.

En la película *El Secreto*, Jack Canfield habla de la experiencia de viajar en coche por la noche, con los faros del vehículo iluminando tan sólo una distancia de sesenta metros. Afirma que, aunque no veas tu destino, la parte iluminada de la carretera basta para que no abandones la ruta y llegues a donde te diriges. En la vida, la luz de la inspiración actúa como esos faros, te deja ver lo que hay inmediatamente a continuación. Preocúpate de seguir esa luz.

Precesión: a pequeños pasos, grandes resultados

Muchas veces cuando haces lo que estás inspirado a hacer en aquel momento, no eres consciente de los efectos que acarrearán tus acciones ni de adónde te conducirán. Una abeja, cuando va zumbando de flor en flor, no es consciente de estar polinizando las plantas y haciendo posible la vida en la Tierra. Ella se limita a dejarse llevar de flor en flor para libar el néctar, que se convertirá en miel.

Rosa Parks, la mujer afroamericana que se negó a sentarse en la parte trasera de un autobús público, no tenía ni idea de que su acto valeroso sería el inicio del movimiento por los derechos civiles en el Sur de los Estados Unidos. Se limitó a dar el paso que a ella le parecía bien en ese momento, haciendo lo que se le antojaba una pequeña declaración de libertad.

Buckminster Fuller, famoso arquitecto y visionario, acuñó el término «precesión» para describir este fenómeno, consistente en una serie de pequeños pasos que desembocan en una conclusión sorprendente e imprevista.

A lo largo de mi propia vida, he experimentado la precesión en muchas ocasiones. Si hace veinte años me llegan a decir que sería escritora superventas, hubiera pensado que estaban locos. Yo sólo quería ser conferenciante. ¡No me gustaba nada escribir! De hecho, en mi lugar de trabajo de la compañía de cristal austriaco, todo el mundo estaba al corriente de mi método, ya consagrado, de redacción de cartas comerciales y notas. Retrasaba la redacción de las cartas tanto como podía. (El personal de la oficina lo sabía por lo despejada que tenía la mesa: cuanto más despejada, es que más cosas había dejado para más tarde.) Finalmente, tras posponer la carta al máximo y esforzarme sin éxito por escribir algunas frases, iba al despacho de mi amigo Jay y lo engatusaba para que me redactara la carta. Estaba segura de ser la peor escritora del mundo.

Cuando dejé aquel trabajo y me convertí en formadora empresarial, el único puesto que pude encontrar fue como profesora de redacción empresarial. Por fuera, pensé: «¡Ni hablar! ¿Qué clase de broma cósmica es ésta?». Sin embargo, a un nivel profundo, sentía que era lo correcto. Acepté el empleo, aprendí redacción y edición y descubrí que, de hecho, tenía cierta capacidad y talento. Al cabo de seis años, cuando se me ocurrió la idea de *Sopa de pollo para el alma de la mujer*, estaba lista: tenía las habilidades exactas necesarias para alumbrar ese libro. No lo había planeado para nada, pero ahí es donde me llevó la vida.

Hay quien oye música de trompetas cuando tiene su Gran Idea. Muchos otros no. Puede que sientas que tienes un don especial y único, pero no acabes de dar con el modo de expresarlo. Tranquilo: mientras no pierdas de vista la carretera iluminada, la oportunidad saldrá a tu encuentro cuando menos te lo esperes.

Ejercicio

Actuar movido por la inspiración

Me gusta pensar que la inspiración está *en espíritu* y que mi alma la orienta durante toda la jornada. Hay un modo estupendo de actuar movido por la inspiración, y es empezar el día haciéndote las siguientes preguntas, adaptadas del libro *Un curso de milagros*. Debes hacer lo siguiente:

Cierra los ojos y respira profundamente varias veces, poco a poco.

Luego, plantéate estas preguntas:

1. ¿Qué me haría hacer el Espíritu?
2. ¿Adónde me haría ir el Espíritu?
3. ¿Qué me haría decir el Espíritu y a quién?

Según vaya transcurriendo el día, utiliza las respuestas que recibas para «iluminar los sesenta metros que tienes por delante» en el camino.

Hábito de Felicidad
para una vida con propósito n.º 3
Contribuye a algo más grande que tú

No sé cuál será vuestro destino, pero algo sí sé:
los únicos de vosotros de verdad felices
serán los que hayan buscado y encontrado el modo de servir.
ALBERT SCHWEITZER, médico y humanitario.

Quienes son más felices contribuyen a algo mayor que ellos mismos en la vida. Cuando Stewart Emery entrevistó para su libro *El éxito que perdura,* a personas que no dejaban de cosechar logros y felicidad, descubrió que los objetivos de esas personas no eran la fama, la fortuna ni el poder. Quienes se marcaban esos objetivos acababan irremediablemente sintiéndose vacíos e infelices.

Mis entrevistas con los 100 Felices demostraron que quienes son Felices porque sí tal vez sean famosos, ricos y poderosos, pero esas son las consecuencias de vivir plena y apasionadamente, comprometidos a servir coherentemente a una causa más elevada. En una ocasión, Oprah Winfrey declaró: «Nunca busqué el dinero. Me limité a decir "Dios, úsame. Muéstrame cómo aceptar quién soy, quién quiero ser y qué puedo hacer y utilizarlo con un propósito mayor que yo".»

Una persona de entre estos 100 Felices es Lynne Twist alguien que consagra apasionadamente su vida a un propósito mayor. Hay quien dice que es una moderna Madre Teresa de Calcuta. He tenido la suerte de pasar tiempo con Lynne, en el ámbito personal y profesional, y siempre que estoy cerca de ella me conmueve sobremanera el modo en que la belleza y la bondad irradian de su ser en cada cosa que hace. A menudo se siente tan colmada de gratitud que se le llenan los ojos de lágrimas. En nuestra entrevista, Lynne compartió la historia de cómo halló su llamada para servir.

La historia de Lynne
La llamada

Durante la adolescencia, llevaba una doble vida. Para la mayoría, yo parecía la típica alumna de instituto de los años cincuenta. Sacaba sobresaliente en todo, era animadora y reina de la fiesta del instituto y hasta salía con el capitán del equipo de fútbol. No obstante, había otra Lynne. Esta Lynne era profundamente religiosa: se levantaba cada mañana antes del alba para ir a la misa matutina, idolatraba a la Madre Teresa y soñaba con ser monja. ¿Quién era yo de verdad? Las dos.

Esta doble vida empezó con la muerte de mi padre, a quien adoraba. Era, como Glenn Miller, director de una *big band*, y había convertido nuestro hogar en un lugar alegre, divertido, lleno de músicos, baile y canciones. Dos días antes de que yo cumpliera catorce años, mi padre falleció de un infarto, en paz, mientras dormía. Sólo tenía cincuenta años.

Para mí, su muerte fue incomprensible. A raíz del golpe y de la pena, quise buscar un sentido más profundo a mi vida, así que me volví hacia Dios y la Iglesia. Fue entonces cuando nacieron mis aspiraciones a una vida de servicio, una vida que cambiara las cosas.

Ocultaba mi espiritualidad frente a todos los chavales que conocía, porque ser religioso no molaba, pero traté de suplir el hueco que había entre mi vida interior y exterior participando en proyectos de voluntariado y engatusando a todos mis amigos para que ayudaran. Emprendimos todo tipo de tareas, desde la recogida de ropa para una colecta hasta clases particulares para niños desfavorecidos que habían dejado la escuela. Ayudar a los demás era muy satisfactorio y todos lo pasábamos bien.

Al acabar la secundaria, fui a Stanford, donde el estudio de la poesía mística de Rilke y Rumi, entre otros, sustituyó mi visita diaria a la iglesia. Cuando aún andaba en busca de la misión por la que me habían puesto en la Tierra, me enamoré de Bill Twist. Nos casamos en mi último año de carrera y, tras graduarme, en poco tiempo, nacieron nuestra hija y nuestros dos hijos.

Fueron unos años felices, pero mi búsqueda de un mayor significado siempre titilaba bajo la superficie. Me llevó a apuntarme a un seminario de crecimiento personal llamado *est*, que me pareció profundamente transformacional, y también a estudiar con el prestigioso inventor, diseñador y futurista Buckminster Fuller, cuyos libros había leído en la universidad y me habían calado hondo. Siendo un joven de treinta y dos años, Bucky se había planteado el suicidio. Tras decidir no hacerlo en el último momento, se dijo a sí mismo: «Tal vez sea una ruina humana, pero quizá pueda dedicar esta ruina de vida a cambiar las cosas». (De hecho, fue Bucky quien acuñó la frase «Cambia las cosas con tu vida».) Acababa de iniciar un experimento para comprobar si un individuo normal podía cambiar el mundo y hacer un bien a toda la humanidad.

En 1977, ayudé a presentar a Bucky al fundador del programa *est*, Werner Erhard. A raíz de esa relación, nació el Proyecto del Hambre, el compromiso de acabar con el hambre en el mundo en el año 2000.

Cuando, al cabo de unos días, me enteré del proyecto, la noticia provocó un terremoto en mi interior. Sabía, sin sombra de duda, que eso era lo que debía hacer.

Me desmarqué de «la película de mi vida conmigo como protagonista» y me convertí en actriz de reparto de un largometraje mucho mayor. De pronto, mi personalidad y mi agenda respondieron a esta llamada de más envergadura sentándome en la fila de atrás. Este compromiso me despertaba por la mañana, me mostraba qué ponerme y adónde ir. Me dotaba de una voz elocuente y de las palabras a pronunciar.

Asumí un papel de liderazgo en el Proyecto del Hambre y no tardé en sorprenderme a mí misma exigiéndome al máximo. Volvía a llevar una doble vida —ahora era madre burguesa y defensora de una causa—, aunque esta vez no era secreto. Tenía un marido y tres hijos maravillosos de seis, ocho y diez años, y no pensaba defraudarlos; tampoco pensaba dejar de hacer lo que hiciera falta para acabar con el hambre en el mundo en el año 2000. Mis dos proyectos convivían... a veces literalmente. Era frecuente que gente de lugares como Bangladés, Suecia, Japón y Etiopía se quedaran en casa durante su formación para el Proyecto del Hambre en los Estados Unidos. Como no dejaba de viajar, siempre que podía me llevaba a los niños y a Bill conmigo. Otras familias iban de vacaciones a Disneylandia y a Aspen; nosotros íbamos a Zimbabwe e Indonesia.

Teníamos suficiente dinero para contratar a una señora estupenda que nos ayudaba muchísimo en casa, pero yo seguía montándomelo para estar siempre en casa los fines de semana. ¡Y eso a veces significaba viajar a la India el lunes y de vuelta a casa el viernes! Sentía la tensión de estar presionada por dos lados.

Un sábado, disgustada por haberme perdido el concierto de la coral de mi hija y el partido de fútbol del campeonato de mi hijo, convoqué una reunión familiar. Nos sentamos en el suelo en círculo y dije a Bill y a los chicos: «Me siento muy culpable por no haber hecho los disfraces de Halloween este año, y por haberme perdido el concierto y el partido. Necesito vuestro permiso para continuar. Me dedico mucho a mi labor con el Proyecto del Hambre, pero se me parte el corazón por no poder hacerlo todo». Para cuando acabé, sollozaba.

Summer, mi hija de ocho años, se me acercó, me rodeó con los brazos y dijo: «Mamá, si puedes ayudar a acabar con el hambre en el mundo, no queremos que nos acompañes al dentista. Ya lo hará otro». Y continuó: «Nuestra vida no podría molar más, vive con nosotros gente de lo más alucinante. Tenemos mucha suerte y estamos orgullosísimos de ti».

Mis dos hijos y mi marido se apuntaron, estrechándonos a Summer y a mí en sus brazos, mientras mi marido decía: «Adelante. Estamos encantados con tu compromiso; nos ilumina la vida».

Nos abrazamos, lloramos y reímos, y en ese momento, el cisma que separaba las dos cosas que tanto significaban para mí se desvaneció, y con él todo rastro que pudiese quedar de una doble vida.

Después de aquello, acabar con el hambre en el mundo pasó a ser un compromiso familiar. Los niños colaboraban voluntariamente en la oficina, y más de una vez hacían los deberes tumbados en el suelo, debajo de mi escritorio. Todos nos convertimos en ciudadanos del mundo. Ahora me doy cuenta de que mis hijos no llevaban dos vidas distintas, una «normal» y la otra «espiritual». Las fusionamos las dos, y gracias a eso las cosas nos han ido mejor que nunca.

A menudo se piensa que vivir una vida con significado implica sacrificio, pero para mí ha sido justo lo contrario. He tenido oportunidad de hacer cosas y conocer a personas que jamás hubiera imaginado. Cuando por fin conocí a mi heroína de la infancia, la Madre Teresa, nuestra conexión fue inmediata y natural. Ella se autodenominaba «el lápiz de Dios» y sentía que Dios escribía su historia para el mundo a través de ella y de otras personas como ella. Me identificaba con esa idea: yo también sentía que Dios me estaba utilizando para escribir el fin del hambre y el fin del sufrimiento que conlleva.

Al vivir una vida de compromiso, no sólo tuve oportunidad de trabajar codo a codo con la Madre Teresa, sino también de sentarme junto al Dalai Lama y de mantener una relación prolongada con el arzobispo Desmond Tutu y Nelson Mandela. Se trataba de personas que no contaba con conocer ni en un millón de años, y mucho menos trabajar con ellas. También gocé de otro privilegio igualmente valioso: estar en presencia de personas sabias y valientes de todo el mundo. Tras la hambruna que sufrió Etiopía en 1984 y 1985, me quedé sentada en torno a un pozo seco durante cinco días y cinco noches, con un grupo de madres del país cuyos hijos habían muerto de hambre. Estas mujeres y otras personas como ellas me motivaron a seguir adelante en pos del objetivo que nos habíamos marcado.

Cuando arrancamos el Proyecto del Hambre en 1977, cada día 44.000 personas morían de hambre e inanición, la mayoría niños menores de cinco años... y cada año eran más. Actualmente, aunque la población mundial haya aumentado en más de un 50 %, el número de muertes por hambre y desnutrición es de 19.000 diarias, menos de la mitad de la cifra correspondiente a 1977. Siguen siendo demasiadas, pero es un logro asombroso.

Siempre pensé que trabajaría para el Proyecto del Hambre durante el resto de mi vida; o acababa con el hambre o moría en el intento. No obstante, en 1994, para mi gran sorpresa, oí que algo nuevo me reclamaba. Al principio, lo ignoré, pensando que no hacía sino distraerme de la tarea que tenía ante mí, pero su voz era tan persistente y persuasiva que al final me condujo a mirar en mi interior e imprimir un nuevo rumbo a mi vida. En 1996, Bill y yo fundamos The Pachamama Alliance, para trabajar con los pueblos indígenas de Suramérica con el fin de preservar las selvas tropicales y generar una nueva visión global de la sostenibilidad que abarcara a todos los seres vivos. Los científicos prevén que, sin las selvas tropicales, Suramérica acabará convertida en un desierto, lo que provocará una crisis alimentaria que afectará a millones de personas y amenazará la salud de todo el planeta. Este objetivo no se aleja tanto de mi misión original como pudiera parecer: en lugar de esforzarme por acabar con el hambre en el mundo, trabajo para que de entrada no se produzca.

En los últimos treinta años, entregarme al propósito que me reclama, sea en la forma en que sea, me ha conducido a una vida más feliz de lo que jamás hubiera imaginado.

Cambiar las cosas con tu vida

No hace falta ser una Madre Teresa ni una Lynne Twist para contribuir a algo más grande que tú. Cuando averigües lo que te importa, tus acciones cotidianas pueden ser útiles a los demás y al mundo en mayor o menor medida.

Decididamente, tanto da al servicio de qué escojas ponerte. Para algunos, es la fauna y la flora; para otros, es la justicia social, acabar con la pobreza o garantizar que todos los niños tengan acceso a la cultura y las artes. Los detalles no importan. Estar al servicio de un propósito más grande que tú aporta más significado y dicha a tu vida. Yo misma lo he experimentado, al participar en el programa local Big Brothers/Big Sisters. Disfruto enormemente del tiempo que paso con mi fantástica hermana pequeña, Leah.

Tu deseo de cambiar las cosas puede influir incluso en las decisiones cotidianas, como lo que comes, dónde compras y qué tipo de coche llevas.

Tengo una amiga que conduce un híbrido y sólo come productos orgánicos que compra en el mercado local. Ella dice que, de este modo, vota con el bolsillo, que se gasta el dinero de un modo que contribuye a aquello en lo que cree.

Y no hace falta ser rico para hacer donativos que arrojan generosos resultados. Con sólo donar 10 o 20 dólares a organizaciones caritativas, se puede alimentar a una familia durante una semana, comprar una vaca o una cabra, ayudar a abrir un pequeño negocio o comprar semillas para cultivar, cambiando enormemente las vidas de los demás. Contribuir a algo más grande que tú no tiene por qué implicar dinero: puede ser una aportación de tu tiempo, interés o atención.

La investigación ha demostrado reiteradamente que el hecho de darse a los demás —el altruismo— se asocia a un bienestar, salud y felicidad

mayores, siempre que no «te pases dando». Dar de ti mismo no significa
ser codependiente, tratar de llenar un vacío interior o servir a los demás a
tu costa. Yo me refiero a un servicio que nace de la dicha, de la inspiración
y del propósito y que mantiene más paz y bienestar en tu vida.

Ejercicio

Visualización de la llamada a servir

Puedes llevar a cabo esta visualización con alguien que te
guíe durante el proceso o escuchando tu propia voz graba-
da indicándote los pasos a seguir. También puedes leer primero las instrucciones y luego completar el ejercicio en silencio.

1. Siéntate o túmbate en un lugar tranquilo donde no vayan
   a interrumpirte. Cierra los ojos y respira varias veces lenta y profundamente, desde el abdomen, relajando todo el
   cuerpo.
2. Siéntete cada vez más y más ligero y nota que te expandes
   progresivamente, hasta que, de tan ligero, sientas y veas
   que empiezas a flotar por encima de tu cuerpo.
3. Ahora imagina que estás muy por encima de tu cuerpo,
   planeando sobre la Tierra. Al volver la mirada hacia el
   planeta que tienes por debajo, ves una hermosa esfera
   azul y resplandeciente. Puedes ver bajo tus pies océanos,
   continentes y cúmulos de nubes. Si te fijas, puedes contemplar las montañas, bosques, valles y ciudades.
4. Ves los miles de millones de personas y animales que viven interrelacionados sobre la Tierra. Te sientes conectado a toda la vida que late a tus pies. Te sientes parte de un
   plan mayor. Te concentras en la pregunta «¿Cómo estoy
   llamado a servir?».

5. Notas que te arrastran hacia un lugar del planeta con un significado o fascinación especiales para ti. Observas una situación que conduce a servir. Puede que se te muestre alguna persona, algún lugar, alguna cosa que te sea familiar, o tal vez sea del todo nuevo. (Quizá te atraigan cosas como ayudar a los animales, contribuir a la curación de una enfermedad determinada, proteger los océanos o servir a los niños de donde vives o de un país en desarrollo.) Sé curioso y arriésgate. Contempla dónde aterrizas, la clase de entorno en que te encuentras y lo que ahí puedes hacer. Vislumbrarás una o más veces las oportunidades que te aguardan. Muéstrate abierto a todas las posibilidades.

6. Cuando sientas que has completado tu experiencia, da las gracias y siente cómo regresas gradualmente a la habitación donde estás sentado o tumbado. Medita sobre cómo puedes utilizar las imágenes recibidas para que te dirijan a donde puedas ser de utilidad. Observa lo que se despliega en tu vida.

RESUMEN Y PASOS EFECTIVOS HACIA FELICIDAD

Cuando vives inspirado por un propósito, escoges lo que favorezca a tus pasiones, dejas que la llama de la inspiración te ilumine el camino y contribuyes a algo más grande que tú, en mayor o menor medida. Así construyes el tejado de tu Casa de la Felicidad. Con los siguientes pasos efectivos, practica los Hábitos de Felicidad para una Vida con propósito:

1. Busca modos de hacer de tu trabajo una carrera y, de tu carrera, una vocación. ¿Qué puedes cambiar de tus circunstancias actuales para sentirte más inspirado por tu propósito?
2. Completa todo el Test de la Pasión cada seis meses para seguir vinculado a lo que de verdad te importa.
3. Empieza cada día preguntándote «¿Qué tendría sentido hacer hoy?». Luego, déjate llevar por la inspiración a lo largo del día.
4. Pregúntate «¿Cómo podría servir mejor a los demás?». Da el paso y trabaja como voluntario donde vivas: llama al asilo, banco de alimentos, refugio de animales, programa de alfabetización, grupo ecologista de tu barrio... la lista es interminable. Averigua qué puedes hacer para ayudar. Con sólo una o dos horas al mes puedes cambiar tu vida y las vidas de los demás.

El Jardín:
cultiva las relaciones nutritivas

Quien sea feliz también hará felices a los demás.
MARK TWAIN, escritor y humorista.

Me encanta estar sentada en el jardín. Mi lugar favorito es en un banco, en un rincón soleado, donde tengo una vista perfecta de las flores y árboles que hay. Es un modo fantástico de relajarse después de un día de locos o, simplemente, de pasar unos instantes percibiendo la belleza que me rodea.

Las personas de tu vida son el jardín que rodea tu Casa de la Felicidad. Al contemplar ese jardín, ¿ves hermosas rosas y dalias o una parcela descuidada llena de malas hierbas? Las relaciones nos afectan de modo similar: o nos animan o nos agobian. Quienes son felices cultivan en sus vidas relaciones que nutren y contribuyen a su felicidad.

El poder de las personas

Hay muchísimos estudios de psicología positiva que demuestran que tener buenas relaciones sociales es una de las formas más contundentes para hacer posible la felicidad.

Según las encuestas a gran escala del National Opinion Research Center de la Universidad de Chicago, quienes cuentan con cinco o

298 FELIZ PORQUE SÍ

más amigos íntimos (sin incluir familiares) tienen un 50 % más de probabilidades de describirse como «muy felices» que quienes tienen menos relaciones estrechas. Otra encuesta, realizada con 800 personas, demostró que quienes valoraban más la riqueza, el éxito y la posición social que el hecho de tener de buenos amigos y una relación afectuosa con otra persona importante tenían el doble de posibilidades de ser «bastante» o «muy» infelices.

En el año 2002, Edward Diener, el padre de la investigación sobre la felicidad, y Martin Seligman, el creador de la psicología positiva, llevaron a cabo un estudio centrado en dos grupos de individuos: los que obtenían una puntuación mayor con una medida estándar de felicidad y los que la obtenían menor. Descubrieron que un rasgo en común del grupo feliz, que no compartía con el infeliz, era el tener relaciones estrechas de confianza.

En mis entrevistas, encontré el mismo rasgo. Aunque los 100 Felices presentan grandes variaciones en cuanto al número de relaciones que tienen, cada una de esas relaciones es saludable y contribuye a su felicidad. Lo que distingue a los 100 Felices es que no dependen de que los demás los hagan felices. Cuando eres Feliz porque sí, disfrutas de la compañía de los amigos y la familia, pero también disfrutas pasando tiempo a solas, en compañía de ti mismo. Aportas tu felicidad *a* las relaciones, en vez de tratar de obtener felicidad *de* ellas.

Contagio emocional

Uno de los hallazgos más emocionantes de los neurocientíficos de la última década es que, de hecho, nuestro cerebro está programado para relacionarse con los demás. Todo aquel con quien interactuamos, o que nos limitamos a saludar con un gesto de la cabeza al cruzárnoslo por la calle, estimula un «puente neuronal» que nos conecta. Nuestro cerebro contiene «neuronas espejo» que se activan o desactivan en sincronía con los que nos rodean.

¿Te has sorprendido alguna vez imitando sin querer la expresión facial, la postura, el lenguaje corporal o el ritmo del discurso de alguien con quien estuvieras hablando? ¿O bostezando en respuesta al bostezo de otra persona, aunque no estuvieras cansado? Al observar a alguien más llevando a cabo una acción, estas neuronas «reflejan» esa acción dentro de tu cerebro, ¡como si estuvieras ejecutándola tú mismo!

Las neuronas espejo también se han vinculado a nuestra capacidad de identificarnos con las emociones de los demás, lo cual explica por qué, cuando alguien enfadado o disgustado entra en una habitación, todos los presentes lo notan. O por qué basta con ver a alguien abrumado por la emoción para que se nos llenen los ojos de lágrimas. Hoy en día hay investigadores que creen que el autismo, que reduce la capacidad de relacionarse con los demás, puede estar relacionado con daños en las neuronas espejo.

Nuestras emociones son contagiosas. Según el psicólogo de fama mundial Daniel Goleman, autor de *Inteligencia emocional* e *Inteligencia social*, las emociones se propagan de una persona a otra poco más o menos como un resfriado. Y, aunque pueda ser bueno «pillar» un sentimiento de los que levantan el ánimo, puede resultar dañino adoptar los sentimientos de enojo, celos, angustia u odio de los demás.

El doctor Goleman afirma que cuanto más conectados emocionalmente estemos con alguien, mayor será la influencia que ejerzan en nosotros, en especial con el tiempo. He pillado estupendas emociones de las personas más próximas, sobre todo de Sergio. La felicidad no figuraba conscientemente en mi lista de cualidades del compañero perfecto, pero, definitivamente, me siento afortunada de que Sergio sea un tipo profundamente feliz. Se ha ganado de todas todas su lugar entre los 100 Felices y, de hecho, a menudo canta por los descosidos. Al principio, pensaba que sólo pretendía impresionarme cuando, en la ducha, entonaba a grito pelado hermosas baladas italianas que se oían por toda la casa.

No obstante, ahora que ya no le hace falta jugar la carta de impresionarme, cantar alegre y a voz en grito en la ducha sigue siendo parte de su rutina cotidiana. Y no se acaba aquí. Sergio canturrea mientras prepara el desayuno, al poner la colada (sí, pone la colada), al responder correos electrónicos... prácticamente todo el día. A veces hasta tengo que salir del despacho, cuando tengo una llamada de trabajo, para decirle que baje el volumen. Sin embargo, no cambiaría por nada del mundo el tener cerca de mí esta alegre influencia. Tiene un influjo fenomenal en mi propia felicidad.

Piensa en las personas de tu vida. ¿Quieres «pillar sus emociones»?

¡Oye, amiga!

Las relaciones tienen un efecto bioquímico en nuestros cuerpos. Al establecer conexiones saludables con las personas, nuestros cerebros inundan las células de sustancias químicas de felicidad y, si tenemos interacciones sociales malsanas, se liberan sustancias químicas dañinas.

Según las últimas investigaciones, las mujeres, por sus conexiones bioquímicas, tienden más que los hombres a buscar relaciones con los demás. A pesar de que tanto hombres como mujeres segregan adrenalina y cortisol en situaciones de estrés, un estudio de la UCLA marcó un hito al demostrar que, para poner freno a esas sustancias químicas, los cerebros femeninos liberan oxitocina, la hormona de la conexión emocional, comentada en el Capítulo 6. De ahí que las mujeres, cuando pasan por un mal momento, a menudo quieren reunirse con otras mujeres o ponerse las botas charlando con una buena amiga. Por eso pueden sentirse atraídas por el cuidado de sus hijos o mascotas. En la comunidad científica, esta conducta se denomina «de cuidado y atención». La estimula la oxitocina que, a su vez, segrega más oxitocina. Cuanto más atentas y amigables, más oxitocina liberan las mujeres, lo que genera una influencia tranquilizadora y reduce el estrés.

No hay duda de que los amigos ayudan a las mujeres a vivir vidas más felices y saludables. El afamado Estudio sobre la salud de los enfermeros de la Facultad de Medicina de Harvard concluyó que, cuantos más amigos tenga una mujer, menos probable es que desarrolle problemas físicos con la edad y más posibilidades tiene de llevar una vida dichosa. De hecho, los resultados fueron tan significativos que los investigadores llegaron a la conclusión de que no contar con amigos íntimos o confidentes era tan nocivo para la salud de la mujer como fumar o padecer sobrepeso.

Mi compañero John Gray, autor de *Los hombres son de Marte, las mujeres son de Venus,* que entrevisté para este libro, ha repasado las abundantes investigaciones existentes sobre la relación entre estrés, hormonas y género. Me dijo que las mujeres liberan oxitocina frente al estrés, pero los hombres no tienen la misma respuesta bioquímica. Según los estudios realizados, cuando los hombres, en situaciones de estrés, segregan cortisol, disminuyen sus niveles de dopamina y testosterona, lo que provoca frustración y depresión. Según el doctor Gray, los hombres están programados biológicamente para buscar modos de estimular la producción de esas sustancias neuroquímicas, resolviendo problemas, actuando y dominando el riesgo y el peligro, en lugar de ocuparse de los demás. Cuanta menos oxitocina tengan en el organismo, menos les interesará establecer vínculos con amigos.

Las relaciones y tu energía

A menos que estés firmemente instalado en el estado de Feliz porque sí, tu felicidad se verá afectada por los de tu entorno. Cuando te rodeas de relaciones que te apoyan, tu energía se expande; por el contrario cuando en tu vida hay mucha gente tóxica, tu energía se contrae.

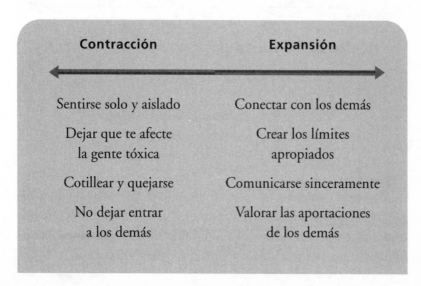

Contracción	Expansión
Sentirse solo y aislado	Conectar con los demás
Dejar que te afecte la gente tóxica	Crear los límites apropiados
Cotillear y quejarse	Comunicarse sinceramente
No dejar entrar a los demás	Valorar las aportaciones de los demás

Contracción	Expansión
Sentirse superior o inferior a los demás	Sentir la igualdad inherente de los demás
Centrarse en las diferencias	Centrarse en las similitudes y la unidad
Esperar que los demás te hagan feliz	Aportar la base para estar rebosante de felicidad

La práctica de los siguientes hábitos relacionales te ayudará a elevar tu nivel básico de felicidad.

Hábitos de Felicidad para las relaciones

1. Cuida de tus relaciones.
2. Rodéate de apoyos.
3. Considera el mundo tu familia.

Hábito de Felicidad para las Relaciones n.º 1
Cuida de tus relaciones

Te conviertes en la media de las cinco personas
con las que más te relacionas.
JIM ROHN, autor y conferenciante motivacional.

Cuidamos de nuestros jardines arrancándoles las malas hierbas, regándolos y plantándolos para asegurarnos de que florezcan. Podemos cuidar de nuestras relaciones pasando más tiempo con quienes contribuyen a nuestra felicidad y menos con quienes la socavan.

Desde luego, cuanto más feliz eres por dentro, menos te influye negativamente el entorno exterior. En mis entrevistas con los 100 Felices, observé que tratan con las personas tóxicas cuando no les queda más remedio, pero también limitan sus interacciones con ellas cuando pueden.

La integrante de los 100 Felices, escritora y entrenadora vital Martha Beck, que has conocido en el Capítulo 6, experimentó una profunda transformación personal que la condujo a un estado de intensa felicidad. En la siguiente historia, describe cómo aprendió a reconocer las relaciones de su vida que la apoyan.

La historia de Martha
Mi gran reunión familiar sin parientes

Acababa de mudarme a Phoenix. Como me sentía sola, asistí a una firma de libros, con la esperanza de conocer a otros aficionados a la lectura. La firma era más aburrida que una carrera de caracoles, así que decidí marcharme. Mientras me alejaba, sentí literalmente que algo trataba de obligarme a dar media vuelta y regresar al interior del edificio. Durante el trayecto a casa, tuve que contener un fuerte impulso de dar media vuelta con el coche, regresar y conocer a alguien.

Al cabo de una semana, al entrar en una cafetería, vi a Annette. La reconocí de inmediato, pero no porque estuviera en aquella firma de libros. Sí que estaba, pero yo no la había visto. Reconocí a Annette porque sencillamente la conocía. Era como si, mucho tiempo atrás, nuestras almas hubieran acordado encontrarse en Phoenix, Arizona, en ese justo momento. Era una sensación tan intensa que me habría asustado, de no ser que la había sentido varias veces antes, con personas distintas, en lugares distintos.

Tendría unos quince años cuando tuve por primera vez la impresión de que sólo había conocido a un pequeño porcentaje de las per-

304 FELIZ PORQUE SÍ

sonas que más quería. A diferencia de muchos adolescentes, el sexo, las drogas y el *rock and roll* me interesaban mucho menos que la literatura inglesa y la biología. Tenía montones de amigos igualmente empollones, un grupo de iguales que únicamente me presionaba para que estudiara para las pruebas de acceso a la universidad. Aun así, curiosamente, me sentía fuera de lugar. Recorría los pasillos de mi enorme instituto público como una cebra separada de su manada, en busca de otras criaturas a rayas.

«Hay más de los nuestros», pensaba una y otra vez. «¿Dónde están los demás?».

De vez en cuando, conocía a alguien —en clase, en un debate, en el centro comercial... que atraía mi atención como un imán. Esas personas brillaban claramente en la oscuridad; no podía quitarles los ojos de encima.

Eran de todas las edades y de ambos sexos. Aquello no tenía nada que ver con ninguna atracción romántica; sencillamente... los reconocía.

Al hacerme mayor, esta clase de episodios se volvieron aún más evidentes. Mi primer día en la universidad, muerta de miedo y soledad, al entrar en un taller de arte, reconocí al instante al profesor como uno de los mentores más importantes de mi vida. Ese mismo día, más tarde, cuando estaba sentada en una parada de autobús, dibujando en un cuaderno de bocetos, una desconocida elegantemente vestida se quedó mirando mi trabajo.

—Oye —me dijo—, hay una clase de arte a la que creo que deberías asistir.

—Lo sé —respondí—. Ya lo hago.

La desconocida me miró a los ojos. Estaba claro que hablábamos de la misma clase. Asintió. Llegó su autobús y lo tomó. Nunca volví a verla, aunque, por supuesto, la conocía y la quería. No habíamos faltado a nuestra cita.

Si todo esto empieza a parecerte extraño, imagina lo que representaba para mí. Cuanto mayor me hacía, más intensamente «reconocía» a personas que nunca antes había conocido. Es más, empecé a descubrir que la conexión era muchas veces mutua: los extraños a los que yo conocía me conocían a mí. Todos ellos tenían interrogantes en la mirada, como si estuvieran continuamente en busca de personas queridas perdidas entre la multitud.

Cuando ya iba para los treinta, cada vez congeniaba menos con mi familia y comunidad de origen. Ambos estaban anclados en una ortodoxia religiosa especialmente rígida, a raíz de la cual, mis relaciones con ellos se me antojaban cada vez menos saludables. Hice terapia —una buena terapia— y, cuanto más me asomaba a mi interior y aprendía a distinguir entre lo que me sentaba bien y lo que no, más comprendía que pasar menos tiempo con esa familia y comunidad no implicaba un defecto por mi parte, sino una elección necesaria, curativa y saludable.

Y descubrí por qué había sentido una conexión afectuosa y viva con personas que apenas conocía o con sólo verlas.

Era porque ellos eran mi familia.

Ahora me siento tan cómoda con este concepto de familia como una red de almas espiritualmente vinculadas que ya nunca me sorprende conocer a un nuevo hermano, hermana, madre, padre, hija o hijo. Los más próximos y queridos acostumbran a entrar en mi vida de modos extremadamente milagrosos.

Annette, por ejemplo, se convirtió en mi primera amiga escritora, y no tardó en invitar a dos escritoras más, Dawn y Thora, a formar un grupo de escritura. La víspera de nuestra primera reunión, soñé que una curandera navaja me entregaba una mariposa de cuarzo azul y me decía «Dineh», que en navajo significa «la gente». No me detuve mucho a pensarlo hasta que conocí a Thora. Y se me puso la piel de gallina: era clavada a la curandera de mi sueño. Luego Dawn mencionó a su hermana gemela, Denae, y lo pronunció exactamente igual que la palabra navaja *dineh*. En ese momento, le conté al grupo mi extraño sueño. Al mencionar la mariposa de cuarzo azul, Annette se echó a reír. Abrió el bolso y sacó una mariposa de cuarzo azul.

Sin ese grupo de escritura, jamás habría acabado ningún libro. Con su apoyo, terminé un manuscrito que acabó consiguiendo agente y editor. Cuando viajé a Nueva York para conocer a mi nueva editora, Betsy, me di cuenta en unos treinta segundos de que era mi hermana predilecta.

Tras nuestro primer almuerzo en Manhattan, le envié como obsequio una pequeña tortuga de cerámica, con una nota en que le explicaba que las tortugas siempre han simbolizado cómo nosotros, los del mundo de la escritura, debemos ir por la vida: seguros, lentos, estables, sabiendo cuándo retirar la cabeza. «Me llegó la tortuga», me dijo Betsy más tarde, y pensé: «lo sabe». Ya lo creo que lo sabía. Llevo haciendo esto lo suficiente como para darme cuenta de cuándo he quedado con uno de mis seres más cercanos y queridos.

Es como si mi vida se hubiera transformado en una larga reunión familiar. En la actualidad, está tan repleta de seres queridos, de una tribu tan enorme y variada, que a veces me sorprendo llorando, incapaz de contenerme, rebosante de dicha, asombro y gratitud. Cuando conozco a alguien que quiero, pocas veces nos molestamos en fingir que no nos hemos reconocido.

En una conferencia, conocí a otro ponente que no se presentó. Nos limitamos a caer el uno en brazos del otro, contentísimos de haber acudido ambos a nuestra cita. «Oye», me dice, con una sonrisa, «tengo un libro que te conviene». Tomo el libro, sabiendo que contiene exactamente la información y la inspiración por las que he estado rezando. Tal vez nunca vuelva a verle, pero sentimos mutuamente la presencia del otro en el mundo.

En una gira de promoción de un libro por Alemania, un hombre con quien nunca había coincidido me toma la mano y dice: «Du». Yo sonrío y respondo: «Tú». Los dos nos echamos a reír, encantados de conocernos por fin.

«No hablamos el mismo idioma con la mente», dice en alemán, «pero sí con el corazón». Yo no sé alemán. Lo entiendo perfectamente.

En África, al entrar en una escuela de una sola aula, conozco a la maestra y a algunos miembros de la pequeña aldea de Shangaan. Reconozco literalmente a todo el mundo.

—Voy a adoptar esta escuela —le digo a la maestra—. Quiero ayudaros a conseguir cuanto necesitéis.

Ella asiente con total naturalidad y se limita a decir «Sí». A ninguna de nosotras le hace falta añadir «Qué contenta estoy de que no hayamos faltado a la cita».

Al alcanzar una cierta edad y haber pasado por miles de momentos como éstos, he aprendido a disfrutarlos sin más, sin preguntarme desesperadamente qué significa todo. Tener una familia del alma ya es bastante recompensa en sí mismo. Sin embargo, aún tengo montones de preguntas. ¿Tiene todo el mundo una gran familia de individuos que no sean parientes, que tal vez no tengan nada en común físicamente, pero que se reconozcan mutuamente por la textura de sus almas? ¿Hay alguna labor que todo clan espiritual deba completar?

No lo sé con seguridad, pero tengo la corazonada de que la respuesta a todas estas preguntas es «Sí». Si me equivoco, si la historia de mi vida reconociendo a familiares no resulta ser más que una vana ilusión, tanto da. Comparada con otras vanas ilusiones, ésta es maravillosa, deliciosa, dulce e inofensiva. Ahora bien, en caso de que tenga razón —sólo por si esto curiosamente te suena de algo—, puede llegar el día en que nos veamos en una cafetería, en una librería, en una diminuta escuela de una sola aula situada en alguna aldea remota, y sintamos esa emoción instantánea por reconocernos.

Si llega a pasar eso, y tú me ves primero, sólo te pido una cosa: no seas tímido. Llevo mucho esperando conocerte.

Desarrollar la inmunidad emocional

Pasar tiempo con los que quieres —familia, amigos o mascotas— puede recomponer el equilibrio de tu biología en pro de una mayor felicidad. Es importante, pues, que tomes decisiones sabias sobre las compañías que frecuentas.

No todos los de nuestra vida nos nutrirán siempre.

Seguro que te ha pasado en algún momento que, cuando mejor te sentías, la llegada de algún amigo, familiar o compañero de trabajo te ha bajado la moral. Vuelve a ser el contagio emocional: estás recogiendo sus vibraciones neuronales. El mejor modo de evitar el contagio emocional negativo es mantenerse alejado de acosadores emocionales y chupadores de felicidad.

Por lo general, resulta obvio cuáles son las personas cuya compañía es tóxica: son los quejicas, los aguafiestas, aquellos cuyas críticas pretenden hacer daño. Los hay que cuestan más de detectar: están absortos en sí mismos, tienen miedo, les gusta sentar cátedra y son manipuladores. Puede que hasta tengan buenas intenciones; aun así, tras tener contacto con ellos, te sientes agotado y frustrado.

Para poblar tu mundo de personas que te suban la moral y reducir al máximo la relación con quienes resulten tóxicos, utiliza tu GPS interior. Cierra los ojos, respira hondo y piensa en cada persona de tu vida. ¿Quién te expande y quién te contrae?

Hasta después de identificar a las personas tóxicas que hay en tu vida, el problema es que no siempre se puede dejar de pasar tiempo con ellas: puede que trabajes con chupadores de felicidad o incluso que sean parientes tuyos. ¿Qué hacer entonces?

Es indispensable aprender a crear los límites apropiados. Como dice el doctor Phil, «Enseñamos a la gente a tratarnos» con lo que les aceptamos o no les aceptamos. Cuando no te quede más remedio que estar con gente tóxica, aquí tienes varios modos de reforzar tu inmunidad:

1. **Rompe la reacción en cadena.** Ahora que sabes lo que son las neuronas espejo, ponlas a trabajar para ti. Si tienes que hablar con una persona enojada o negativa, suaviza conscientemente la mirada, mantén una expresión neutral, utiliza un lenguaje corporal opuesto al suyo. No reflejes la tensión de la otra persona, o serás presa de tu cuerpo, que reflejará esa negatividad.

2. **Erige una barrera invisible.** Cuando no puedas irte y te bombardeen las emociones tóxicas, Judith Orloff, la escritora y psiquiatra de la UCLA, aconseja imaginarse un muro invisible o un escudo que te rodea; tendrás la sensación de estar emocionalmente protegido y quizá sirva para frenar tu deseo de responder con más de lo mismo.

3. **No abandones tu lado de la carretera.** No intentes cambiar a la otra persona. Tal vez resulte tentador pensar que puedes ayudar a los demás tratando de redimirlos o indicándoles «lo equivocado de su modo de proceder», pero pocas veces funciona. Lo más eficaz para influir en los demás es mostrar el comportamiento que te gustaría ver en ellos.

Inunda de amor a quienes amas

Lo mejor para preservar unas relaciones felices, sanas y que te apoyen se resume en una palabra: reconocimiento. (Aquello que aprecias, se aprecia.)

Demostrar que apreciamos el apoyo recibido de los demás intensifica ese comportamiento y potencia nuestra conexión con ellos.

El reconocimiento es una necesidad humana básica, en el hogar y en el trabajo. De hecho, según el Departamento de Empleo de Estados Unidos, el 40 % de los empleados no deja el trabajo por el sueldo o el volumen de trabajo, sino porque no se sienten reconocidos como creen que deberían serlo.

Con demasiada frecuencia, tampoco sabemos valorar nuestras relaciones personales más estrechas, dedicamos poca energía y prestamos poca atención a quienes más significan para nosotros. El psicólogo John Gottman llevó a cabo un famoso estudio sobre felicidad conyugal, mediante lo que él denomina «la proporción mágica», para predecir si 700 parejas de recién casados seguirían estándolo o se divorciarían. El doctor Gottman afirmaba que las parejas con una proporción de cinco interacciones positivas por cada interacción negativa seguirían juntas. Al cabo de diez años, se llevó a cabo un seguimiento, y la friolera del 94 % de las parejas que había dicho que se divorciarían ya no estaban casadas.

Judith W. Mulas, autora de *The Power Acknowledgement*, afirma: «Una de las cosas más importantes que uno puede hacer para aumentar su nivel de felicidad es reconocer a quienes le rodean. Según un artículo reciente del *Gallup Management Journal*, cuando se reconoce a alguien, se libera dopamina, una sustancia neuroquímica ¡directamente relacionada con la felicidad!».

En el año 2004, el doctor Donald O. Clifton y su nieto, Tom Rath, escribieron la obra *¿Está lleno su cubo?*, basada en más de cincuenta años de exhaustivas investigaciones llevadas a cabo por científicos sociales y la organización Gallup. Su mensaje es fácil de entender y aplicar: lo más eficaz para motivar, conectarse e inspirar a los demás, lo que los autores denominan «llenar el cubo de una persona», es un reconocimiento positivo, sincero y concreto. Y al llenar el cubo de otro, tu nivel de felicidad también aumentará.

Cuando me apetece aumentar el grado de reconocimiento, me encanta poner en práctica la siguiente técnica, llamada La Práctica del Reconocimiento. Es un modo estupendo de enriquecer tu relación con cualquiera, ya sea cónyuge, hijo, amigo o compañero de trabajo. Sergio y yo la aplicamos casi cada noche antes de acostarnos, y siempre me deja con una sonrisa.

Ejercicio

La Práctica del Reconocimiento

1. Empieza por mencionar algo que aprecies de la otra persona (por ejemplo, «me haces reír», «siento que me apoyas», «eres buena persona»). Cuando acabes, intercambiad los papeles. Repetidlo por lo menos cuatro o cinco veces, o tantas como os apetezca.

2. Ahora repite el ejercicio, pero esta vez menciona algo que aprecies de ti mismo. Luego que lo haga la otra persona. Repetidlo por lo menos cuatro o cinco veces, o tantas como os apetezca.

Hábito de Felicidad para las Relaciones n.º 2
Rodéate de apoyos

Debes hacerlo por ti mismo, y no puedes hacerlo solo.
Martin Rutte, consultor corporativo y conferenciante.

A veces necesitamos más apoyo del que pueden proporcionarnos los amigos y la familia. Cuando pasamos por un mal momento o decidimos perseguir nuestros sueños, las personas más cercanas pueden compadecernos, ponerse de nuestro lado o decirnos que ya estamos bien como estamos, en vez de brindarnos la fuerza y la franqueza que nos hacen falta para avanzar.

Muchas veces, el mejor modo de rodearte de apoyos es apuntarte a un grupo que se reúna periódicamente, o constituirlo, con el único propósito de aportar orientación y respuestas claras... y que te impida volver a tus viejos patrones de victimismo.

Durante nuestra investigación, Carol conoció a la mujer que nos contó la siguiente historia, y su actitud cordial, afectuosa y abierta la cautivó de inmediato. Cuando Carol le habló del libro que estábamos escribiendo sobre la felicidad, ella le respondió que había aprendido cómo ser de verdad feliz muchos años antes y aceptó amablemente que la entrevistáramos. Aunque Molly Baker no es su verdadero nombre, su paz interior y bienestar son bien auténticos.

La historia de Molly
Para eso están los amigos

John (un seudónimo) y yo nos conocimos en octubre y se me declaró en diciembre. Dije sí en el acto. No me hacía falta pensarlo. Él me atraía mucho. Además de haberse graduado en la Ivy League y tener un buen empleo, John era divertido, popular y un líder nato... todo lo que yo sentía que me faltaba. Además, yo tenía veintiún años y estaba lista para casarme. Estábamos a principios de los cincuenta, y mis únicos objetivos en la vida eran ser esposa y madre. Aun así, cuando John y yo nos casamos, al cabo de diez meses, no nos conocíamos del todo.

No tardé en descubrir que mi flamante marido bebía, a menudo y en exceso.

Ese primer año de matrimonio fue un periodo muy desgraciado para mí. John, un alcohólico en toda regla, andaba ocupado haciéndose un nombre en la empresa donde trabajaba. Casi todas las noches trabajaba hasta tarde, y luego salía por reuniones de trabajo y llegaba a casa a las tantas, casi siempre «bajo la influencia». Sin embargo, por mucho que bebiera, nunca parecía tener resaca. Siempre llegaba puntualmente a la oficina y jamás faltaba al trabajo. Su jefe no tenía ni idea de su problema.

Yo, por mi parte, tenía plena conciencia del hábito de John.

Cuando John bebía, toda su personalidad cambiaba: se tambaleaba, armaba mucho alboroto, andaba desaliñado y a trompicones. Estar con él resultaba de lo más incómodo. Hubo accidentes de coche —por suerte, sólo los vehículos sufrieron graves daños— y visitas a urgencias para ponerle puntos en las heridas. Me daba vergüenza explicar a mis padres y hermanas lo que de verdad sucedía en mi vida.

Siempre que le recriminaba a John que bebía demasiado, él lo negaba, aduciendo que yo era tonta o decía disparates. Lo triste era que yo le creía. Es más, me daba cuenta de que enfadándome con John porque bebía no hacía más que ponerle a la defensiva e incomodarle, lo que sólo servía para que bebiera aún más. Yo era consciente de que las cosas iban fatal, pero no sabía qué hacer. Y lo más duro era que, en el fondo, John era muy buen hombre. Cuando no estaba bebido, me encantaba estar con él y lo respetaba. Mi infelicidad e indignación no manifiesta iban sin parar en aumento... y también mi soledad.

Cuando llegó nuestro hijo, y luego nuestra hija, las cosas se volvieron más soportables. Los años pasaban volando, conmigo oculta y enfrascada, como un ratón, en la rueda de la actividad, manteniéndome demasiado ocupada para no pensar excesivamente en mi situación. Vistos desde fuera, parecíamos una familia normal, pero en privado, mi relación con John no hacía más que deteriorarse.

Cuando me quejaba de John a mis dos mejores amigas, siempre me compadecían. Me sentaba bien desahogarme, pero revolcarme con ellas en la misma miseria año tras año nunca me ayudó a crecer ni cambiar.

Cuando llevábamos veintitrés años casados, el problema de John con la bebida era peor de lo que jamás hubiera imaginado, pero él seguía negando completamente su enfermedad. Yo me sentía tan absolutamente vacía que no sabía por cuánto tiempo podría soportarlo.

Una noche me desperté y me sorprendí lloriqueando con furia y golpeando a John en el pecho. Todo el enojo que había estado sofocando estallaba en el sueño. John, roncando tras la borrachera de la noche anterior, no llegó ni a despertarse. Luego me quedé en silencio largo rato, enfrentándome al hecho de que estaba perdiendo los papeles. El resentimiento y la desesperación me carcomían, pero el miedo a la soledad, a tener que ganarme la vida y a disgustar a mis padres y a mis hijos, aunque ya eran mayores, me paralizaba.

Y entonces, al cabo de unas semanas, una amiga mía me habló de un grupo de apoyo para personas con alcohólicos en su vida. «Las dos estamos casadas con beodos. ¡Vamos!», me dijo. Acepté, entusiasmada.

Llegamos a la iglesia donde se celebraba la reunión de Al-Anon y entramos en una sala, en cuyo centro había sillas plegables dispuestas en forma de círculo. Cuando todo el mundo se hubo sentado, empezó la reunión.

En seguida me llamó la atención la sinceridad de todos. Parecían aceptar a cada persona tal como era, y noté que un amor incondicional fluía en torno al círculo, envolviendo tanto a quienes yo creí que eran asistentes habituales como a los nuevos. Era como salir del frío para entrar en un lugar cálido; todo el cuerpo se me relajó, al calor de este encuentro. Aparte de presentarme, no tenía que decir nada más... a menos que quisiera. Me quedé sentada escuchando con atención cómo compartían experiencias que yo conocía demasiado bien.

Empecé a asistir a las reuniones dos o tres veces por semana. No me cansaba del amor y la aceptación que allí se ofrecía en tal abundancia. Ahí nadie criticaba ni juzgaba y —esto también era importante— no me dejaban quedarme encallada en la autocompasión. Con una gran delicadeza, el grupo me ayudó a alejar mi foco de atención de John y sus acciones, para encontrar la fuerza y la confianza necesarias para dar un giro a mi vida... significara lo que significara para mí. Nadie me daba consejos. Me limitaba a escuchar una historia tras otra de personas que habían pasado por lo mismo que yo y habían seguido adelante con sus vidas.

Después de cada reunión, siempre se acercaban a abrazarme, susurrándome palabras de ánimo al oído. Yo era como una esponja, que lo iba absorbiendo todo. Poco a poco, gota a gota, empecé a sentirme recompuesta.

En casa las cosas aún no eran fáciles. Cuando John andaba borracho, yo todavía me sentía tratada injustamente por su conducta y derrotada por su negación de cualquier problema. Sin embargo, tras cada encontronazo con él, en lugar de regodearme en mi propia impotencia, compartía la experiencia con mi grupo y siempre acababa centrándome en mi propia valía, a un paso menos de encontrar la serenidad en mi interior.

Una noche, cuando hacía más o menos año y medio que había descubierto mi «círculo de apoyo», John volvió a casa a las 2 de la madrugada, muy bebido. Andaba revolviendo por el dormitorio, hablando en voz alta, era totalmente repulsivo.

Miré a ese hombre que durante más de veinte años había sido mi marido y no sentí más que compasión y la serena certeza de que no quería estar en la habitación con él mientras se hallara en ese estado.

Me admiró la paz absoluta que sentí en mi interior. Aún me embarga la emoción al recordar ese momento: ya no había miedo.

Sin alterarme, le dije con claridad:

—John, esta noche dormiré en la otra habitación.—Me levanté y recorrí el pasillo que conducía al cuarto libre.

Me siguió hasta la habitación y empezó a discutir:

—Oh, venga, ¿qué haces? Vuelve al dormitorio.—Su habitual rutina de la negación.

Le miré a los ojos:

—No, John. Voy a dormir aquí. Nos vemos por la mañana.—Mi voz no reflejaba ni asomo de inquietud ni enfado, lo que me sorprendió tanto como a él. Salió de la habitación y me puse a dormir, sintiendo una fuerza y un bienestar que nunca antes había experimentado.

A la mañana siguiente, me senté con John y le dije:

—John, ya no acepto tu comportamiento. Quiero separarme.—Al oír esto, se quedó lívido, tan blanco como la camisa almidonada que llevaba.

Y proseguí:

—Me voy hoy. Necesito tomarme un tiempo para estar tranquila y averiguar quién soy y lo que quiero.

Creo que John se quedó en estado de *shock*, pues se limitó a levantarse y decir «Vale», antes de salir por la puerta en dirección al trabajo.

Ese día me mudé a casa de una amiga, que estaba vacía, al estar ella de vacaciones. Durante tres semanas, me deleité en mi soledad y el recién descubierto placer de mi propia compañía. Como siempre, continué asistiendo a las reuniones de Al-Anon. Incluso fuera de las reuniones, los del grupo eran mi «sistema de apoyo en la vida». Si no me sentía bien, llamaba a alguno de ellos y él me recordaba lo lejos que había llegado, compartiendo conmigo sus propias experiencias, fortaleza y esperanza.

Al cabo de esas tres semanas, John me llamó. Sorprendentemente solícito, algo extraño en él, se ofreció a mudarse al piso de un amigo y dejarme volver a nuestra casa. Acepté, contenta, y seguimos caminos separados unas cuantas semanas más. Por fin había decidido que era hora de encontrar trabajo y piso, cuando John me llamó, diciendo que necesitaba hablar conmigo.

—Molly, ¿qué es lo que quieres?

Al haber hablado de ello muchas veces en presencia de mi grupo, tenía la respuesta absolutamente clara. Le sonreí y le dije:

—John, sé que te quiero. Sé que te respeto. No quiero divorciarme, pero no estoy dispuesta a aceptar tu comportamiento cuando estás bebido.

Se quedó un momento en silencio y luego dijo:

—Sólo quería saber eso.—Entonces se levantó y se despidió.

Al cabo de tres días, me llamó. Nunca olvidaré sus palabras.

—Molly, soy alcohólico. Estoy con Alcohólicos Anónimos y quiero volver a casa.

De eso hace más de treinta años.

Desde ese día, John no ha bebido ni una copa y yo no he faltado a una sola de las reuniones. Ahora, con más de cinco décadas casados y lo que nos queda, John y yo estamos disfrutando de nuestra vida en común: nuestros intereses y actividades separados, al igual que el tiempo que compartimos, profundamente satisfactorio. Amo y respeto a mi marido y siento su amor y respeto por mí. Cada día doy las gracias por las personas de mi vida que no me dejaron en la estacada. Cuando me ayudaron a apartar los ojos de John y los demás, y a concentrarme en mí —en mis actitudes y acciones—, empezaron los milagros. Fui capaz de encontrar la autoestima y la serenidad, y de convertirme en la persona capacitada que soy hoy.

Salvo si estoy enferma o fuera, sigo asistiendo a un encuentro semanal de Al-Anon. El amor incondicional y el apoyo efectivo que allí obtengo es ahora más cautivador que nunca. Al ser una de las mayores de la comunidad Al-Anon, trato de dedicar tiempo a los nuevos, sobre todo a los tímidos e indecisos. Sé muy bien el valor que se requiere para cruzar esa puerta por primera vez, y hago cuanto puedo para que se sientan cómodos. Conozco a fondo la magia de esas salas y el poder de un grupo de apoyo para ayudar a la gente a encontrar su camino en la vida.

El viento bajo tus alas

Aunque yo nunca he asistido a ningún curso de 12 pasos, sé, como descubrió Molly, que son enormemente útiles para millones de personas.

Cualquier grupo que te recuerde la más profunda verdad de tu alma cuando se te olvide vale su peso en oro. Lo sé porque fui muchos años miembro de un grupo de apoyo a mujeres que me vino como caído del cielo, manteniéndome en la senda de mi búsqueda de la verdadera felicidad.

En 1987 asistí a un seminario de transformación personal titulado Formación en autoempoderamiento, a cargo de un estupendo terapeuta llamado Ali Najafi. Al final del curso, Ali nos aconsejó constituir grupos para mantener viva la llama del empoderamiento en nuestras vidas. Cinco mujeres —Holly, Jennifer, Sandy, Janice y mi querida amiga y coautora Carol— formaron conmigo un extraordinario grupo de apoyo que no tardó en convertirse en mi familia. Con el paso de los años, abrimos la puerta a dos nuevos miembros, Lane y Kami. Cada semana nos reuníamos en una casa —la anfitriona semanal nos endulzaba el paladar— y establecíamos dos turnos de palabra, primero para comentar lo que considerábamos nuestras «victorias» de la semana anterior y luego para compartir nuestros objetivos para la semana siguiente. Pedíamos apoyo para los cambios que queríamos hacer y nos animábamos unas a otras tanto como podíamos. Todo lo que se decía en las reuniones se mantenía en la más estricta confidencialidad, y estábamos muy pendientes de dedicar a cada persona la misma cantidad de tiempo, aunque cedíamos en las reglas si alguien sufría una crisis que requiriera más diálogo. Juntas, pasamos por muchas cosas: bodas (incluyendo la de Holly con mi ex novio, el que había ejercido de catalizador de mi corazón roto), nacimientos y divorcios. Me di cuenta de hasta qué punto estábamos de verdad unidas cuando tuvimos que hacer frente a una tragedia compartida: la repentina muerte de una de nuestras integrantes.

Una fría tarde de nieve de enero, Sandy perdió la vida en un accidente de coche. Al ser soltera y no tener más familia cercana, nos tocó a nosotras, su grupo de apoyo, organizar el funeral. No sólo fue un acto en memoria de una mujer a quien todas queríamos mucho, sino también un acto de gratitud y amor, el que sentíamos las unas por las otras. Cuando me mudé, al cabo de diez años, encontré de inmediato otro grupo de mujeres en el que ingresar. Este tipo de apoyo ha sido tan importante en mi vida que lo busco siempre que puedo.

La importancia y el poder del apoyo son los mismos a lo ancho y largo del mundo. Zainab Salbi, a quien has conocido en el Capítulo 3, me contó una hermosa historia que lo ilustra.

En una ocasión, en su trabajo con supervivientes de la guerra de Bosnia-Hercegovina, Zainab se reunió con un grupo de mujeres en una aldea muy pequeña. Una mujer que sufría mucha tristeza confesó que su marido la pegaba a menudo. No quería dejar a su esposo; sólo quería que dejara de pegarla. Lo peor era que se culpaba de los abusos. Las otras mujeres del grupo la abrazaron, lloraron con ella y reconocieron que todas estaban pasando por lo mismo. El grupo decidió pasar a la acción. Le dijeron a la mujer que indicara a su hijo que las avisara la próxima vez que su marido empezara a golpearla.

Justo al día siguiente, su esposo comenzó a pegarla. Su hijo corrió a la ventana, como le habían enseñado, y chilló para que lo oyera el resto de mujeres del grupo «¡Ayuda! ¡Mi madre necesita ayuda!». Todas las mujeres abandonaron lo que estuvieran haciendo. Tocadas con pañuelos y calzando zapatillas de deporte, se pusieron en marcha, rodearon la casa y empezaron a reprender al marido: «¡Si vas a pegarla, tendrás que pegarnos a todas! ¿Vas a darnos una paliza también a nosotras?». Presa del estupor y la vergüenza, el hombre se detuvo. Los otros hombres, asomados a las ventanas, vieron que las mujeres iban a una, y desde ese día los casos de violencia doméstica en esa aldea descendieron vertiginosamente.

Crear tu *dream team* de la felicidad

Hay muchas formas de rodearse de apoyo. Nancy Fursetzer, integrante de los 100 Felices, me habló de su excepcional grupo de apoyo, que cuenta entre sus miembros con Albert Einstein, Helen Keller, la Madre Teresa, Gandhi, Goethe, Abraham Lincoln, Lao-tzu y muchos otros grandes hombres y mujeres de ayer y de hoy. Nancy ha ido recogiendo sus citas y se las ha puesto en casa y en la oficina, algunas enmarcadas, otras escritas en trozos de papel pegados a los espejos, al lado del ordenador, del teléfono y del fregadero. Mire donde mire, Nancy encuentra recordatorios inspiradores, todos los días de la semana, 24 horas al día, de su Dream Team personal. ¡Eso demuestra que la obtención de apoyo no tiene por qué estar restringida por el tiempo ni el espacio!

Lo bueno de un grupo de apoyo es que creas un TEAM, un equipo, donde Todos Ellos Alcanzan Más.

Se basa en el clásico principio según el cual, cuando dos o más personas se juntan con un propósito u objetivo común, sus esfuerzos se amplían y pueden lograr más rápido y con más facilidad los resultados deseados. Para celebrar reuniones con tu propio grupo de apoyo, puedes recurrir al siguiente ejercicio:

Ejercicio

Formato de reunión del grupo de apoyo

Para formar el grupo, busca entre cinco y siete personas en las que confíes y que respetes. Decidid las horas de reunión (se aconseja una o dos veces al mes). Id alternando el puesto de director de grupo, y decidid quién controlará el tiempo durante la reunión.

Empezad la reunión con una invocación o cita sugerente compartida por el director.

Cada persona dispone de tres o cuatro minutos para compartir con el grupo sus «victorias» y logros desde la última reunión.

Cada persona dispone de entre diez y quince minutos para compartir con el grupo sus objetivos o intenciones o para pedir apoyo del resto del grupo.

Cada miembro manifiesta una acción que emprenderá antes de la siguiente reunión, para progresar en sus intenciones (por ejemplo, hacer ejercicio durante media hora tres veces por semana).

El director pone fin a la reunión con una declaración de gratitud y buenas intenciones.

Es importante que todo el mundo respete las siguientes directrices: escuchar sin interrumpir, evitar conductas victimistas (culpa/vergüenza/queja), hacer sugerencias sólo si se le pide y respetar la absoluta confidencialidad de todo lo compartido.

Hábito de Felicidad para las Relaciones n.º 3
Considera el mundo tu familia

Los seres humanos somos más parecidos que distintos...
Trata de propagar tu entrega de ti mismo...
entre personas que tal vez ni siquiera se te parezcan.
Perteneces a todo el mundo y todo el mundo te pertenece.
MAYA ANGELOU, escritora y poeta.

Durante mis entrevistas con los 100 Felices, lo que percibí es que consideran que el mundo entero es su familia. Su amor, empatía, compasión y generosidad, productos que brotan de modo natural al ser Feliz porque sí, no se limitan a sus familiares y amigos, sino que abarcan a toda la humanidad. Ni la nacionalidad, ni la raza, ni la religión... nada de eso supone una barrera. Quienes son Felices porque sí ven que en todas partes la gente es como ellos, que todos deseamos lo mismo: amor y felicidad. Como siempre sienten que son parte de una familia mayor, quienes son felices se acostumbran a dar lo que pueden, estén donde estén.

Los 100 Felices creen que su felicidad es uno de los mayores regalos que pueden hacer al mundo. En mi entrevista con Liz Gilbert, cuya historia se presenta en el Capítulo 7, me contó que, tras publicarse su libro *Comer, rezar, amar*, los periodistas le preguntaban a menudo: «¿No le parece que fue algo egoísta lo de viajar por el mundo en busca de sí misma?». Ella siempre respondía: «¿Sabe qué le digo? Que lo que sí me parece que hubiera sido algo egoísta es pasarme el resto de la vida sumida en la amargura narcisista, depresiva y llena de inquietud. Alguien así no aporta nada a la sociedad, no aporta nada a ningún espacio en el que entre, no aporta nada a la gente con la que interactúa. El mejor servicio comunitario que puedo ofrecer al mundo es mantenerme sana y cuerda».

Durante mi búsqueda de los 100 Felices, una compañera de empresa me habló de su amiga, Happy Oasis, Feliz Oasis. Al oír su nombre, supe que sería una entrevista interesante. Y lo fue. Desde luego, Feliz vive de un modo que hace honor a su nombre.

En la extraordinaria historia que sigue, Happy describe lo que le pasó hace más de veinte años, viajando por Asia, que le enseñó lo que de verdad significa considerar el mundo tu familia y ayudar a los demás compartiendo tu propia felicidad.

La historia de Happy
El Hombre Sonriente

Siempre he sido un espíritu libre. Cuando acabé la educación secundaria en 1983, en lugar de cursar estudios en la universidad de la Ivy League a la que mis padres esperaban que fuera, partí hacia a Australia. Me pasé los siguientes años viajando y trabajando, abriéndome camino literalmente por Australia y el sudeste asiático, sacándome mi propia carrera de antropología.

Cuando salí de los Estados Unidos, era una ingenua joven de dieciocho años criada entre algodones. Me consideraba una persona feliz, pero ahora, al mirar atrás, me parece más bien que era la clásica ignorancia lo que me aportaba la dicha absoluta. Antes de realizar mis viajes al Tercer Mundo, no era para nada consciente del extremado sufrimiento de la humanidad.

Fui a Bangladés con la esperanza de estar con un grupo de gentes de una tribu que vivía ahí. Al llegar a la capital, Dacca, descubrí que, además de estar en plena estación del monzón, había una hambruna generalizada que sembraba la enfermedad y la muerte por todo el país.

Una mañana, tomé un autobús en Dacca, en dirección a las zonas más remotas del país. Al mirar al resto de pasajeros, observé que era la única occidental a bordo. Además, era una mujer rubia, de ojos azules y aspecto muy joven, en un país musulmán donde apenas habían visto a una mujer extranjera. Había intentado vestirme al estilo musulmán, envolviéndome la cabeza con un sarong negro y cubriéndome brazos y piernas tanto como podía, pero sabía que llamaba mucho la atención, lo que me hacía sentir incómoda.

Abandonamos la ciudad y no tardamos en circular entre campos y pequeñas aldeas.

Llevaba días lloviendo a cántaros y, en un momento dado, el autobús tuvo que abandonar la carretera, que se inundaba a toda prisa, y meterse en un campo, para evitar una tragedia. Ante mis ojos, la carretera desapareció bajo el agua y la pequeña aldea cercana empezó a inundarse. La parcela donde había aparcado el autobús no tardó en estar rodeada de agua y vi a multitudes abriéndose paso hacia nuestra isla de terreno más elevado, del tamaño de un campo de fútbol. No tardó en haber centenares de personas en los huesos, la mayoría niños, descalzos y vestidos con harapos, tumbados en el suelo en torno al autobús. Horrorizada, me di cuenta de que estaban muriendo; la disentería y la falta de comida estaban causando estragos.

Al rato, era la única que no había bajado a ver lo que pasaba o tal vez a ayudar. Me quedé sentada a solas en el autobús, preguntándome qué podía yo hacer para ayudar. Mi primer impulso ingenuo fue canjear los 2.000 dólares en cheques de viaje que llevaba en la riñonera —destinados a financiar mis siguientes uno o dos años viajando— y comprar comida para esa gente. Sin embargo, no tardé en darme cuenta de que no había modo de llegar a un banco.

Y entonces pensé: «Puedo utilizar los 150 dólares que tengo en moneda bangladesí para pagarles a todos una comida con cosas de la tienda». Sin embargo, al contemplar las chabolas anegadas y los arrozales que rodeaban nuestra pequeña isla, fui consciente de la realidad: ahí no había donde comprar comida.

Mi siguiente pensamiento desesperado fue «Seguro que la Cruz Roja no tarda en aparecer. Tiene que venir». Sin embargo, la lluvia no dejaba de caer, y al cabo de una hora tuve que aceptar que la Cruz Roja no iba a venir. A juzgar por lo que había visto hasta ahora del país, tenía mis dudas de que alguna vez llegara.

Rompí a llorar, gimoteando para mis adentros. Lo que me preocupaba no era mi propia supervivencia; llevaba conmigo una pequeña mochila con agua, algo de comida y una muda. Tras un año viajando, estaba acostumbrada a vivir en condiciones duras. No obstante, me sentía muy impotente, creyendo que nada podía hacer.

Al oír un ruido, levanté la mirada y vi a un hombre, vestido sólo con taparrabos, subir al autobús. Se le veía débil, esquelético, y aunque no tendría más de treinta y cinco años, parecía muy mayor. Avanzó hacia mí renqueando, apoyándose en los cabeceros de los bancos de madera del vehículo. Al llegar a mi altura, se quedó plantado mirándome, y entonces alargó la mano y me tocó los cabellos que quedaban por fuera del cubrecabeza. Normalmente, no dejaba que hombres desconocidos me tocaran el cabello, pero sus ojos desviaban mi atención. Parecían los ojos de un fantasma o un ángel... o de alguien que ya estuviera muerto.

Luego, cuando apartó la mano, me fijé en sus dedos, o en lo que quedaba de ellos. Los tenía escamosos y regordetes, mucho más pequeños de lo normal. Me quedé helada: ese hombre tenía lepra. Sin darme tiempo a reaccionar, dio media vuelta y salió renqueando del autobús, para desaparecer entre la multitud del exterior. Impresionada por aquel encuentro, me quedé sentada en silencio, sintiéndome aún más impotente y fuera de mi elemento que antes.

Al cabo de unos minutos, estando yo aún inquieta, otro hombre se acercó a la parte lateral del vehículo y se quedó mirándome por la ventana de al lado. Tenía el mismo aspecto que cuantos había conocido en Bangladés —ligero de ropa, muy delgado, descalzo—, sólo que sonreía de oreja a oreja.

De pronto, se me antojó horriblemente inapropiado que ese hombre estuviera sonriendo en tales circunstancias. Entre lágrimas, le espeté:

—¿Cómo puede sonreír en semejante situación?

Para mi sorpresa, respondió en un perfecto inglés académico:

—No tengo más que ofrecer que una sonrisa, señora.

El poder de esas nueve sencillas palabras me dejó anonadada. Pusieron mi mundo —y todas mis ideas sobre ayudar a los demás— patas arriba. No obstante, sin darme tiempo a responder, me hizo señas, al tiempo que decía:

—Venga. Venga conmigo.

Bajé del autobús y me reuní con él bajo la lluvia. Durante las diez siguientes horas, estuvimos paseando por el campo, cantando a los moribundos, uno tras otro. Arrodillado junto a cada persona, el Hombre Sonriente, que fue como lo bauticé, entonaba hermosos cantos musulmanes que arañaban el alma. Yo canturreaba canciones cristianas que había aprendido en un campamento de verano.

Nuestros cantos —bueno, más que nada los del Hombre Sonriente, pues se le daba mucho mejor que a mí— calmaban a la gente y parecían darle paz. A veces, les acariciábamos la frente; otras, él les tocaba los hombros y me animaba a hacer lo mismo. Me daba vergüenza hacerlo cuando se trataba de un hombre, ya que en los países musulmanes se supone que una mujer no debe tocar a hombres que no sean de la familia, pero en aquellas circunstancias parecía que no pasaba nada. Lo hacíamos hasta que notábamos que el enfermo se sentía mejor, con cosas como el ligero rictus de una sonrisa, o alguna respuesta que denotara relajación. Luego los dejábamos embarcarse solos en el viaje al otro reino, el de la muerte, o nos quedábamos a su lado hasta que se iban. Pasaban las horas, con nosotros recorriendo el campo arriba y abajo, cantando a docenas y docenas de personas.

En un momento dado, mientras nos abríamos paso con cuidado entre el laberinto de cuerpos, reconocí al hombre del autobús —el que me había tocado el cabello—, que yacía inmóvil en el suelo. Me detuve y lo miré de más cerca. Con los ojos cerrados, parecía fundirse con la tierra que tenía debajo. Entonces, de golpe, me di cuenta de que estaba muerto. Sentí una punzada de dolor; deseé que lo hubiéramos encontrado antes. Le envié una plegaria silenciosa, di media vuelta y corrí a alcanzar al Hombre Sonriente, ya arrodillado junto a un niño y empezando a cantar.

El Hombre Sonriente y yo charlamos intermitentemente a lo largo del día. Había momentos en que el panorama me superaba y rompía a llorar. En general, él ignoraba mis lágrimas, pero en una de esas ocasiones me dijo:

—Nosotros tenemos una razón para llorar y no lloramos. Tú no tienes nada por qué llorar. ¿Por qué lloras? —Lo dijo con suavidad, pero con un deje de severidad paternalista. Era su modo de pedirme que asumiera un papel de liderazgo, como si me dijera «Prepárate. Hagamos lo que podamos».

Por fin amainó la lluvia. El chofer nos llamó y los pasajeros empezaron a subir al autobús. Me despedí del Hombre Sonriente y regresé a mi asiento. Sentada ahí, esperando que partiéramos, admiré su sabiduría y lo que sólo puedo describir como agallas. Sin un solo centavo, sin un solo dólar —sin nada material—, había aliviado el sufrimiento de cientos de personas, al brindarles su amor y su alegría. En silencio, me prometí ser como ese hombre sonriente.

En los años posteriores, una de las prioridades de mi vida ha sido ser tan feliz como pueda, compartir esa felicidad con el mayor número posible de personas y tratar a cuantos conociera como si fueran mi familia. Incluso aquí en los Estados Unidos, en la tienda, en el banco, vayas donde vayas, a menudo no sabes lo que pasa con la gente que ves. Podría haber alguien enormemente deprimido, y con sólo sonreírlo, abrirte y tenderle la mano —dándome a mí misma como hacía el Hombre Sonriente— he descubierto que de verdad puedo ofrecer algo de consuelo y luz. Por eso me cambié el nombre por el de Happy Oasis: para ser un oasis de felicidad para todo el mundo. Y tiene un maravilloso efecto secundario, y es que consigo llevar en mi interior ese oasis vaya donde vaya. Ahí reside el grado elevado de felicidad del que ahora disfruto.

El Hombre Sonriente me enseñó que dar amor a los demás no es complicado ni difícil. Sé por propia experiencia que, cuando no tienes más que ofrecer que una sonrisa, puede bastar con eso.

El poder de la conexión

Las sonrisas son símbolos universalmente reconocidos de simpatía y buenas intenciones. Hasta una leve sonrisa puede tener un impacto enorme. Oí a Caroline Myss contar una historia de su libro *El poder invisible en acción* que lo ilustra perfectamente. Trata de un joven que estaba tan abatido que decidió volver a su piso a suicidarse. Parado en una esquina esperando que pasara un coche, la mujer que iba al volante lo miró directamente a los ojos y le obsequió con una enorme sonrisa. Esa sonrisa era tan cálida y afectuosa que le convenció de que aún había bondad en el mundo y abandonó la idea de acabar con su vida. Seas quién seas, estés donde estés, una sonrisa sincera salva hasta las mayores diferencias generacionales y culturales y crea una sensación de conexión.

Robert Biswas-Diener —a menudo denominado el Indiana Jones de la psicología positiva, pues el estudio de la felicidad le ha llevado a lugares remotos de todo el mundo— ha descubierto que la conexión influye poderosamente en la felicidad, incluso entre los ciudadanos más pobres de la Tierra. Biswas-Diener, en colaboración con su padre, Edward Diener, examinó el grado de satisfacción con la vida de indigentes y habitantes de barriadas de Calcuta. Los resultados fueron fascinantes. Gracias a las buenas relaciones sociales y a los saludables vínculos familiares, los vecinos de las barriadas de Calcuta eran más fuertes y capaces de resistir los efectos negativos de la pobreza extrema.

Fue Robert quien me presentó al miembro de los 100 Felices Roko Belic, joven documentalista cuyo primer documental, *Genghis Blues*, obra suya y de su hermano, Adrian, fue candidato a un Oscar en el año 2000 y se hizo con numerosos galardones. Actualmente Roko tiene entre manos una película sobre la felicidad titulada *Happiness Revolution*, que le ha llevado viajar a muchos países, entre ellos Brasil, la India, Namibia y el Japón, con el fin de documentar cómo las personas de muy distintos lugares del mundo experimentan —o no experimentan— la felicidad. A partir de lo que ha descubierto en sus viajes, Roko también cree que sentirte parte de algo es esencial para preservar el bienestar y la felicidad.

Durante la entrevista, Roko me contó que había viajado al Japón porque había oído en muchos sitios que, a pesar de ser un país materialmente rico, el país del Sol Naciente no era tan afortunado desde el punto de vista emocional. A bordo del metro de Tokio, le sorprendió observar que el 80 % de los viajeros iban dormidos o trataban de dormir.

Como el trabajo es la principal prioridad en las vidas de la gente de allí, acostumbran a trabajar unas jornadas escandalosamente largas, a veces de hasta veinte horas diarias. Esa dedicación a la productividad se ha hecho sentir, no sólo en la privación del sueño, sino también en el grado de conexión que sienten unas personas con otras.

Sin embargo, a Roko también le han dicho que varias de las personas más ancianas del planeta viven en el Japón, concretamente en Okinawa. Conocedor de los estudios que demuestran que quienes son felices viven más, él y su equipo volaron rumbo a Tokio y visitaron una pequeña aldea de la isla de Okinawa, para comprobar si la longevidad de sus habitantes tenía algo que ver con ser feliz.

Ahí, Roko encontró un pequeño foco de felicidad. Muchos de los ancianos que conoció tenían más de noventa años, y aunque sus días transcurrían trabajando en los campos, bajo el calor del sol, con un estilo de vida que para nosotros los occidentales sería rudimentario, se palpaba la dicha en su existencia. Lo que llamaba aún más la atención era que gran parte de los residentes eran mujeres más mayo-

res que habían perdido a sus maridos e hijos cuando Okinawa fue
arrasada, durante la II Guerra Mundial. No obstante, lejos de estar
amargadas o tristes por esas pérdidas, aquellas mujeres irradiaban
buen humor y felicidad.

La clave era el fuerte sentimiento de conexión que parecía abarcar a todas las generaciones. Cada viernes por la noche, los aldeanos
se reunían y celebraban un baile. Un grupo tocaba, mientras todos,
desde niños pequeños hasta señoras mayores, bailaban juntos al son
de la música tradicional. Roko contó que todos lo pasaban bien, hasta los adolescentes, que en los Estados Unidos irían demasiado «de
guays» para ese tipo de reuniones. El alto grado de dicha de los habitantes de Okinawa demuestra lo importante que es el sentimiento de
comunidad para contribuir a la felicidad individual.

¿Y si ese sentimiento de comunidad incluyera el mundo entero?
Imagina lo que sería sentirte igual de cómodo con cualquiera, donde
sea, como cuando andas con tus mejores amigos o con la familia. Eso
es lo que realmente significa considerar el mundo tu familia. Naomi
Shihab Nye, prestigiosa poeta y ensayista palestinoestadounidense,
comparte la experiencia que tuvo, en este sentido, en la terminal del
aeropuerto de Albuquerque:

> Tras saber que mi vuelo llevaba un retraso de cuatro horas, oí
> un aviso: «Si alguien que esté en las inmediaciones de la
> Puerta 4-A entiende algo de árabe, por favor, acuda inmediatamente a la puerta.»
>
> Hombre, con los tiempos que corren, uno se lo piensa
> dos veces. Sin embargo, la 4-A era mi puerta, así que fui para
> allá. Una mujer más mayor, vestida de pies a cabeza con el
> atuendo tradicional palestino, como el que llevaba mi abuela, estaba en el suelo hecha un ovillo, gimiendo a gritos.
>
> —Por favor, ayúdenos —dijo la persona que estaba a
> cargo del servicio de información de vuelo—. Hable con
> ella. ¿Qué le pasa? Le hemos dicho que su vuelo llevaba un
> retraso de cuatro horas, ¡y se ha puesto así!

Me detuve, rodeé a la mujer con el brazo y le pregunté, con voz entrecortada:

—*Shu duw-a, shu-biduck habibti, stani stani schway, min fadlick, shu bit se-wy?*

En cuanto oyó mis palabras, por mal que las hubiera empleado, dejó de llorar. Resultó que creía que nuestro vuelo se había cancelado por completo, y al día siguiente tenía que estar en El Paso para someterse a un importante tratamiento médico. «No, no, no pasa nada, llegará, sólo que tarde. ¿Quién va a recogerla? Vamos a llamarle», le dije entonces.

Llamamos a su hijo y hablé con él en inglés. Le dije que me quedaría con su madre hasta que subiéramos al avión y, una vez a bordo, volaría junto a ella. Luego, mientras esperábamos para embarcar, telefoneamos a sus otros hijos. Luego llamamos a mi padre, y él y ella hablaron un rato en árabe. Descubrieron, por supuesto, que tenían diez amigos en común.

Entonces se me ocurrió —así, porque me dio la gana—, ¿por qué no llamar a varios poetas palestinos que conozco y que charlaran con ella? Eso nos llevó como dos horas. Para entonces, la señora ya reía a mandíbula batiente, hablaba de su vida, me daba palmaditas en la rodilla, respondía preguntas. Había sacado del bolso una bolsa de galletas *mamul* caseras —unos bollitos de sémola con azúcar glas, rellenos de dátiles y nueces— y las ofreció a todas las mujeres de la puerta.

Para mi sorpresa, ni una sola de las mujeres rechazó la invitación. Aquello era como un sacramento. La viajera argentina, la mamá californiana, aquella mujer encantadora de Laredo... todas acabamos cubiertas del mismo azúcar glas. Y sonriendo. No hay mejor galleta.

Y entonces la compañía aérea se presentó con bebidas gratis de unas neveras enormes, y dos azafatas de vuelo, una afroamericana y otra méxico-americana fueron sirviéndonos zumo de manzana y limonada. Ellas también iban llenas de azúcar glas.

Me di cuenta de que a mi nueva mejor amiga —a esas alturas ya íbamos cogidas de la mano— le asomaba por el bolso una planta en una maceta, alguna cosa medicinal con las hojas verdes y peludas. Llevar una planta cuando se emprende un viaje es una tradición muy antigua del país. Permanecer siempre arraigado a algún sitio.

Entonces miré a mi alrededor, a esa sala de espera llena de rostros cansados de gente que llegaba tarde, y pensé: «Éste es el mundo donde quiero vivir. El mundo compartido». Ni una sola de las personas que ahí había —una vez interrumpidos los lloros fruto de la confusión— parecía desconfiar de ninguna otra. Se comían las galletas. Quise abrazar también a todas esas mujeres. Eso aún puede pasar en cualquier lugar. No todo está perdido.

Cuanto más sentimos que incluso completos desconocidos son nuestra familia, más felices somos. El siguiente ejercicio te ayudará a habituarte a considerar el mundo entero tu familia.

Ejercicio

El mundo es mi familia

Dedica un día a relacionarte con cada persona con la que te encuentres como si fuera tu madre, tu hijo o tu familiar más querido. Ponlo en práctica en el trabajo, al hacer la compra, al participar en un grupo, cuando hagas un recado. Haz que la gente se sienta importante, querida, valorada, respetada y apreciada, y tómatelo como una opción activa, con la intención de aportar algo maravilloso al mundo. Al final del día, fíjate en qué tal te sientes. Tal vez te sorprenda cómo, tras un día ocupándote de todos cuantos hallabas a tu paso, recoges el fruto de sentirte tan feliz y en paz como pretendías que los demás se sintieran.

RESUMEN Y PASOS EFECTIVOS HACIA FELICIDAD

Cuando cultivas relaciones nutritivas, utilizas el contagio emocional en tu favor, te rodeas de apoyos y consideras que tu familia es el mundo. Con ello, se crea un hermoso jardín alrededor de tu Casa de la Felicidad. Con la ayuda de los siguientes pasos efectivos, practica los Hábitos de Felicidad para las relaciones:

1. Utiliza tu GPS interior para identificar las relaciones nutritivas y tóxicas, «las rosas y las malas hierbas» de tu jardín.
2. Cuando tengas que interactuar con gente tóxica, recurre a los estimuladores de inmunidad emocional.
3. Durante una semana, haz cada día la Práctica de la Apreciación.
4. Si conviene, completa un curso de 12 pasos que pueda ayudarte con la situación.
5. Forma un grupo de apoyo y organiza un programa de reuniones periódicas.
6. Considera que tu família es el mundo y céntrate más en lo que tenemos en común que en lo que nos diferencia, e irradia una bondad colmada de afecto entre cuantos halles a tu paso.

TERCERA PARTE
FELIZ PORQUE SÍ PARA SIEMPRE

*El propósito fundamental de nuestra vida
es buscar la felicidad.*

Su Santidad el DALAI LAMA.

10

El Plan de Vida
de quien es Feliz porque sí

Sólo se puede vivir feliz para siempre día a día.
Margaret Bonnano, escritora.

A estas alturas ya sabes que lo de «para siempre felices» no es sólo cosa de cuentos de hadas o de unos pocos afortunados. Tras haber leído estos convincentes estudios y las experiencias de personas de verdad felices —e incluso puede que tras haber probado alguno de los ejercicios de los capítulos anteriores—, ya sabes que, si practicas los 21 Hábitos de Felicidad, tú también puedes sumarte a la lista de los 100 Felices y disfrutar de paz interior y bienestar como telón de fondo del resto de cosas de tu vida.

He aquí un resumen de los siete pasos que acabas de dar para construir tu Casa de la Felicidad, junto con los hábitos que los acompañan.

Hábitos de Felicidad

Los Cimientos: sé el dueño de tu felicidad

1. *Céntrate en la solución*: para ganar en capacidades, potencia lo que ya funcione a la hora de mejorar cualquier situación de tu vida.
2. *Busca la lección y el regalo*: en vez de culpar a otros o poner excusas, busca la lección y lo bueno de cada circunstancia.
3. *Haz las paces contigo mismo*: aligera tu carga aceptando el pasado y avanzando.

El Pilar de la Mente: no te creas todo lo que piensas

1. *Cuestiona tus pensamientos*: evalúa tus convicciones para determinar si tu mente te dice la verdad.
2. *Ve más allá de tu mente y suelta amarras*: libérate de pensamientos y sentimientos negativos.
3. *Predispón tu mente a la alegría*: recurre a los pensamientos que apoyen tu felicidad.

El Pilar del Corazón: déjate llevar por el amor

1. *Céntrate en la gratitud*: fíjate en lo que aprecias, para expandir la energía del corazón.
2. *Practica el perdón*: libérate del resentimiento y del enojo hacia los demás, para liberar el corazón.
3. *Reparte bondad*: practica el amor «sonriente» y los buenos deseos con todo aquel que halles a tu paso.

El Pilar del Cuerpo: haz felices a tus células

1. *Alimenta tu cuerpo*: equilibra la química de cuerpo y mente con la mejor nutrición y suplementos.
2. *Infunde energía a tu cuerpo*: recurre al movimiento, la respiración y un descanso adecuado, para aumentar la fuerza vital del cuerpo.
3. *Sintoniza con la sabiduría de tu cuerpo*: ama y honra a tu cuerpo y atiende a sus necesidades.

El Pilar del Alma: conéctate al Espíritu

1. *Busca la conexión con tu Poder superior*: encuentra el silencio mediante la plegaria, la meditación o el tiempo que pases en la naturaleza, para percibir tu relación con tu Poder superior.
2. *Escucha tu Voz interior*: conéctate a la sabiduría del alma para que te guíe en la vida.
3. *Confía en el desarrollo de la vida*: ábrete a la gracia e incorpórate al flujo de la vida.

El Tejado: vive con propósito

1. *Descubre lo que te apasiona*: averigua lo que de verdad te importa y sintoniza con lo que te hace vibrar.
2. Sigue la inspiración del momento: concéntrate en *qué* quieres y déjate llevar al *cómo* se desarrollará.
3. *Contribuye a algo más grande que tú*: responde a la llamada interior de servir a los demás, en formas más o menos grandes.

FELIZ PORQUE SÍ

El Jardín: cultiva las relaciones nutritivas
1. *Cuida de tus relaciones*: aprecia a las personas de tu vida y recurre al contagio emocional para aumentar tu felicidad.
2. *Rodéate de apoyos*: crea un sistema de apoyo que te ayude a permanecer centrado en vivir lo mejor posible.
3. *Considera el mundo tu familia*: experimenta una sensación de amor y conexión con toda la humanidad.

Para descargar un minipóster gratuito de los Hábitos de Felicidad, visita www.HappyforNoReason.com/bookgifts.

Para que los Hábitos de Felicidad surjan de modo natural se requiere práctica. A la mente le lleva tiempo y entrenamiento generar las rutas neuronales que contribuirán a un nivel más elevado de felicidad. He aquí algunos consejos prácticos que te ayudarán a seguir el camino:
1. Recuerda los Tres Inspiradores.
2. Ve pasito a pasito.
3. Establece un sistema de apoyo.

Recuerda los Tres Inspiradores

Puedes utilizar el primer principio de los Tres Inspiradores —*Lo que te expande te hace más feliz*—, recurriendo a tu GPS interno para que te asesore a la hora de tomar decisiones en la vida cotidiana.

Activa el segundo principio —*El universo conspira a tu favor*— preguntándote, siempre que haga falta, «Si lo que está sucediendo tuviera un propósito más elevado, ¿cuál sería?».

El mejor modo de aplicar el tercer principio —*Aquello que aprecias, se aprecia*— es mi Fórmula Secreta, que aprendiste en el Capítulo 2: intención, atención y nada de tensión.

Intención: mantén tu intención de ser Feliz porque sí clara y vívida en la conciencia. Elige para tu intención escrita de ser Feliz porque sí, del Capítulo 2, un lugar donde la veas con frecuencia.

Atención: mantén el impulso prestando a menudo atención al desarrollo de los Hábitos de Felicidad y completando los pasos activos que hay al final de cada capítulo, pensados para ayudarte a practicar los Hábitos.

Nada de tensión: el estado de paz y de bienestar que deseas ya se encuentra en tu interior. Relájate, suelta amarras y confía en que todo se va desarrollando.

El proceso es como plantar una flor: la plantas (tu intención), la riegas y abonas (tu atención) y luego te relajas (nada de tensión), seguro de que, con el tiempo, empezarás a ver los brotes. Puedes soltar amarras... el proceso se está llevando a cabo.

Ve pasito a pasito: supera tu resistencia al cambio

Para progresar más rápido, no es necesario que avances a grandes saltos. Basta con ir pasito a pasito, sin abandonar la marcha. En Japón, lo llaman *kaizen*, que significa, literalmente, «mejora continua». Por medio del *kaizen*, se obtienen logros importantes y duraderos, a partir de pasos pequeños y constantes. En realidad, ir poco a poco y con constancia es el mejor modo de superar la resistencia al cambio.

La mayoría somos reacios al cambio... ¡incluso aunque nos favorezca! Por eso tanta gente guarda bicicletas estáticas abandonadas en el garaje, casi nunca hace uso del abono del gimnasio y tiene esa caja de productos dietéticos envasados bajos en carbohidratos, bajos en calorías y bajos en grasa criando polvo en la despensa. La base de esta resistencia reside en nuestra psicología. Muchas veces nuestra mente desconfía del cambio, cuando no lo teme abiertamente. Para superar esa resistencia, procura que los cambios que hagas sean pequeños y lo bastante graduales para burlar el «radar del miedo» de tu cerebro. Cuando te fijes objetivos fáciles de lograr, la respuesta cerebral al miedo no se activará.

Es más, al seguir dando pequeños pasos, el cerebro empieza a generar nuevas rutas neuronales que apoyan cada nuevo Hábito de Felicidad. Tus nuevos hábitos no tardarán en integrarse y verás cómo, fácilmente y de modo automático, pones en práctica las conductas que deseas.

Establece un sistema de apoyo: la Felicidad es amiga de compañía

Para que el proceso cueste aún menos y disfrutarlo aún más, puedes invitar a otros a unírsete. Consigue el apoyo de un entrenador, mentor, amigo o grupo de amigos. Practicar los Hábitos de Felicidad con los demás nos ayuda a *poseerlos* a un nivel más profundo.

El doctor William Glasser, psiquiatra y autor de numerosos libros, incluyendo *Every Student Can Succeed*, ha dedicado años a estudiar cómo aprende la gente. Desarrolla las teorías del educador del siglo XX Edgar Dale, y afirma:

Aprendemos...

El 10 % de lo que leemos

El 20 % de lo que oímos

El 30 % de lo que vemos

El 50 % de lo que vemos y oímos

El 70 % de lo que hablamos con los demás

El 80 % de lo que experimentamos personalmente

El 95 % de lo que enseñamos a otra persona

Eso significa que puedes aumentar el impacto de la lectura de *Feliz porque sí* con sólo comentar con otras personas lo que has aprendido en este libro. He aquí varias formas estupendas de obtener apoyo de los demás:

1. **Busca a un amigo Feliz porque sí:** como si se tratara de un compañero de ejercicios, otra persona que practique los Hábitos de Felicidad puede ayudarte a no desviarte del camino. Cuando alguien más te anima y depende de tu ayuda para permanecer centrado, el objetivo de ser Feliz porque sí se convierte en una prioridad. Además, con un amigo, todo es más divertido.

2. **Forma un grupo de apoyo de gente Feliz porque sí:** multiplica el efecto-amigo fundando un grupo de apoyo de gente Feliz porque sí, donde os reunáis periódicamente —en persona, en línea o por teléfono— para dar consejos, escuchar y animaros mutuamente a medida que todos aumentáis vuestros niveles básicos de felicidad. Podéis dedicar cada reunión a un hábito distinto. Tu grupo sumará su intención a tu intención de ser Feliz porque sí, con lo que su poder crecerá exponencialmente. Presiento que acabaréis cada reunión sintiéndoos bien animados y afortunados de haber hallado compañeros de viaje que compartan vuestro objetivo de aumentar el nivel de dicha del mundo. (Visita www.happyfornoreason.com para localizar a un grupo de apoyo cercano.)

3. **Consulta a un entrenador vital Feliz porque sí:** son muchos los que recurren a los entrenadores vitales, que son muy útiles como apoyo para la consecución de sus propósitos. Ponte en contacto con un entrenador vital Feliz porque sí especialmente formado para guiarte y aumentar tu nivel de felicidad. (Para saber más sobre los entrenadores vitales Felices porque sí, visita www.happyfornoreason.com.)

4. **Ve en busca de mentores Felices porque sí:** yo considero a los 100 Felices mis mentores, y soy consciente de hasta qué punto su influencia es increíblemente valiosa en mi vida. La compañía de personas que ya sienten un profundo estado interior de felicidad te ayudará a construir tu Casa de la Felicidad más rápido y fácilmente.

Según algunas tradiciones, «estar en compañía de los sabios» es uno de los pasos más importantes que puedes dar para aumentar la felicidad en la vida.

El mundo es como tú seas

El mundo es según el color del cristal con que lo miras. Cuando eres feliz, ves felicidad en todo cuanto te rodea. Cuando eres infeliz, ves infelicidad por todas partes. Me encanta la siguiente fábula, que lo ilustra maravillosamente.

Hace mucho tiempo, en una aldea lejana, había un lugar llamado La Casa de los Mil Espejos. Un perrito feliz, al oír hablar del lugar, decidió visitarlo. Al llegar, subió dando brincos alegremente por los escalones que conducían a la entrada de la casa. Se asomó a la entrada con las orejas tiesas y meneando la cola tan rápido como podía. Para su sorpresa, se encontró contemplando a mil perritos felices más meneando las colas tan rápido como él. Sonrió de oreja a oreja, y le respondieron con mil sonrisas de oreja a oreja, igual de cálidas y simpáticas. Al salir de la casa, se dijo a sí mismo: «Este lugar es maravilloso. Volveré a menudo a visitarlo».

En esa misma aldea, otro perrito, que no era feliz como el primero, decidió visitar la casa. Subió lentamente la escalera y agachó la cabeza al asomarse por la puerta. Al ver a aquellos mil perros de aspecto poco amistoso devolviéndole la mirada, les gruñó, horrorizándose al contemplar cómo mil perritos le devolvían el gruñido. Al salir de la casa, se dijo a sí mismo: «Este lugar es horrible y no pienso volver jamás».

Todos los del mundo son tu espejo. Cuando eres Feliz porque sí, el mundo te devuelve el reflejo de esa felicidad.

Participa en la Revolución de la Felicidad

Al construir tu Casa de la Felicidad, no te costará hallar a otras personas que se te unan... se está produciendo una revolución de la felicidad. La felicidad se deja ver por todas partes: en revistas, periódicos, libros y en la tele. Hay incluso campañas y enormes vallas publicitarias promocionando frases como «Atrévete a ser feliz». Cada vez son más los que quieren descubrir cómo ser de verdad felices en sus vidas ahora. Hace poco leí que hoy en día la felicidad es lo que la autoestima era para los noventa y la autorrealización para los setenta. Es una buena noticia, ya que, cuanta más gente preste atención a la felicidad, más impulso se generará para todo el mundo.

No hace falta que todo el planeta sea feliz para que se produzca un cambio fundamental en el nivel de felicidad del mundo. Se han llevado a cabo muchos estudios que indican que incluso con que sólo el 1 % de una población disfrute de más paz, bienestar y coherencia meditando juntos periódicamente, el efecto se hace sentir en la comunidad entera, con lo que se reducen el índice de delincuencia, el número de accidentes, de actos violentos y la mortalidad.

Aprender a ser Feliz porque sí te pondrá en cabeza de la revolución de la felicidad, además de ser un modo muy eficaz de aportar algo al mundo. Serás como un faro que ilumine tu propia vida y la de quienes te rodean. Esta idea la expresa maravillosamente un antiguo proverbio chino que sigue siendo cierto:

Cuando hay luz en el alma, hay belleza en la persona.
Cuando hay belleza en la persona, hay armonía en la casa.
Cuando hay armonía en la casa, hay orden en la nación.
Cuando hay orden en la nación, hay paz en el mundo.

Felices porque sí: nuestra realización personal

En la introducción, mencionaba lo afortunadas que Carol y yo nos sentimos por haber podido escribir este libro. Invertir tiempo en entrevistar a los 100 Felices y dedicar toda nuestra atención al tema de la felicidad nos ha vuelto personas más felices, sanas y buenas (¡por lo menos según nuestras parejas!). La perspectiva de ser Feliz porque sí impregna nuestras interacciones con los demás, nuestra percepción del mundo que nos rodea... ¡todo! No deja de sorprenderme el poder de esas tres pequeñas palabras, Feliz porque sí, para animar a la gente y recordarle la felicidad que ya tiene en su interior.

Me lo confirmó una conversación que tuve cuando estaba encargando una lámpara por teléfono. Mientras la mujer procesaba mis datos, empezamos a hablar de la felicidad. Al mencionar el título de mi libro, la mujer se animó muchísimo, diciendo: «¡*Feliz porque sí* ! ¡Me encanta! A veces me siento feliz y no sé por qué, pero nunca he sabido cómo llamarlo. Feliz porque sí es la descripción perfecta». Al día siguiente recibí un correo electrónico suyo que incluía este maravilloso párrafo:

> Al final de la jornada, de vuelta a casa en el coche tras hablar con usted, no dejaba de oír mentalmente «Feliz porque sí». No podía sino sonreír, y me sorprendí sin dejar de sonreír durante kilómetros.

El efecto expansivo de ser Feliz porque sí: al leer su correo yo también sonreí.

Para Carol, esta idea de ser feliz desde el interior lleva muchos años propagándose. Cuando se me ocurrió el título *Feliz porque sí* y se lo dije a Carol, estuvo de acuerdo al instante en que era el modo perfecto de describir ese estado más allá de la felicidad normal.

Me llamó al día siguiente, entusiasmada, y me contó que había estado revolviendo entre algunos viejos diarios suyos y había encontrado la letra de una canción que escribió en 1984. Se había olvidado por completo de la canción, pero al volverla a leer ese día se le puso la piel de gallina. Cuando me dijo la letra, a mí también me dejó de piedra con la coincidencia.

Conduzco mi coche, con las líneas amarillas parpadeantes,
en el invierno de Nueva York y bajo el cielo neoyorquino.
Entonces, por ninguna razón especial a la vista,
de pronto soy inmensamente feliz.

Con agua tibia enjabonada lavo los platos,
contemplo las nubes y pido deseos.
Entonces, por ninguna razón especial a la vista,
de pronto soy inmensamente feliz.

La dicha brota en mi interior como una rosa,
algo dulce y cálido fluye.
Entonces, por ninguna razón especial a la vista,
de pronto soy inmensamente feliz.

Y ahora es cuando se oye la sintonía de *Dimensión desconocida*. Du-du-du-du. Du-du-du-du. Nos echamos a reír, ¡pero las dos sabíamos que no era coincidencia que estuviéramos haciendo juntas este libro!

Trabajar en *Feliz porque sí* ha transformado del todo la vida de Carol. Dice que, a pesar de que antes se considerara bastante feliz, el conocimiento de ser Feliz porque sí le ha brindado un nivel de paz y dicha cotidianas que hasta entonces sólo había alcanzado a entrever. Siente que ha adquirido una confianza nueva, al saber que, haga lo que haga, cuenta con una estupenda caja de herramientas repleta de Hábitos de Felicidad que pueden ayudarla a encontrar el camino de vuelta a la felicidad que alberga en su interior.

En mi caso, escribir *Feliz porque sí* ha supuesto la consecución de mis deseos de la infancia: hallar la felicidad profunda y compartirla con los demás. La construcción de mi Casa de la Felicidad ha suprimido la angustia y el vacío que durante tantos años me abrumaron. Siento una gratitud extraordinaria por la experiencia en constante crecimiento de ser Feliz porque sí en mi vida.

Al final de sus días, mi padre, mi modelo original de conducta Feliz porque sí y la inspiración de este libro, me hizo un último regalo.

En la celebración de su noventa y un cumpleaños, cenamos en casa con toda la familia, y mi padre comió lo que resultó ser su última cena. Fue también la última vez que estuvo en pie antes de fallecer, en paz, una semana más tarde. Aunque en ese momento no nos dimos cuenta de lo que hacía, esa noche insistió muy concreta y expresamente en que cada uno de sus hijos —mi hermana, mi hermano y yo— lo acompañáramos, uno por uno, a ver el bordado del Árbol de la Vida, su última obra maestra, colgada en la pared del salón.

Cuando sonrió tiernamente y señaló el bordado enmarcado, supe que trataba de expresar algo importante.

Apenas podía hablar, pero ahora creo que con ese gesto final trataba de comunicarme «Tú eres la siguiente generación del Árbol de la Vida y quiero que transmitas el mensaje de mi vida. He vivido una vida intensamente feliz. Por favor, vive esa felicidad y ayuda a los demás a que también la vivan».

Este libro es mi modo de transmitir el mensaje de mi padre.

Mi más profundo deseo es que cada uno de nosotros se llene de luz, amor y felicidad en la vida y que, con ello, creemos un mundo de paz.

¡Que todos seamos Felices porque sí!

Recursos recomendados

Programas para ayudarte a ser Feliz porque sí... ¡ahora!

Ahora que sabes que es posible ser Feliz porque sí, aspiras a experimentarla más y más en la vida... y cuanto antes mejor. Para ayudarte a acelerar el progreso, he creado los siguientes programas, que aportan un mayor apoyo del que obtendrías sólo con un libro.

Seminario Feliz porque sí

En el *Seminario* Feliz porque sí, te orientaré personalmente a la hora de aplicar los principios, hábitos y herramientas de este libro para transformar inmediatamente tu vida y poner los cimientos de una felicidad duradera. Pondrás en práctica los siete pasos para erigir tu Casa de la Felicidad interior y aumentarás tu nivel básico de felicidad, para que la paz y el bienestar se integren a tu realidad cotidiana.

Entrenamiento Feliz porque sí

Por mucho que dominemos los principios aprendidos, la vida se empeña en darnos sorpresas que suponen continuos desafíos. Mi programa de entrenamiento está pensado para ayudarte a integrar los Hábitos de Felicidad a tu vida diaria, de modo que tu felicidad sea decididamente inquebrantable.

CD *Paraliminal* Feliz porque sí

El CD Paraliminal Feliz porque sí es como un generador automático de felicidad perpetua. Basado en las tecnologías rompedoras de la programación neurolingüística y el aprendizaje cerebral integral los CD paraliminales te ayudan a adquirir en minutos nuevas conductas y sentimientos más positivos. Elaboré el CD junto con mi amigo Paul R. Scheele, el líder mundial en esta tecnología y el verdadero maestro de la transformación cerebral. Tú sólo ponte los auriculares estéreo, siéntate a escuchar las palabras y la música y déjate guiar de dentro a fuera para gozar de más felicidad en la vida.

Serie de entrevistas para Feliz porque sí

El conocimiento de este libro no te cambiará la vida hasta que lo conviertas en parte integral de tu realidad cotidiana. Mis exhaustivas entrevistas con los 100 Felices y otros expertos en felicidad te mostrarán estos conceptos, hábitos y herramientas en acción y los trasladarán bien vívidos a la vida. Al verlos aplicados en el contexto de las experiencias variadas en la vida real de las personas, te costará menos integrarlos e inspirarte con un panorama de posibilidades.

Curso en CD de Feliz porque sí

He preparado un curso en CD —un curso de aprendizaje personal— que puedes utilizar en casa o en la oficina. Mientras escuchas, recorrerás paso a paso procesos transformadores de la vida, que modificarán tu conciencia, te cambiarán los hábitos y te conducirán a una vida rica en felicidad.

Discursos de Feliz porque sí

En los veinte años que llevo dando discursos para innumerables empresas, asociaciones y organizaciones profesionales y sin ánimo de lucro, he aprendido que un discurso puede transformar e influir en individuos y entidades, con resultados apreciables y a menudo sorprendentemente poderosos. Estoy encantada de ofrecer mis servicios para inspirar y transformar tu público u organización. Cuando las personas son felices y productivas, cualquier nivel de éxito es posible.

Para más información acerca de éstos y otros programas, visita www.HappyForNoReason.com/Programs.

Libros sobre la felicidad en general

BAKER, Dan; STAUTH, Cameron. *Lo que sabe la gente feliz: tomar las riendas del propio destino y vivir una vida plena y satisfactoria*. Barcelona: Ediciones Urano, 2004.

BEN SHAHAR, Tal. *Happier: Learn the Secrets to Daily Joy and Lasting Fulfillment*. McGraw Hill, 2007.

BECK, Martha. *The Joy Diet: 10 Daily Practices for a Happier Life*. Crown, 2003.

BISWAS-DIENER, Robert; DEAN, Ben. *Positivity Psychology Coaching: Putting the Science of Happiness to Work for Your Clients*. Wiley, 2007.

FOSTER, Rick; Hicks, Greg. *How We Choose to Be Happy: The 9 Choices of Extremely Happy People—Their Secrets, Their Stories*. Perigee Trade, 2004.

GILBERT, Dan. *Tropezar con la felicidad*. Barcelona: Ediciones Destino, 2006.

NELLY, Michael. *Feel Happy Now!* Hay House, 2008.

RICARD, Matthieu. *Happiness: Developing Life's Most Important Skill*. Little, Brown, 2006.

RYAN, M. J. *Happiness Makeover: How to Teach Yourself to Be Happy and Enjoy Every Day*. Broadway, 2005.

S.S. DALAI LAMA. *El arte de la felicidad*. Barcelona: Grijalbo, 1999.

SELIGMAN, Martin. *La auténtica felicidad*. Barcelona: Ediciones B, 2003.

Capítulo 6 (cuerpo)

BECK, Martha. *The Four-Day Win: End Your Diet War and Achieve Thinner Peace.* Rodale, 2007.

BREUS, Michael. *Buenas noches.* Barcelona: Ediciones B, 2007.

CASS, Hyla; HOLFORD, Patrick. *Natural Highs: Supplements, Nutrition, and Mind-Body Techniques to Help You Feel Good All the Time.* Avery, 2003.

GRAY, John. *Mars and Venus Diet and Exercise Solution: Create the Brain Chemistry of Health, Happiness, and Lasting Romance.* St. Martin's Press, 2003.

HOTZE, Steven F. *Hormones, Health, and Happiness: A Natural Medical Formula for Rediscovering Youth with Bioidentical Hormones.* Wellness Central, 2007.

MARRIOTT, Nancy; PERT, Candace. *Everything You Need to Know to Feel Go(o)d.* Hay House, 2006.

NORTHRUP, Christiane. *Cuerpo de mujer, sabiduría de mujer: una guía para la salud física y emocional.* Barcelona: Ediciones Urano, 2000.

ROSS, Julia. *The Diet Cure.* Penguin, 2000.

ROSS, Julia. *The Mood Cure: The 4-Step Program to Take Charge of Your Emotions—Today.* Penguin, 2003.

WATSON, Brenda. *Essential Cleansing for Perfect Health.* Renew Life Press, 2006.

Capítulo 7 (alma)

ARDAGH, Arjona. *Awakening into Oneness: The Power of Blessing in the Evolution of Consciousness.* Sounds True, 2007.

CHOPRA, Deepak. *Conocer a Dios.* Barcelona: Plaza & Janés Editores, 2001.

DYER, Wayne. *Inspiración: encuentra tu verdadera esencia.* Madrid: Ediciones Palmyra, 2007.

THUBTEN, Anan. *No Self, No Problem.* Dharmata Press, 2006.

Libros para construir tu Casa de la Felicidad

Capítulo 3 (poder personal)

Byrne, Rhonda. *El Secreto*. Barcelona: Ediciones Urano, 2007.
DeAngelis, Barbara. *How Did I Get Here? Finding Your Way to Renewed Hope and Happiness When Life and Love Take Unexpected Turns*. St. Martin's Griffin, 2006.
Jackson, Paul Z.; McKergow, Mark. *The Solutions Focus: Making Coaching and Change Simple*. Nicholas Brealey Publishing, 2007.
Scovel Shinn, Florence. *El juego de la vida y cómo jugarlo*. Barcelona: Ediciones Obelisco, 1996.
Tolle, Eckhart. *El poder del ahora: una guía para la iluminación espiritual*. Móstoles: Gaia Ediciones, 2007.

Capítulo 4 (mente)

Dwoskin, Hale. *El método Sedona*. Málaga: Editorial Sirio, 2005.
Katie, Byron; Mitchell, Stephen. *Amar lo que es: cuatro preguntas que pueden cambiar tu vida*. Barcelona: Ediciones Urano, 2002.
Lipton, Bruce H. *La biología de la creencia: la liberación del poder de la conciencia, la materia y los milagros*. Madrid: Ediciones Palmyra, 2007.

Capítulo 5 (corazón)

Childre, Doc Lew; Martin, Howard. *The HeartMath Solution: The Institute of HeartMath's Revolutionary Program for Engaging the Power of the Heart's Intelligence*. HarperSanFrancisco, 2000.
Demartini, John. *Count Your Blessings: The Healing Power of Gratitude and Love*. Hay House, 2006.
Emoto, Maseru; Thayne, David A. *Mensajes del agua: la belleza oculta del agua*. Barcelona: La Liebre de Marzo, 2003.
Luskin, Frederic. *Forgive for Good*. HarperSanFrancisco, 2003.

WILLIAMSON, Marianne. *Volver al amor*. Barcelona: Ediciones Urano, 1998.

Capítulo 8 (propósito)

ATTWOOD, Chris; BRAY ATTWOOD, Janet. *The Passion Test: The Effortless Path to Discovering Your Destiny*. Hudson Street Press, 2007.
BECK, Martha. *Encuentre su propia estrella polar: reclame la vida gozosa y feliz que está destinado a vivir*. Barcelona: Ediciones Obelisco, 2003.
CANFIELD, Jack; SWITZER, Janet. *The Success Principles: How to Get from Where You Are to Where You Want to Be*. Collins, 2006.
JONES, Ellis. *The Better World Shopping Guide*. Canadá: New Society Publishers, 2006.
LEVACY, William. *Beneath a Vedic Sun: Discover Your Life Purpose with Vedic Astrology*. Hay House, 2006.
LOEHR, Jim; SCHWARTZ, Tony. *El poder del pleno compromiso*. Madrid: Algaba Ediciones, 2003.
PORRAS, Jerry; STEWART, Emery; THOMPSON, Mark. *Success Built to Last: Creating a Life That Matters*. Plume, 2007.

Capítulo 9 (relaciones)

GRAY, John. *Los hombres son de Marte, las mujeres de Venus*. Barcelona: Grijalbo, 2001.
HENDRICKS, Gay; HENDRICKS, Kathlyn. *Lasting Love: The 5 Secrets of Growing a Vital, Conscious Relationship*. Rodale, 2004.
HENDRIX, Harville. *Conseguir el amor de su vida: una guía práctica para parejas*. Barcelona: Ediciones Obelisco, 2007.

Capítulo 10

MAURER, Robert. *El camino del kaizen: un pequeño paso puede cambiar tu vida*. Barcelona: Ediciones B, 2006.

Herramientas y técnicas

Agape International Spiritual Center: Rev. Dr. Michael Beckwith
www.agapelive.com
El Agape International Spiritual Center es una comunidad espiritual transconfesional cuyas puertas están abiertas a todo aquel que busque la auténtica espiritualidad, la transformación personal y el servicio desinteresado a la humanidad.

The Art of Living Foundation
www.artofliving.org
Esta organización humanitaria internacional sin ánimo de lucro ofrece talleres donde se imparten clases de meditación y técnicas de respiración que calman la mente, liberan el estrés, limpian el cuerpo de toxinas y activan todo el sistema en cuestión de minutos.

BEST: Morter Health System
www.morter.com
Morter Health System diseñó y actualmente imparte la Técnica de Sincronización Bioenergética —BEST—, un procedimiento de equilibrio energético para restablecer todo el potencial sanador del cuerpo, mediante sus capacidades sanadoras naturales. La BEST ayuda a equilibrar el sistema nervioso autónomo y contribuye a gozar de verdadera y radiante salud.

The Biocybernaut Institute: Dr. James Hardt
www.biocybernaut.com
El Biocybernaut Institute imparte formación en la respuesta neurológica de las ondas cerebrales avanzadas. Mediante cursos que enseñan a abrir el corazón y a perdonar con intensidad, mejorando las experiencias vitales y ondas alfa cerebrales, los alumnos reciben una orientación pausada hacia el autodescubrimiento.

The Canfield Training Group: Jack Canfield
www.jackcanfield.com
El Canfield Training Group ofrece cursos transformadores centrados
en vivir *Los principios del éxito*, aumentar la autoestima y optimizar el
máximo rendimiento. Jack Canfield, entrenador de éxito estadounidense, te ayuda a llegar desde donde estés hasta donde quieras llegar.

Center for Soulful Living: Bill Barman
www.aboutcsl.com
El Center for Soulful Living es una comunidad mundial de personas
dedicadas a vivir centrados en el alma y colmados de gracia. Su principal objetivo es ayudar a la gente a conectar con su sabiduría, poder
y resplandor interiores.

Cortical Field Re-Education
www.corticalfieldreeducation.com
La Cortical Field Re-Education (CFR), creada por Harriet Goslins, es
un enfoque revolucionario de la mejora de la salud y el bienestar, a partir de la potenciación de la comunicación entre la mente y el cuerpo.
Se trata de un programa integrador que no sólo contempla la sanación
física, sino también los niveles emocionales, espirituales y energéticos
que acompañan la sanación.

El método Demartini
www.drdemartini.com
Derivado de la física cuántica, el método Demartini es un conjunto pre-
determinado de preguntas y acciones que neutraliza las cargas emocionales y aporta equilibrio a la mente y el cuerpo. El proceso te permite
abrirte paso a nuevos niveles de inspiración, creatividad y desempeño.

EFT (Técnica de libertad emocional)
www.emofree.com
La EFT consiste en presionar ligeramente puntos meridianos esenciales
del cuerpo para liberar prácticamente cualquier asunto que se te ocurra

relacionado con las emociones, la salud y el rendimiento. En www.emo-free.com, puedes descargarte un manual gratuito que te enseñará a aplicar esta técnica, además de ver un vídeo de muestra de la EFT.

Hanna Somatics
www.livingsomatics.com
Hanna Somatics es un programa que consiste en movimientos pausados y suaves que mejoran el funcionamiento del sistema nervioso. Entre sus beneficios, se cuenta una reducción significativa del dolor y un aumento de la soltura y de la felicidad del cuerpo.

The Hendricks Institute: Gay y Kathlyn Hendricks
www.hendricks.com
El Hendricks Institute imparte habilidades esenciales para vivir con consciencia. Se dedica a ayudar a las personas a abrirse más a la creatividad, al amor y a la vitalidad por medio del poder de las relaciones con consciencia y el aprendizaje personal integral.

Holosync
www.centerpoint.com
Holosync es una forma compleja de tecnología neuroauditiva que genera con facilidad y sin esfuerzo las pautas de las ondas cerebrales eléctricas propias de la meditación profunda. Se trata de una tecnología cerebral científicamente probada que aporta todos los beneficios de la meditación.

The Institute of HeartMath
www.heartmath.com
La misión del HeartMath es lograr un modo de vida basado en el corazón y la coherencia global, motivando a las personas a conectarse con la inteligencia y la orientación de sus propios corazones. El sistema HeartMath consta de investigaciones, cursos, productos y tecnologías destinadas a mejorar la salud, el bienestar y la realización personal.

Intentional Living Program: Dra. Sue Morter

www.drsuemorter.com

El Intentional Living Program de la Dra. Sue Morter es un enfoque de la mente y del cuerpo y un método excepcional que capacita a las personas para traspasar los bloqueos que las limitan y vivir la vida de sus sueños. Este programa educativo basado en la experiencia actúa dando nuevas pautas al cerebro y al organismo, para alcanzar un funcionamiento óptimo, así como el éxito.

Life Spa: John Douillard

www.lifespa.com

Life Spa es un centro situado en Boulder, Colorado, dedicado a la ayurveda y a la panchakarma, pensado para rejuvenecer, desintoxicar y equilibrar los tejidos más profundos del cuerpo. Sus programas transforman el cuerpo en el nivel celular.

Lefkoe Institute: facilitar el cambio: Morty Lefkoe

www.lefkoeinstitute.com

El Lefkoe Institute ayuda a quienes buscan cambios duraderos en el comportamiento y/o emociones de un modo pausado y a la vez efectivo. Con el método Lefkoe, las creencias no deseadas se desintegran literalmente para siempre.

Lindwall Foundation (Libertad por medio de la liberación)

www.lindwallreleasing.org

El Proceso de Liberación Lindwall es muy efectivo para dejar atrás los recuerdos negativos o los pensamientos restrictivos. El proceso implica dejar que salga a la superficie algo que nos alterara en el pasado, enfrentarse a la situación y luego liberar el impacto negativo y el contenido emocional mediante afirmaciones.

Mood Cure, página web: Julia Ross

www.moodcure.com

La Mood Cure (cura del ánimo) se basa en la labor pionera desempeñada en la clínica californiana de Julia, Recovery Systems, desde 1988. Este enfoque amplio y natural recurre a los aminoácidos que estimulan el cerebro, combinados con una dieta rica en proteínas, grasas saludables y verduras, todo ello con el fin de mejorar el humor en cuestión de días.

Nancy Fursetzer
www.Positician.com
Entrenadora Positician© certificada. Los Positicians buscan el lado positivo de todas las cosas y enseñan a los demás a hacer lo mismo. Se puede obtener la certificación Positician.

Network for Grateful Living: Hermano David Steindl-Rast
www.gratefulness.org
A Network for Grateful Living (ANG*L) es una organización sin ánimo de lucro consagrada a la gratitud como principal inspiración del cambio personal, la cooperación internacional y el activismo sostenible en ámbitos de interés universal.

Opinion Method: Lenora Boyle
www.changelimitingbeliefs.com
Lenora Boyle lleva desde 1991 ayudando a la gente a ser más feliz, por medio de sus seminarios interactivos, su actividad como entrenadora personal y las teleclases.

Paraliminals: Estrategias de aprendizaje
www.learningstrategies.com/Paraliminal/Home.asp
Paraliminals es una tecnología de aprendizaje cerebral integral y de programación neurolingüística, con una fusión precisa de música y palabras. Cada sesión se prepara esmeradamente para aportar unos resultados que te cambiarán la vida.

The Passion Test
www.thepassiontest.com

El Test de la Pasión de Janet y Chris Attwood es una herramienta tremendamente sencilla y a la vez profunda al servicio de miles de personas de todo el mundo. El Test de la Pasión es el modo perfecto de sintonizar con las cosas que más te apasionan, para poder compartir tus dones especiales.

Patanjali Kundalini Yoga Care
www.kundalinicare.com
Patanjali Kundalini Yoga Care es un servicio de orientación espiritual pensado para quienes van sinceramente en busca de la verdad, basado en la ciencia kundalini tradicional. Proporciona evaluaciones, consejos individuales para la práctica espiritual y un seguimiento con apoyo y orientación.

Positive Psychology Services: Robert Biswas-Diener
www.intentionalhappiness.com
Positive Psychology Services ofrece una amplia gama de servicios de entrenamiento, formación y conferencias basados en la nueva ciencia de la psicología positiva.

Psycyh-K
www.psych-k.com
Psycyh-K te ayuda a reescribir el *software* de la mente cambiando las creencias autorrestrictivas por creencias que te apoyen. Psycyh-K lleva a cabo una comunicación cerebral integral, lo que modifica rápida y fácilmente las ideas subconscientes.

Releasing the Inner Magician (RIM): Dra. Deborah Sandella
www.innermagician.com
El RIM es un método avanzado mente-cuerpo para liberarse del pasado y renovar los pensamientos y sentimientos perjudiciales. El RIM te ayuda a apelar a tu Mago Interior, el poder intuitivo divino interno, que disuelve el dolor y revela la fuerza y la pasión naturales del espíritu.

El método Sedona

www.sedona.com

El método Sedona es un programa incomparable para lograr cambios positivos duraderos en la vida. Esta técnica te ayuda a cambiar rápidamente el estado de conciencia, pasando de la contracción, el estrés y la resistencia a la expansión, la relajación y la aceptación.

Solutions Focus

www.thesolutionsfocus.com

Solutions Focus es la nueva ola de cambios mínimos positivos para personas y organizaciones, el modo demostrado de comprobar lo que funciona, del modo más sencillo y pausado posible. Ofrecen formación, libros, artículos, discursos, consultas y mucho más.

The Soulmate Kit: Arielle Ford

www.soulmatekit.com

The Soulmate Kit es una guía paso a paso que incluye un DVD, tres CD y un libro de ejercicios de 104 páginas concebidos tanto para hombres como para mujeres. Lleva al usuario de la mano a lo largo de un programa intenso y detallado para dejar atrás el equipaje emocional del pasado y a la vez crear y atraer a tu vida a la mujer o al hombre correctos.

Soul Medicine Institute: Dawson Church

www.soulmedicineinstitute.org

El Soul Medicine Institute se dedica a fomentar la idea de que una buena conexión espiritual es indispensable para el bienestar. El Soul Medicine Institute aporta formación, educación e investigación sobre el papel de la intención, la conciencia y la energía en la sanación.

Soulwave Institute: Katie Darling

www.soulwave.org

Por medio de su labor, Katie Darling explora la idea científica y espiritual de que todo es una ola, incluyéndome a mí y a ti, que existe dentro de un campo oceánico. Con la formación Soulwave, esta idea se experimenta directamente, lo cual despeja el camino para poderosas sanaciones, la dicha, la vivacidad y un nuevo tipo de sabiduría, llamada inteligencia dinámica.

Spring Forest Qigong: Chunyi Lin
www.springforestqigong.com
El Spring Forest Qigong es una técnica revolucionaria basada en una práctica sanadora milenaria, revisada y mejorada para adaptarla al mundo del siglo XXI. Cuando el maestro de Qigong Chunyi Lin creó el Spring Forest Qigong tenía un objetivo en mente: poner en tus manos el poder para comprender plenamente que eres un sanador nato.

Switched-On Seminars: optimización del rendimiento cerebral
Jerry Teplitz
www.teplitz.com
Los Switched-On Seminars se dedican a volver a conectar los circuitos cerebrales y así generar nuevos niveles de éxito. Hay seminarios sobre ventas, márquetin de redes, golf y gestión que integran los hemisferios cerebrales izquierdo y derecho, para ayudar al cerebro a no activarse a raíz de experiencias desagradables del pasado y poderte adaptar fácilmente a nuevas oportunidades y cambios.

Tapas Acupressure Technique (TAT)
www.tatlife.com
La TAT es una técnica de sanación meridiana energética de vanguardia para vencer el estrés, rebosar salud y vivir una vida feliz. En la web www.tatlife.com, se puede descargar un folleto gratuito sobre cómo practicar TAT uno mismo.

Vedic Behavior and Trend Analysis Systems: William R. Levacy
www.vedicsky.com
Vedic Behavior and Trend Analysis Systems te ayuda a analizar la conducta y los acontecimientos previstos para poder prever los buenos re-

sultados de tus acciones. Proporciona un mapa de ruta para vivir de un modo efectivo, de acuerdo con las leyes de la naturaleza.

The Work: Byron Katie
www.thework.com
The Work es un proceso de consulta fácil, sencillo y a la vez poderoso, que te enseña a identificar y cuestionar los pensamientos estresantes que causan todo el sufrimiento del mundo. Quienes siguen fielmente The Work hablan de resultados que les han cambiado la vida.

Más recursos sobre la felicidad

Páginas web, boletines, revistas electrónicas, blogs y películas sobre la felicidad

www.goodmorningworld.org
Recibirás cada día un correo electrónico con sueños-ideas de Good Morning World. El mensaje diario incluye un sueño-idea de los más de 64.000 *Ideas y sueños para un mundo mejor*, recopilados desde octubre de 2004.

www.happinessclub.com
La misión del Happiness Club es promover las ventajas de ser feliz, por medio de reuniones, boletines y una web de información para los miembros de tu comunidad y ciudadanos de todo el mundo.

www.thehappinessshow.com
The Happiness Show es un sitio web que ofrece, gratis, información, recursos y más de 130 episodios de veintiocho minutos de audio y vídeo, aptos para toda clase de conexión a Internet.

www.happinessproject.typepad.com
La web de The Happiness Project es el blog de la escritora Gretchen Rubin, que dedicó un año a probar cada principio, consejo, teoría y estudio científico que halló sobre la felicidad. En su blog diario, relata algunas de sus aventuras y reflexiones al abordar el reto de ser más feliz.

www.happinessfilm.com
The Happiness Revolution. El director, galardonado por la Academia, Roko Belic, presenta un documental completo sobre la felicidad filmado en más de catorce países, en lugares como el pantano de Louisiana, el desierto de Namibia, las playas de Brasil y los jardines de Findhorn. Esta película muestra unos asombrosos hallazgos acerca de la felicidad, procedentes de varias fuentes, desde un científico que lleva a cabo escáneres cerebrales en el laboratorio hasta un conductor de rikishas de Calcuta.

www.reflectivehappiness.com
El curso Reflective Happiness te permite acceder directamente a las mentes que fundaron la psicología positiva. El curso consiste en ejercicios para generar felicidad, tests y cuestionarios sobre la felicidad, acceso al foro de la Positive Psychology Community, un boletín y un club de libros, así como preguntas y respuestas con el Dr. Martin Seligman, padre de la psicología positiva.

www.wisebrain.org
La web Wise Brain, creada por el Dr. Rick Hanson y el Dr. Rick Mendius, aporta información sobre la neurociencia del bienestar psicológico y el crecimiento espiritual. Puedes suscribirte al *Wise Brain Bulletin*, un magacín electrónico bimensual que propone herramientas y métodos para la felicidad, además de sabiduría contemplativa.

Cursos y conferencias sobre la felicidad

Awakening Joy

www.awakeningjoy.info

Awakening Joy es un curso de 10 meses basado en la experiencia y encabezado por James Baraz, profesor fundador del Spirit Rock Meditation Center, creado con el objetivo de desarrollar la capacidad natural para el bienestar y la felicidad.

University of Pennsylvania Positive Psychology Center

www.authentichappiness.sas.upenn.edu

El Positive Psychology Center dispone de cuestionarios, recursos, artículos y un máster en psicología positiva aplicada.

Cumbre anual de psicología positiva

www.gallupippi.com

El Gallup Institute for Global Well-Being ofrece un foro anual del bienestar, donde se presentan la Cumbre anual de psicología positiva y las nuevas reflexiones de la Encuesta Mundial Gallup.

Agradecimientos

Este libro es fruto de la colaboración en muchos sentidos. Estoy profundamente agradecida por el extraordinario apoyo recibido y por las contribuciones, de un valor inestimable, de amigos, familia, compañeros, los 100 Felices y expertos de varios ámbitos. Carol y yo quisiéramos dar las gracias a las muchas personas maravillosas y generosas que han compartido este viaje con nosotras.

De parte de Marci
A Carol, por poner el corazón, la mente y el alma en este proyecto, con absoluta devoción y una labor incansable para crear el mejor libro posible. Gracias por estar a mi lado con tu talento como escritora, tu estupenda colaboración y tu tierna amistad. Sin ti no podría haber hecho este libro, ni habría querido.

A Sergio, por ser mi roca, mi héroe y mi amor. Gracias por tu firme apoyo, por tus profundas reflexiones y por no dejar de enseñarme, de muchas maneras, grandes y pequeñas, que el amor siempre es lo más importante. ¡Qué afortunada soy de compartir la vida con un hombre que de verdad es Feliz porque sí!

A mi extraordinaria familia: a mamá y papá, los dos mejores padres del mundo, por su amor incondicional y por creer siempre en mí. A mi hermana, Lynda, por ser la otra «con la vena espiritual». A mi hermano, Paul, que me enseñó todo lo que sé (o por lo menos eso es lo que dice). A mi fabulosa cuñada, Susan, y a mis estupendos sobrinos y sobrina, Aaron, Vickie, Jared y Tony. A Maija Snepste, por ser una maravillosa y cariñosa adicción para la familia. A Leah Basch, por ser una «hermana pequeña» tan formidable. Y a Francesca, Max y Silvia Baroni, por darme apoyo con vuestro amor y esas magníficas cenas italianas en vuestra casa, las noches de domingo.

A Bonnie Solow, mi agente literario y querida amiga, que ha sido testigo de todo el proceso de escritura de este libro, con su amor, gracia, estímulo, increíble paciencia y dotes consumadas. Gracias por tomarme de la mano y abrigarme el corazón. Eres la mejor agente literaria del mundo y una amiga de lo más extraordinaria. Y a Lulu, por escampar la dicha donde quiera que vaya.

A Jack Canfield, mi extraordinario mentor y hermano «del alma» de *Sopa de pollo*, por guiarme, inspirarme y compartir tan generosamente conmigo toda tu extraordinaria sabiduría y conocimiento. Sin ti, no estaría donde hoy estoy. Te quiero y valoro mucho nuestra amistad y el tremendo impacto que has tenido en mi vida. A Inga Canfield, mi «hada divertida» y sabia a la vez: gracias por ser una amiga estupenda. A Mark Victor Hansen, Patty Aubery, Russ Kamalski, Patty Hansen y todo el equipo de *Sopa de pollo para el alma*, por poder contar siempre con vuestra sabiduría, amor y apoyo. A Jennifer Hawthorne, por emprender este camino de la escritura conmigo. Que los azulillos siempre os rodeen de felicidad.

A Pete Bissonette, Paul Scheele y las Estrategias de aprendizaje, por ser unos socios maravillosos a la hora de aportar un nuevo nivel de felicidad al mundo. Me encanta trabajar con vosotros y me considero afortunada de estar en el mismo equipo que vosotros. A mis compañeros del Transformational Leadership Council: vuestra brillantez individual y colectiva, vuestra bondad absoluta y compromiso de cambiar el mundo no dejan de sorprenderme. A Deborah Rozman, Howard Martin, Doc Childre y mis otros grandes amigos del Institute of HeartMath, por vuestra contribución en el ámbito del desarrollo humano y por ayudarme generosamente en mi labor.

A Janet (Jani) Attwood por ser mi mejor animadora, mi amiga querida y la persona predilecta con quien reír. Tu corazón bondadoso es tan grande como el universo. A Chris Attwood, gracias por tu gran sabiduría y corazón abierto. Lo demostraste cada vez que te pedí ayuda. Jani y Chris, ha sido muy divertido jugar con vosotros en el mundo de los libros, y a la vez... sois mi familia.

A Bill Bauman, por ser mi ángel de la guarda personal y mi mentor espiritual. Tu amplitud de miras, profundo amor e incomparable sentido del humor son sólo algunas de las razones de que seas una bendición constante en mi vida. A Bill Levacy, por inspirarme siempre en la dirección y el momento correctos. Durante los últimos quince años me has guiado impecablemente... ¡eres una estrella! A Nandu, por ayudarme a no abandonar el camino y conservar buenas reservas de energía.

A Catherine Oxenberg, mi querida hermana del alma: es tanta la dicha y paz que tu perspectiva espiritual y tierna amistad aportan a mi vida... Te quiero. A Debra Poneman, por ser mi primera mentora y mi gran amiga, y por ayudarme a decir *Sí al éxito*.

A Marianne Williamson, por ser un exquisito modelo de conducta. Me encanta cómo pones tu granito de arena en el mundo y tú esplendor como líder, visionaria y amiga. A Hale Dwoskin y Amy Edwards, por animarme a recordar la verdad y estar siempre disponibles con vuestro amor y sabiduría. A Arielle Ford y Brian Hilliard, por compartir vuestro amor y aptitud para la vida. A Gayatri Schiffer y Brian Siddhartha Ingle, por preservar la dicha, el orden y el temple en nuestro hogar. A Jill Lublin y Steve Lillo, por su gran disposición a arrimar el hombro. Vuestras capacidades, reflexiones y atenciones me salvaron el día en más de una ocasión. A Stephen M. R. Covey, por nuestra conversación, que me infundió más ánimos de lo que crees.

A mis extraordinarios amigos, que me han dado amor y apoyo a lo largo de todo el viaje: Lenora Boyle, Alexandra Leslie, Suzanne Lawlor, Mary Weiss, Stewart y Joan Emery, Peggy O'Neill, Barbara Stanny, Elinor Hall, Ron Hall, Jeddah Mali, Robert Kenyon, Renee Skop, Lynn Roberston, Cindy Buck, John y Bonnie Gray, Yakov Smirnoff, Donna Bauman, Diane Alabaster, Suelena Pamplin, Bruce Allen, maestro George Yau, Janet Switzer. A mis grupos de amigas: Holly Moore, Lane Cole, Janice Peterson, Sandy Kopff (una triste sonrisa), Kami Mailloux, Terri Tate, Elyn Kopeck, Katherine Revoir y mi grupo de visiones de los lunes por la mañana. Y a todos mis amigos que vieron artículos sobre la felicidad y me los enviaron (ya sabéis quiénes sois).

De parte de Carol

A Marci, por invitarme a acompañarte en este proyecto para cambiar la vida. Has contribuido a mi vida en muchos sentidos y siempre te estaré profundamente agradecida. A mi maravilloso marido, Larry Kline, que me animó a cada paso del camino, aceptando pacientemente mes tras mes de trabajo sin descanso. Tu amor y apoyo significan para mí más de lo que podrías imaginar. A mis hijastros, Lorin y McKenna: vuestro sentido del yo y espíritu de aventura no dejan de inspirarme. A mi madre, Selma, siempre tan tierna y alentándome.

A mi hermana, Bobbie, la otra escritora de la familia, que me escuchó de manera comprensiva y siempre estuvo dispuesta a ayudarme con las cuestiones gramaticales. A mi «sensato» hermano, Burt, por darme sabios consejos siempre que lo llamaba. A mis otros hermanos y a sus cónyuges, Jim y Di, Wilbur, Pam, Holly y Charlie, que tensaron la cuerda. Estoy en deuda con vosotros... y os quiero a todos. A Cindy Buck, por ser mi amiga cariñosa, animadora y confidente. Sin ti, no lo hubiera podido hacer, Cindala. A mi grupo de mujeres: Karen Joost, mi serena hermana de corazón, y a Toni D'Orr, la bondad personificada, por compartir tan de buen grado tus reflexiones y tu afecto. Cada año que pasa te quiero más. A mis queridísimos amigos: Debbie Pogel... la otra Shaina Rivkah, Josie Batorski, Peggy O'Neill, Georgia Nemkov, Christian Wolfbrandr, Stephanie Hewitt, los Woolf, Marcy Luikart, Kathy Bennett, Laurie Edgcomb y Wilma Melville; vuestra amistad y vuestro apoyo me mantienen a flote y endulzan la vida.

De parte de las dos

A nuestros increíbles correctores: Betsy Rapaport, no sólo dotada de un extraordinario talento para lo que hace, sino también divertida, bondadosa y... ¡tan sabia!... ¡Trabajar contigo ha sido una gozada! A Cindy

Buck, cuya brillantez editorial y valiosa aportación mejoraron tremendamente el libro, y cuya amistad valoramos profundamente. Te queremos, Cin. A Nancy Marriott, cuyo trabajo duro, entusiasmo inagotable y optimismo fueron un bálsamo para nosotras. Y a Kristin Loberg: tu destreza, buen humor y constancia son sólo comparables a tu amplia experiencia y competencia.

A Katina Griffin, la ayudante ejecutiva de Marci, por responder bondadosamente más allá de lo que corresponde a su puesto, a la hora de apoyarnos a nosotras y este libro. A Sue Penberthy, la leal asistente y contable de Marci, que lleva once años alimentándola de energía «maternal» y nunca permitió que faltara el dinero. A Laurie Kalter y Megan Woolever, por vuestro gran apoyo, por medio de una investigación y gestión del proyecto fuera de serie. Y a D'ette Corona, que mantuvo en orden nuestro proceso de autorización y cuya gran estabilidad aún nos sorprende. Eres una joya.

A Sarah Clarehart, por tu dedicación sin reservas, tu paciencia de santa y tu talento para el diseño gráfico. A Randall Heath y Liz Howard, por vuestra hábil maestría. A Joe Burull y Jerry Downs, ¡por vuestro entusiasta ojo fotográfico y vuestra ardua tarea para que Marci estuviera más guapa que nunca!

A Aylene Rhiger, por esa maravilla de sitio web. A Jerry Teplitz, por tu dominio de la evaluación muscular. A Paul Hoffman, ¡por poner música a nuestro mensaje! A Scott de Moulin y Dallyce Brisbin, por vuestro generoso y fenomenal entrenamiento.

A nuestro *dream team* editorial, la gente fabulosa y llena de talento de Free Press: Dominick Anfuso, por ser el editor de trato más fácil, el más encantador y positivo que hay sobre la faz de la Tierra. Martha Levin, por haber confiado en este libro. Maria Auperin, por tu ternura, paciencia y competencia al ayudarnos a cada paso. Eric Fuentecilla, por tu excelente trabajo para la cubierta. Eleni Caminis, por tu heroísmo impresor. Y al maravilloso equipo de márquetin y publicidad, incluyendo a Suzanne Donahue, Carisa Hays y Heidi Metcalfe, por contribuir a que este libro llegara a manos de tantos lectores.

A los 100 Felices, por aportar de tan buena gana vuestro tiempo y experiencia para ayudar a otros a encontrar la misma felicidad que vosotros irradiáis tan maravillosamente. A las muchas personas que respondieron a la encuesta Feliz porque sí. Leímos todas y cada una de ellas, y nos aportaron información de lo más valiosa.

A los expertos en las distintas disciplinas que con tanta paciencia respondieron a nuestras muchas preguntas. Además de los numerosos especialistas que ya se citan en el libro, damos las gracias a las siguientes personas: Arjuna Ardagh, Jim Bunch, Katie Darling, Dr. John Demartini, Amy Edwards, Pralaya Gordon, Joan Shivarpita Harrigan, Dr. Steven Hotze, la difunta Isa Lindwall, Dra. Elena Lobota, Sue Morter, Christian Opitz, George Ortega, Swami Chandrasekharanand Saraswati, Susan Seifert, Mark y Bonita Thompson y Jerry White. Gracias por explicarnos complejos procesos científicos de modo que nosotras, sin ser científicas, pudiéramos entenderlos con facilidad, y por compartir reflexiones brillantes sobre la felicidad. Vuestras contribuciones son el marco objetivo del concepto Feliz porque sí y los pasos para construir la Casa de la Felicidad.

A Robert Biswas-Diener, uno de los hombres más bondadosos que han existido, que compartió con nosotras su tiempo y *savoir faire* siempre que se lo pedimos.

A nuestros cobayas, quienes se tomaron el tiempo de leer y comentar nuestro manuscrito: Chris Attwood, Janet Attwood, Sergio Baroni, Lane Cole, Oriana Green, Lisa Hotchkiss, Katrina Hunt, Brian Siddhartha Ingle, Suzanne Lawlor, Peggy O'Neill, Gayatri Schiffer, Barbara Stanny y Kevin Twohy. Vuestra contribución fue inmensamente útil.

Debido al tamaño y ámbito del proyecto, es posible que hayamos omitido los nombres de algunas personas que contribuyeron al mismo durante el camino. Si es así, perdonadnos, por favor, y no os quepa duda de que os apreciamos mucho.

¡Os estamos muy agradecidas y os queremos a todos!

Devolver

Con el espíritu de devolver, estamos encantadas de donar parte de los beneficios de las autoras a las siguientes dos buenas causas:

Operation Smile. Fundada en 1982, Operation Smile es una organización benéfica mundial para la atención médica infantil. La integran voluntarios de todo el planeta consagrados a la mejora de la salud y las vidas de niños y jóvenes adultos. Desde que vio la luz, Operation Smile ha tratado a más de 100.000 niños nacidos con fisuras en los labios, fisuras en el paladar y otras deformaciones faciales. Además de contribuir al tratamiento médico gratuito, Operation Smile forma a profesionales médicos en sus veinticinco países socios, dejando a su paso equipos esenciales que servirán como trabajo de base de una autosuficiencia a largo plazo.

Operation Smile, Inc.
6435 Tidewater Drive, Norfolk, VA 23509
Sitio web: www.operationsmile.org

The Pachamama Alliance. The Pachamama Alliance se dedica a capacitar a la población indígena para preservar su territorio y modo de vida, y con ello proteger el entorno natural por el bien de toda la familia humana. Su estrategia principal incluye el suministro a los pueblos de la selva tropical de las herramientas y recursos necesarios para apoyar la fuerza y vitalidad constantes de sus comunidades y cultura. La población indígena ofrece un nuevo modo de ver el mundo y vivir en él, inherentemente interconectado y sostenible. Esta sociedad recíproca trabaja en común para generar una presencia humana en el planeta ecológicamente sostenible, espiritualmente plena y socialmente justa.

The Pachamama Alliance
1009 General Kennedy Avenue, PO Box 29191,
San Francisco, CA 94129
sitio web: www.pachamama.org

Sobre Marci Shimoff

Marci Shimoff es una célebre líder transformacional y experta en felicidad que ha inspirado a millones de personas de todo el mundo con su mensaje sobre las infinitas posibilidades que encierra la vida. Es una de las expertas en motivación más destacadas de los Estados Unidos, además de una conferenciante profesional muy bien considerada. Ha impartido cursos para una gran variedad de públicos y organizaciones, incluyendo numerosas empresas pertenecientes a la lista estadounidense de las mayores firmas, Fortune 500. Hace más de veinte años que la aclaman ampliamente por compartir sus métodos pioneros para la realización personal y el éxito profesional.

Marci también es una de las autoras de no ficción más vendidas de todos los tiempos y el rostro femenino del gran fenómeno de la historia en libros de autoayuda, *Sopa de pollo para el alma*, que ha llegado a más de 150 millones de lectores. Es coautora de seis de los títulos más vendidos de la serie, incluyendo *Sopa de pollo para el alma de la mujer* y *Sopa de pollo para el alma de las madres*. Se han vendido más de 13 millones de ejemplares por todo el globo, en treinta y tres idiomas. Han estado 18 semanas en la lista de superventas del *New York Times* y cuatro títulos alcanzaron el n.º1 durante un total de doce semanas. Sus libros también han llegado a lo más alto en las listas de superventas del *USA Today* y el *Publishers Weekly*.

Asimismo, Marci es una de las profesoras que aparecen en el fenómeno cinematográfico y literario *El Secreto*, al que presta sus reflexiones sobre los principios esenciales para generar un éxito y una realización duraderos. Marci, una figura popular y atractiva para los medios de comunicación, ha participado en más de 500 programas televisivos y radiofónicos de ámbito nacional y regional y ha concedido entrevistas publicadas en más de 100 artículos periodísticos a lo largo y ancho de Norteamérica. Su trabajo está presente en revistas femeninas nacionales, entre ellas *Ladies' Home Journal* y *Woman's World*.

Presidenta y cofundadora de The Esteem Group, Marci ha impartido conferencias y seminarios sobre autoempoderamiento y máximo rendimiento a varias sociedades, asociaciones de mujeres y organizaciones profesionales y sin ánimo de lucro. Tiene un máster en comportamiento organizacional de la UCLA y ha completado un curso de certificación avanzado de un año con vistas a ser asesora en gestión del estrés.

Es miembro fundador y colabora con el comité ejecutivo del Transformational Leadership Council, un grupo de 100 líderes que atienden a más de 10 millones de personas del mercado del desarrollo personal. Marci está volcada en hacer realidad su visión y propósito en la vida: ayudar a la gente a vivir unas vidas más capacitadas y colmadas de dicha.

Para saber más sobre las conferencias, libros o seminarios de Marci, puedes contactar con ella en:

The Esteem Group
369-B Third Street, 314
San Rafael, CA 94901
www.marcishimoff.com
www.happyfornoreason.com

Sobre Carol Kline

Carol Kline es coautora de cinco libros, de los que se han vendido más de 5 millones de ejemplares, de la serie superventas *Sopa de pollo para el alma*, incluyendo *Chicken Soup for the Dog Lover's Soul* y *Chicken Soup for the Cat Lover's Soul* y el n.º1 de superventas del *New York Times, Sopa de pollo para el alma de la mujer*. En el año 2006, escribió, con Jack Canfield y Gay Hendricks, *You've Got to Read This Book: 55 People Tell the Story of the Book That Changed Their Life*.

Escritora y correctora freelance desde 1980, Carol, licenciada en literatura, está especializada en no ficción, narrativa y autoayuda. Ha escrito para periódicos, boletines y revistas. Además de sus propios libros de *Sopa de pollo*, ha aportado relatos y su talento como correctora para muchos otros libros de la serie *Sopa de pollo para el alma*.

Carol también es conferenciante, guía en autoestima y defensora del bienestar de los animales. Asimismo, lleva desde 1975 enseñando sistemas de gestión del estrés al público en general. En la actualidad, trabaja en varios proyectos de escritura sobre temas variados.

Si quieres escribir a Carol o interesarte por sus servicios como escritora o conferenciante, puedes escribirle a:

Carol Kline
Carol Kline, Inc.
P.O. Box 521
Ojai, CA 93024

Correo electrónico: ckline@happyfornoreason.com

Biografías de los 100 felices cuyas historias aparecen en *Feliz porque sí*

Janet Attwood es coautora del n.º1 de los superventas estadounidenses *The Passion Test*, coautora de *From Sad to Glad* y cofundadora de la revista transformacional electrónica n.º1 *Healthy Wealthy n Wise*. Experta en pasión, presenta sus programas del Test de la Pasión por todo el mundo. Actualmente, la «Empowered Women CD Series» de Janet se emite en hogares para mujeres sin techo, a lo ancho y largo de los Estados Unidos. www.janetattwood.com.

Martha Beck es escritora superventas del *New York Times* y columnista mensual de *O: The Oprah Magazine*. La NPR la denomina «la entrenadora vital más conocida de América». Entre sus libros, destacan *The Tour-Day Win: End Your Diet War and Achieve Thinner Peace* y *Expecting Adam*. www.liveyournorthstar.com.

Michael Bernard Beckwith es el fundador del Agape Spiritual Center de Los Ángeles. El Dr. Beckwith lleva a cabo retiros y es profesor de meditación, director de seminarios y creador del Life Visioning Process, que imparte a lo largo y ancho de los Estados Unidos. Entre sus libros, destacan *Inspirations of the Heart*, *Forty Day Mind Fast Soul Feast*, *A Manifesto of Peace* y *Living from the Overflow*. www.agapelive.com.

Rhonda Byrne es la productora y creadora de *El Secreto*, el fenómeno literario y cinematográfico mundial. En el año 2007, la revista *Time* la incluyó entre las 100 personas más influyentes del mundo. Originaria de Australia, actualmente Rhonda está en Estados Unidos, donde prosigue su labor con proyectos que animarán, inspirarán y traerán la dicha al mundo. www.thesecret.tv.

Chellie Campbell es la autora de *The Wealthy Spirit* y *Zero to Zillionaire*, además de creadora del famoso taller Financial Stress Reduction© Workshop, concebido para ayudar a las personas a triunfar y disponer de más tiempo libre para divertirse. Es conferenciante profesional, directora de seminarios y campeona de póquer. Chellie organiza sus talleres en la zona de Los Ángeles e imparte cursos por todo el país. www.chellie.com

Aerial Gilbert es directora de contactos de Guide Dogs for the Blind, además de incansable atleta. Sale a menudo a remar a la bahía de San Francisco y ha cosechado éxitos en muchas competiciones de remo. Aerial comparte sus experiencias personales durante presentaciones públicas para organizaciones afines, empresas, escuelas y otros grupos. www.guidedogs.com.

Elizabeth Gilbert es autora de varios libros, entre ellos el superventas *Comer, rezar, amar*, cuyos derechos ha adquirido recientemente Paramount Pictures para una película protagonizada por Julia Roberts. También ha escrito para *New York Times Magazine*, *Real Simple* y *O: The Oprah Magazine*. En la actualidad, Liz reside en New Jersey y trabaja en un nuevo libro. www.elizabethgilbert.com.

Mariel Hemingway es una actriz con más de veintidós años consagrada a su pasión por el yoga y la salud. Actualmente se la considera una voz autorizada en cuanto a vida holística y equilibrada se refiere. Su último libro, *Mariel Hemingway's Healthy Living from the Inside Out*, es una guía para aprender a encontrar el propio equilibrio y la salud por medio de técnicas y estilos de vida basados en el autoempoderamiento. www.marielhemingway.com.

Gay Hendricks es, desde hace más de treinta años, uno de los principales contribuyentes a las disciplinas de la transformación de las relaciones y las terapias cuerpo-mente. Junto a su esposa, la Dra. Kathlyn Hendricks, Gay es autor de muchos superventas, entre ellos *El camino del corazón consciente* y *La nueva mística empresarial*, además de fundador del Hendricks Institute, que imparte seminarios en Norteamérica, Asia y Europa. www.hendricks.com.

Chunyi Lin es maestro certificado de Qigong, fundador de la técnica Spring Forest Qigong y coautor del superventas n.º 1 de Amazon.com *Born a Healer*. El maestro Lin ha creado una serie de materiales de aprendizaje en casa para estudiantes, incluyendo vídeos, meditaciones en audio dirigidas y manuales. Su pretensión es que haya «un sanador en cada familia y un mundo sin dolor». www.springforestqigong.com

Mary G. Lodge tiene cinco hijos, once nietos y cinco biznietos. Entre sus aficiones, se encuentran la escritura, la pintura y la jardinería, y le encanta hablar sobre el perdón. LodgeDoor@aol.com.

Lisa Nichols, una de las profesoras que aparecen en *El Secreto*, es una dinámica conferenciante motivacional internacional y una férrea defensora del empoderamiento personal. Coautora de la serie *Chicken Soup for the African American Soul*, Lisa es fundadora y consejera delegada de Motivating the Teen Spirit, LLC, para muchos el curso sobre capacidades de empoderamiento más completo disponible en la actualidad para el desarrollo personal de los adolescentes. www.lisa-nichols.com.

Happy Oasis (Feliz Oasis) es fundadora y consejera visionaria del Raw Spirit Festival, el mayor acontecimiento de la Tierra dedicado a la salud, la ecosostenibilidad y la paz mundial, celebrado en Sedona, Arizona. Ha viajado fuera del país durante décadas, como antropóloga aventurera, siendo adoptada por varias tribus. Happy es la autora de *Uncivilized Ecstasies* y *Bliss Conscious Communication*. www.RawSpiritFest.com.

Catherine Oxenberg es una princesa europea y actriz galardonada que ha trabajado en numerosas películas y espacios televisivos. Se la conoce mejor por su papel en la famosa serie para la pequeña pantalla Dinastía. En el año 2006, ella y su marido, el actor Casper Van Dien, protagonizaron la serie de TV Watch Over Me. También es una madre orgullosa de cinco preciosos hijos. www.catherineoxenberg.com.

Rico Provasoli, quiropráctico antes de jubilarse, es ahora escritor a tiempo completo. Entre sus títulos, destacan *Golf between the Eras* y *Please Don't Tell My Guru*. Vive en California del norte. Aún pesca, ríe y da las gracias con entusiasmo por todo. Viaja impartiendo seminarios sobre Relief from the Inner Critic (liberarse del crítico interior). www.ricoprovasoli.com.

Zainab Salbi es fundadora y consejera delegada de Women for Women International, galardonada con el Conrad N. Hilton Humanitarian Prize del año 2006. Es también autora de *Between Two Worlds: Escape from Tyranny: Growing Up in the Shadow of Saddam* y *The Other Side of War: Women's Stories of Survival and Hope*. www.womenforwomen.org.

CJ Scarlet, tras superar una grave enfermedad, es hoy escritora, conferenciante motivacional y entrenadora personal, consagrada a ayudar a los demás a alcanzar la felicidad y prosperidad que merecen. El primer libro inspiracional de CJ, *Neptune's Gift*, está ya disponible en línea, en www.cj.scarlet.com.

Lynne Twist, autora del superventas *The Soul of Money*, es activista global, recaudadora de fondos, conferenciante y consultora. Ha volcado su vida en iniciativas globales, al servicio de los mejores instintos que hay en todos nosotros, incluyendo acabar con el hambre en el mundo, proteger las selvas del planeta y crear un futuro sostenible para todos los seres vivos. www.soulofmoney.org.

Autorizaciones

Damos las gracias a las distintas personas que han compartido con nosotras sus interesantes y estimulantes historias para que las incluyéramos en este libro. Asimismo, expresamos nuestro agradecimiento a las siguientes personas y organizaciones que nos han permitido reproducir su material:

Pág. 86   *La Técnica del centrarse en las soluciones*. Reproducida con la autorización de Mark McKergow.

Pág. 104   *Marcha de M-Poderamiento*. Reproducida con la autorización de Morter HealthSystem.

Pág. 127   *La mini hoja de ejercicios de El Trabajo*. Reproducida con la autorización de Byron Katie.

Pág. 137   *El proceso de soltar amarras*. Reproducido con la autorización de The Sedona Method©.

Pág. 154   Gráficos del ritmo cardíaco. Reproducidos con la autorización del Institute of HeartMath.

Pág. 162-163   Fotos acuáticas del Dr. Emoto. Reproducidas con la autorización de I.H.M. Co., LTD.

Pág. 169   *The Quick Coherence© Technique*. Reproducida con la autorización del Institute of HeartMath. La *Quick Coherence* (coherencia rápida) es una marca registrada del Institute of HeartMath.

Pág. 201   «Your Brain's True and False Emotional Chemistry». Traducción de un fragmento de *The Mood Cure* de Ju-

Pág. 204

Pág. 219

Pág. 237

Pág. 244

Pág. 246

Pág. 279

Pág. 328